吉林科学技术出版社

10余位烹饪大师、营养师根据5年读者反馈信息
从20000余例成菜中精选出
最适合家庭烹饪的1000余例美味

学做
家常汤煲

中国烹饪大师 何荣显 夏金龙 金 彪 联合推荐

《学做家常汤煲》编委会 编

XUE ZUO JIA CHANG TANG BAO

图书在版编目（ＣＩＰ）数据

学做家常汤煲 / 《学做家常烫煲》编委会编. —长春：吉
林科学技术出版社，2009.7
ISBN 978-7-5384-4207-6

Ⅰ.学… Ⅱ.学… Ⅲ.汤菜－菜谱 Ⅳ.TS972.122

中国版本图书馆CIP数据核字（2009）第071149号

家常菜跟我学系列

学做家常汤煲

《学做家常汤煲》编委会　编

选题策划　李　梁
责任编辑　李　梁　杨兴臣
封面设计　茗尊设计　史　爽
出版发行　吉林科学技术出版社
地　　址　长春市人民大街4646号
邮　　编　130021
发行部电话/传真　0431-85677817　85635177　85651759
　　　　　　　　　　85651628　85600611　85670016
储运部电话　0431-84612872
编辑部电话　0431-85630195
网　　址　www.jlstp.com
制　　版　长春市创意广告图文制作有限责任公司
印　　刷　长春新华印刷有限公司
开　　本　16
纸张规格　710mm×1000mm
印　　张　16
字　　数　256千字
版　　次　2009年7月第1版　2009年7月第1次印刷
书　　号　ISBN　978-7-5384-4207-6
定　　价　18.80元

Foreword

　　不可否认，快节奏的现代生活让人们逐渐远离了厨房，成了小餐馆、快餐店的常客。吃一顿自己做的饭菜几乎成了一种奢望，紧张繁忙的工作让人们很难抽出时间用在精进厨艺上，再一想到繁琐的做饭过程和自己糟糕的厨艺就懒得去和锅碗瓢盆打交道了。

　　有没有一种既简单又经济的方法让我们在工作之余享受到常变常新的家常便饭呢？这也是在编写本丛书之前我们系列书编委会的大厨们考虑的问题，可以说，家常菜品目繁多，各地都有各地的特色菜，我们广泛搜集了全国各地家常菜的做法，总结、归类，本着"方便实用，好学易做"的宗旨，分别推出了家常菜跟我学系列丛书，共4本——《学做家常菜》、《学做大众菜》、《学做家常炒菜》、《学做家常汤煲》。每本1000道以上的菜肴会极大丰富您的烹饪储备，每一道菜我们都向您详细介绍了原材料的准备，和详细的制作过程，力求让您一看就懂，一学就会。让您10分钟就能享受烹饪的乐趣，一个月成为厨房精英。

　　烹饪是一门艺术，同样的原材料在不同人的手里做出的菜肴就是味道不一。如果您肩负着全家饮食的重责，您怎么忍心看到家人因为您的厨艺不精而不思茶饭？与其让家人苦不堪言地去适应您的手艺，还不如增进厨技来取悦于家人。厨艺不精不可怕，只要您有心要做好饭菜，这本书绝对会尽快帮您完成心愿。

　　希望这本书能成为您厨房里的好助手、饮食上的好参谋。

编　者

2009年6月

蔬 菜 类

菌蛋奶类

水产类

豆制品类

禽肉类

畜肉类

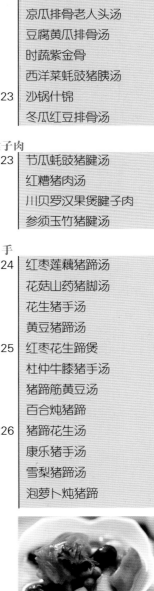

野 味 类

焖煮火腿白菜

主料 熟白菜500克，火腿30克，冬笋50克，木耳20克，鸡腿菇、西红柿、洋葱各适量。

调料 精盐、白糖、胡椒粉各1/2小匙；牛奶3大匙；色拉油适量。

做法 ①将白菜、西红柿洗净，切成块；火腿切片，夹入白菜中；冬笋洗净，切成片；木耳洗净，撕小朵；洋葱去皮、洗净，切成末；鸡腿菇洗净备用。

②锅中放入色拉油烧热，下入洋葱末炒香，注入清水，再放入夹好火腿片的白菜、冬笋、木耳、鸡腿菇、西红柿烧沸，加入牛奶煮至汤浓时，加调料调味即可。

明虾白菜蘑菇汤

主料 明虾200克，白菜中层帮300克，蟹味菇、白玉菇各50克，金针菇80克，香菜少许。

调料 姜片少许，精盐适量，鸡精1/2小匙，酱油、料酒各1大匙，蘑菇高汤8杯，香油少许，色拉油2大匙。

做法 ①将明虾去头、去壳，挑去虾线，洗净；白菜中层帮洗净，切成块；蟹味菇、白玉菇、金针菇去蒂，洗净备用。

②锅中加色拉油烧热，下姜片、白菜略炒，再烹入料酒，倒入蘑菇高汤烧沸，然后放入其他原料、调料煮沸，再转中火煮5分钟，撒入香菜，淋入香油即可。

白菜地瓜豆皮汤

主料 地瓜干150克，白菜内帮200克，番茄1个，尖椒2个，豆皮30克。

调料 葱花少许，精盐适量，味精、酱油各1/2小匙，高汤6杯，色拉油2大匙。

做法 ①将地瓜干切成小方块；白菜内帮洗净，切成块；番茄去蒂、洗净，切成块；尖椒去蒂、去子，洗净，斜切成圈备用。

②将豆皮放入清水中浸软，捞出切块待用。

③锅中放色拉油烧热，下葱花、白菜、豆皮、酱油炒匀，再倒高汤烧沸，然后放入其他原料、精盐煮20分钟，加味精调味即可。

白菜牛百叶汤

主料 白菜1000克，牛百叶500克。

调料 生姜6片，精盐、香油各适量。

做法 ①将牛百叶用清水浸透，冲洗干净，切成片，入油锅中加入姜片滑油，捞出沥油备用。

②将白菜洗净，切成块待用。

③锅中加入适量清水，放入牛百叶用武火煮沸，再放入白菜转文火煲1~2小时，加入精盐，淋入香油即成。

主料 猪蹄2个,小白菜50克,香菇4朵,无花果5个,雪豆30克。

调料 精盐适量。

做法 ①将猪蹄用炉火烤焦,放入温水中浸泡30分钟,刮洗干净,斩成大块,入沸水锅中余烫去血污,捞出沥水备用。
②将雪豆用清水浸透、洗净;小白菜择洗干净;香菇去蒂、洗净,切成片待用。
③煲内加入清水烧沸,放入所有原料用大火煲滚,再转小火煮2小时,加入精盐调味即可。

白菜香菇蹄花汤

主料 干白菜 80克,卤水豆腐1/2块,红椒30克。

调料 葱花少许,味精1/2小匙,大豆酱2大匙,料酒1大匙,牛骨高汤8杯,白糖、米醋、植物油各适量。

做法 ①将干白菜用温水浸软,洗净,放入沸水锅中焯水,捞出冲凉,挤干水分,切成段备用。
②将豆腐切小方块;红椒去蒂、去子,洗净,切成丁待用。
③锅中放入植物油烧热,下入葱花、干白菜、红椒丁、料酒、米醋、大豆酱翻炒2分钟,再加入牛骨高汤、豆腐、味精煮至入味即可。

干白菜豆腐酱汤

主料 小白菜250克,板栗50克,枸杞子10克。

调料 葱花少许,精盐1小匙,味精1/2小匙,白糖适量,老汤1碗,色拉油1大匙。

做法 ①将小白菜洗净,切成段,入沸水锅中焯水,捞出沥水备用。
②锅中放入色拉油烧热,下入葱花炝锅,再加入老汤烧开,然后放入板栗、枸杞子,加入精盐、味精、白糖煮2分钟,最后放入小白菜稍煮即成。

栗子白菜杞子汤

主料 大白菜100克,金针菇50克,牛肝菌30克,口蘑8朵,香菇6朵,家乡腊肉80克,党参2根,黑枣6颗,枸杞子1/3大匙。

调料 葱1根,姜3片,精盐、鲜鸡粉各2小匙,白糖1小匙。

做法 ①将大白菜洗净,切粗丝;香菇泡软、洗净;牛肝菌、口蘑洗净;金针菇去蒂、洗净;葱洗净,切段备用。
②将家乡腊肉洗净,切成片,入沸水锅中焯烫,捞出待用。
③锅中倒入2000毫升清水烧沸,下入大白菜煮软,再加入党参、黑枣、枸杞子煮至出味,然后加入腊肉煮10分钟,再放入葱段、姜片和金针菇、牛肝菌、口蘑、香菇、葱、姜煮10分钟,最后加入调料调味即可。

百菇腊肉白菜锅

大白菜素汤

主料 大白菜500克。

调料 大葱2根，精盐适量。

做法 ①将大白菜洗净，切粗丝；大葱去须、洗净，切成段备用。
②锅置火上，加入适量清水煮沸，再放入大白菜、葱段煮熟，然后加入精盐调味即成。

果老醉仙汤

主料 大白菜、大豆腐各200克，白萝卜、胡萝卜各100克，香菜末50克。

调料 精盐1/2小匙，味精少许，辣椒酱4小匙，清汤1碗，色拉油1大匙。

做法 ①将大白菜、大豆腐、白萝卜、胡萝卜分别洗净，均切成条，入沸水锅中焯烫，捞出沥水备用。
②锅中加入色拉油烧热，下入辣椒酱炒香，再添入清汤，放大白菜、白萝卜、胡萝卜、大豆腐炖熟，然后加入调料调味，撒入香菜末即可。

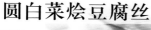

圆白菜烩豆腐丝

主料 圆白菜80克，卤水豆腐1块，海带30克。

调料 精盐、酱油各少许，料酒1大匙，鸡汁1/3小匙，高汤6杯，色拉油适量。

做法 ①将豆腐切厚片；圆白菜洗净，切成丝；海带冲去盐分，切成丝备用。
②锅置火上，放入色拉油烧至七成热，下入豆腐炸至外皮呈金黄色时，捞出沥油，晾凉后切丝待用。
③汤锅中加入高汤煮沸，下入海带、调料煮至入味后，再加入豆腐丝、圆白菜丝续煮5分钟即可。

骨头白菜煲

主料 白菜嫩叶500克，猪脊骨200克。

调料 清汤6杯，精盐1大匙，味精1小匙，胡椒粉少许。

做法 ①将白菜叶洗净后盛入盆内，放入大汤碗内。
②将猪脊骨砍块倒入锅内，加入精盐、味精、胡椒粉，大火烧1小时后倒入白菜，再煮5分钟即成。

主料 黄花菜80克，白萝卜100克，胡萝卜40克，薏米30克，柠檬1/2个。
调料 精盐适量，味精1/2小匙。

做法 ①将胡萝卜、白萝卜分别去皮、洗净，均切成丝；柠檬切块备用。
②将黄花菜入沸水锅中焯烫，捞出用清水泡凉，沥水待用。
③将薏米用清水浸透，再放入汤锅中，加入适量清水煮熟，然后放入柠檬煮沸，再放入其他原料，加入精盐煮20分钟，放入味精调味即可。

黄花菜萝卜薏米汤

主料 干鲍鱼50克，白萝卜125克。
调料 姜片、精盐、味精、料酒、高汤、鸡油、熟油各适量。

做法 ①将干鲍鱼用热水浸泡、发开，去泥沙杂物，洗净，放入碗内，注入适量清水，上笼蒸1小时取出；萝卜洗净，切成条备用。
②锅置火上，放入油烧热，下入姜片炒香，再烹入料酒，注入高汤，加入精盐、味精，然后放入鲍鱼、高汤烧煮入味，再加入萝卜条烧煮至熟，淋入鸡油即成。

鲍鱼萝卜汤

主料 白萝卜1500克。
调料 精盐、白糖各适量，味精少许。

做法 ①将白萝卜去皮，洗净，切成小块备用。
②锅置旺火上，加入适量清水，放入白萝卜煮沸，再加入精盐、白糖，然后转文火煮至熟烂，放入味精调味即成。

白萝卜汤

主料 红花6克，山药20克，胡萝卜50克，大米100克。
调料 白糖2大匙。

做法 ①将山药用清水浸泡一夜，切成薄片；胡萝卜洗净，去皮，切成3厘米见方的薄片；大米淘洗干净；红花洗净。
②将大米、红花、胡萝卜、山药同放铝锅内，加水800ml，置旺火上烧沸，加入白糖适量，再用小火煮35分钟即成。

山药红花胡萝卜粥

干白果蔬浸汁

主料 胡萝卜1根，椰肉（带原汁）80克，芹菜50克，柠檬片少许。

调料 干白葡萄酒2杯，胡萝卜汁少许。

做法 ①将胡萝卜洗净，切小块；芹菜洗净，取嫩叶用沸水焯烫，冲凉，再将芹菜梗切碎；柠檬切片备用。

②将干白葡萄酒加入胡萝卜汁、适量椰肉和原汁混拌均匀待用。

③将所有原料放入碗中，倒入混匀的汤汁浸30分钟即可。

萝卜连锅汤

主料 萝卜200克，带皮猪肥瘦肉50克。

调料 姜片少许，葱段、葱花、精盐、味精、酱油、鲜汤各适量，花椒粉2/5小匙，红油辣椒、郫县豆瓣、植物油各2大匙。

做法 ①将猪肉洗净，入汤锅中煮至刚熟捞出，切成薄片；萝卜去皮、洗净，切成长5厘米、宽4厘米、厚1厘米的大片备用。

②锅内加植物油烧热，下入剁细的豆瓣炒香成红色，倒入碗中，加酱油、红油辣椒、花椒粉、味精、葱花拌匀成调味料待用。

③锅置旺火上，加入鲜汤烧开，再放入猪肉片、萝卜片、姜片、葱段，用旺火煮至萝卜片熟软，然后加入味精、精盐调味，出锅装入汤碗中，与配制好的调味料一起上桌，由客人自己蘸食即可。

白萝卜海鲜汤

主料 白萝卜500克，斑节虾100克，香菇、海带各50克，牡蛎30克，枸杞子少许。

调料 精盐适量，胡椒粉少许，柴鱼酱油1/2大匙，鸡汤8杯。

做法 ①将白萝卜去皮、洗净，切成条；香菇去蒂、洗净，切花刀；海带洗净，切成条备用。

②将斑节虾剥去头、壳，留虾尾壳，洗净；牡蛎洗净待用。

③锅中加入鸡汤煮沸，下入香菇、海带、白萝卜，用中火煮沸20分钟，再放入斑节虾、牡蛎、枸杞子，加入精盐、胡椒粉、柴鱼酱油煮至虾肉变红色即可。

萝卜蛤蜊汤

主料 蛤蜊、白萝卜各200克，菜心50克，胡萝卜丝少许。

调料 精盐、胡椒粉各适量，味精1/3小匙。

做法 ①将蛤蜊泡入盐水中，使之吐出泥沙，洗净备用。

②将白萝卜去皮、洗净，切成丝，浸于冷水中；菜心洗净，去叶留茎部待用。

③锅中加入适量清水烧沸，下入萝卜丝、精盐、胡椒粉煮至萝卜丝透明，再放入蛤蜊、菜心用中火煮至蛤蜊外壳张开入味，然后放入胡萝卜丝续煮2分钟，再加入味精调味即可。

萝卜牛蛙丝瓜汤

主料 白萝卜200克,牛蛙2只,丝瓜80克。

调料 葱、姜丝各少许,精盐适量,味精1/2小匙,猪骨高汤8杯,蚝油、色拉油各2大匙。

做法 ①将萝卜去皮、洗净,切成三角块;丝瓜洗净,切成片,备用。

②将牛蛙去皮、内脏,洗净,剁成块,入沸水锅中焯透,捞出备用。

③锅中加入色拉油烧热,下入葱姜丝、蚝油炒出香味,倒入高汤,加入萝卜块、牛蛙煮至八成熟,再放入丝瓜,加入精盐、味精煮至入味即可。

萝卜豆酱汤

主料 白萝卜300克,豌豆荚50克。

调料 葱花、姜末、白糖各少许,味精1/2小匙,豆酱3大匙,猪骨高汤6杯。

做法 ①将白萝卜去皮、洗净,切长条;豌豆荚洗净,切去两端备用。

②汤锅中加入猪骨高汤、豆酱搅拌均匀,再放入白萝卜条、豌豆荚及所有调料煮至入味即可。

冰糖萝卜汤

主料 萝卜200克,枸杞子10粒,柠檬皮丝少许,生菜20克。

调料 冰糖适量。

做法 ①将萝卜去皮、洗净,切成薄厚均匀的圆片备用。

②将生菜洗净,切成丝待用。

③汤锅中注入清水煮沸,下入萝卜丝、枸杞子、柠檬皮丝、冰糖煮15分钟,再撒入生菜丝续煮2分钟即可。

红萝卜马蹄猪舌汤

主料 猪舌1条,猪瘦肉150克,马蹄200克,红萝卜400克,江珧柱、花生仁各50克,红枣10粒。

调料 精盐、料酒各适量,香油少许。

做法 ①将猪舌刮洗干净,切成大块;猪瘦肉洗净,切成大块,同猪舌一起入沸水锅中烫煮,捞起备用。

②将红萝卜去皮、洗净,斜切成三角块;马蹄削皮、洗净,拍裂;江珧柱、花生仁分别洗净,红枣去核、洗净待用。

③锅中注入12碗清水烧开,放入所有原料,加入料酒,先用大火煲半小时,再用中火煲1小时,然后转小火煲1.5小时,加入精盐、香油调味即可。

胡萝卜杂豆汤

主料　胡萝卜300克，青豆、红腰豆、甜玉米粒各30克，百合50克，长豆100克，洋葱少许。

调料　蒜末少许，精盐适量，番茄酱、色拉油各2大匙。

做法　①将红腰豆用清水浸泡3小时，入冷水锅中煮沸，转小火煮40分钟，至豆子熟软时捞出备用。

②将胡萝卜洗净，切成丁；长豆洗净，切成段；洋葱去皮、洗净，切小块；百合洗净，切小块待用。

③锅中加入色拉油烧热，下入洋葱、蒜末、番茄酱、长豆翻炒，再加入清水，放入其他原料、精盐煮10分钟即可。

蔬菜浓汤

主料　胡萝卜、芹菜各100克，洋葱粒50克。

调料　香葱25克，香叶15克，蒜瓣6克，胡椒粒5克，精盐1小匙，黄油1/2小匙。

做法　①将胡萝卜去皮、洗净，切成小块；芹菜洗净，切成段备用。

②坐锅点火，倒入清水，放入洋葱、蒜瓣、香叶、胡椒粒、胡萝卜、芹菜煮开，再加入精盐调味，用小火煮30分钟待用。

③将蔬菜和调味料捞出，放入粉碎机内打成菜泥，再倒回原汤中，加入黄油搅至溶化即可。

海带萝卜汤

主料　海带50克，青萝卜2个（重约500克），甜梨5个，红枣4个。

调料　精盐1小匙，白糖、胡椒粉各1大匙。

做法　①将青萝卜洗净，切成块，放入开水中焯一下；甜梨、红枣分别洗净，将甜梨切成块待用。

②汤锅置旺火上，放入清水适量，加入青萝卜、甜梨、红枣，烧开后用文火煮2小时，最后加入精盐与白糖，起锅即成。

萝卜保健汤

主料　白萝卜1/2个，干贝25克。

调料　姜丝5克，香菜15克，精盐、味精各1/2小匙，鲜汤2杯，植物油1大匙。

做法　①将白萝卜去皮，洗净，切成细丝；香菜择洗干净，切成小段；干贝放入清水中泡软、洗净，撕成细丝备用。

②坐锅点火，加油烧至四成热，先下入姜丝炒出香味，再添入鲜汤，放入白萝卜丝、干贝丝煮沸，然后加入精盐、味精调好口味，撒上香菜段，即可盛出食用。

萝卜丝鸡蛋汤

主料 白萝卜1/2根，鸡蛋2个。

调料 蒜头2个，葱花1克，香油4小匙，精盐1/2小匙，味精少许，水淀粉少许，植物油适量。

做法 ①将萝卜洗净切成丝，蒜头拍碎切成末，用油爆香后倒入萝卜丝略炒。

②加水煮沸5分钟，再加入蛋液，加入精盐、味精调味。

③下水淀粉勾薄芡，淋上香油，撒上葱花即成。

带鱼萝卜煲

主料 带鱼1条，白萝卜100克，鸡蛋2个。

调料 葱段、姜片、香菜段各6克，料酒2小匙，精盐、味精各1大匙，鸡精2小匙，干淀粉3大匙，鲜汤2杯，料酒、胡椒粉各1大匙，香油1小匙，植物油750克（约耗85克），大料1枚。

做法 ①将带鱼剁段，加精盐、料酒和葱姜汁拌匀，腌约10分钟，用毛巾揩干汁水；鸡蛋磕碗内，加精盐，打散；萝卜切块。

②炒锅入植物油烧四成热，将带鱼段拍一层干淀粉，抖掉余粉，拖鸡蛋液，下油锅中炸至皮硬定形呈金黄色，捞出沥油。

③锅留底油，下大料炸煳捞出，再下葱段、姜片炸香，加鲜汤、白菜叶、带鱼块、料酒、精盐和胡椒粉，沸后用小火炖约12分钟至熟透，调入味精，盛汤盆内，淋香油，撒香菜段即可。

蘑菇五花肉烧萝卜

主料 蘑菇片20克，五花肉300克，小萝卜300克，老姜5片，大葱1段。

调料 料酒1小匙，酱油1大匙，蚝油15克，精盐1/2小匙，糖1小匙，白胡椒、鸡精、香油各1/4小匙。

做法 ①蘑菇片浸泡30分钟后洗净，浸泡蘑菇的水过滤掉杂质留用。五花肉切片，大葱切片，老姜切片，小萝卜切片。

②锅中倒油，加热至七成热，倒五花肉煸炒5分钟，待五花肉出油后，倒小萝卜片、姜片和葱片，继续炒3分钟至水分出来。

③加入料酒、酱油、蚝油、精盐、白糖和白胡椒粉，倒入蘑菇片和适量浸泡蘑菇的汤没过锅内食物一半位置即可，盖上锅盖用中火焖5分钟，打开盖子后，改成大火，将汤汁收到略干，调入鸡精和香油即成。

萝卜青蒜牛腩汤

主料 牛腩250克，白萝卜500克。

调料 青蒜3根，桂皮、精盐各少许。

做法 ①将牛腩洗净，切成块，入沸水锅中焯烫，捞出漂净备用。

②将白萝卜去根、去皮，洗净，切成菱形块；青蒜去须、洗净，切成段；桂皮洗净待用。

③锅中加入适量清水，放入牛腩、桂皮，用武火煮沸，再转文火煲2小时，然后放入萝卜、青蒜再煲1小时，加入精盐调味即可。

双色萝卜丝汤

主料 心里美萝卜1个，象牙白萝卜1根。

调料 葱、姜各5克，味精、精盐各2小匙，香油1小匙，牛奶4小匙。

做法 ①将心里美萝卜洗净，剥去皮、切成丝。

②将象牙白萝卜洗净，剥去皮、切成丝。

③将葱洗净，切成葱花。

④锅内加1碗水，煮开后加入红、白萝卜丝，开锅后加精盐、葱花、牛奶、香油、味精起锅即成。

麻辣萝卜干汤

主料 萝卜干150克，香菇3朵，树椒适量，大葱1根。

调料 精盐1小匙，鸡精1/3小匙，辣酱适量，麻辣汁1大匙，高汤8杯，色拉油2大匙。

做法 ①将萝卜干用清水泡发，洗净沥水；香菇择去菇柄，洗净，切十字花刀备用。

②将大葱去老皮，洗净，部分切细丝，剩余的切成段待用。

③炒锅中加入色拉油烧热，下入葱白、香菇、树椒翻炒，再倒入高汤，加入葱段煮至香菇熟透，然后放入萝卜干、调料煮10分钟入味即可。

萝卜茅根瘦肉汤

主料 芫荽50克，红萝卜500克，新鲜白茅根、猪瘦肉各200克。

调料 精盐少许。

做法 ①将芫荽、白茅根洗净，均切成段；红萝卜去皮、洗净，切成块；猪瘦肉洗净，切成丝备用。

②瓦煲内加入清水，用旺火烧开，下入芫荽段、白茅根段、红萝卜块、瘦肉丝，改用中火煲30分钟，再加入精盐调味，出锅装碗即可。

红萝卜黄豆猪肉汤

主料 猪肉60克，红萝卜200克，黄豆20克。

调料 精盐适量。

做法 ①将猪肉洗净，切成块备用。

②将红萝卜去皮、洗净，切成块；黄豆洗净，用清水浸泡2小时待用。

③锅中加入清水适量，放入猪肉、红萝卜、黄豆，用武火煮沸，再转文火煲2小时，然后加入精盐调味即可。

红萝卜荸荠汤

主料 红萝卜、荸荠各200克。

调料 冰糖适量。

做法 ①将红萝卜去皮、洗净，切成菱形片备用。

②将荸荠去皮，洗净待用。

③将荸荠、红萝卜放入沙锅中，加入适量清水烧沸，再转文火煲3小时，放入冰糖调味即可。

小萝卜蘑菇汤

主料 小水萝卜200克，白玉菇、蟹味菇各50克，熏里脊肉150克，洋葱1/2个。

调料 精盐、味精各少许，奶油高汤8杯，色拉油适量。

做法 ①将小水萝卜洗净，连少许缨一切两半，洋葱去皮、洗净，切成块；熏里脊肉切成片；蟹味菇、白玉菇洗净备用。

②锅中加入色拉油烧热，下入洋葱片炒软，再倒入奶油高汤，放入所有原料烧沸，然后加入精盐、味精煮至入味即可。

果蔬浓汤

主料 菠菜400克,苹果200克,菜花50克,胡萝卜1/2根,牛奶适量,法香少许。

调料 精盐、胡椒粉各少许。

做法 ①将胡萝卜去皮、洗净,切成丁;菜花洗净,切成小朵备用。
②将菠菜择洗干净,切成段;苹果去皮、洗净,切成丁,一同放入果汁机中,加入牛奶搅打成汁待用。
③汤锅中加入打好的果蔬汁,入适量清水搅匀,然后放入菜花、胡萝卜丁、精盐、胡椒粉煮至滚沸,出锅装碗,点缀法香即可。

银杏蔬菜汤

主料 银杏、板栗各50克,菠菜200克,胡萝卜1根。

调料 姜片、鸡精各少许,精盐1小匙,鸡汤8杯。

做法 ①将菠菜去根,洗净,切成段,入沸水锅中焯水;胡萝卜洗净,切花片备用。
②汤锅中加入鸡汤煮沸,放入银杏、板栗、姜片、胡萝卜,再加入精盐煮5分钟,然后放入菠菜、鸡精煮至入味即可。

丝豆腐菠菜汤

主料 丝豆腐、菠菜各80克,香菇3朵,胡萝卜1根。

调料 葱花少许,精盐适量,鸡精1/3小匙,料酒1大匙,酱油1小匙,鸡汤6杯。

做法 ①将丝豆腐用清水泡软,捞出沥水;香菇去蒂、洗净,切十字花刀备用。
②将胡萝卜洗净,切滚刀块;菠菜去根、洗净,入沸水锅中焯烫,捞出挤干水分,切成段待用。
③锅中加入鸡汤煮沸,下入香菇,胡萝卜及其他调料煮至熟软,再放入丝豆腐余煮5分钟即可。

海米菠菜汤

主料 海米25克,菠菜2棵。

调料 味精少许,香油1小匙,精盐2小匙。

做法 ①将海米洗净,用开水浸泡半小时,发海米水留用;将菠菜洗净,切成3厘米长的段,焯水备用。
②锅内加1碗水,将海米连同水一齐倒入,煮开,加入菠菜、精盐、味精,再滴入香油即可。

菠菜猪肝汤

主料 菠菜350克,猪肝150克。

调料 姜丝少许,葱1根,精盐适量。

做法 ①将猪肝洗净,切成片备用。
②将菠菜洗净,从中间横切一刀;葱洗净,切成段待用。
③锅置火上,加入清水烧开,再下入猪肝煮沸,然后放入菠菜、姜丝、葱段再煮滚,加入精盐调味即成。

菠耳汤

主料 菠菜根90克,银耳50克。

调料 生姜1块,陈皮1片,精盐适量,料酒少许。

做法 ①将银耳用清水浸泡2小时,洗净备用。
②将菠菜根洗净;生姜洗净,切薄片;陈皮用清水浸软,去内瓤待用。
③将银耳放入瓦锅中,放入1碗半清水煮约半小时,再加入菠菜根、姜片、陈皮煮沸20分钟,然后加入料酒、精盐即可。

百合扇贝蘑菇汤

主料 百合50克，速冻扇贝肉400克，蟹味菇100克，蕨菜150克，猪瘦肉200克。

调料 生姜1块，精盐适量。

做法 ①将扇贝肉放在凉水中浸泡解冻；蟹味菇去蒂、洗净；蕨菜洗净，切成段；生姜去皮、洗净，切成丝备用。

②将猪瘦肉洗净，切成块，放入沸水锅中焯烫，捞出待用。

③锅中加入适量清水烧开，下入猪瘦肉用大火煮20分钟，再放入其他原料煮30分钟，然后加入精盐调味即可。

杞子百合莲花汤

主料 百合100克，莲子、黄花菜各50克，枸杞子10克。

调料 冰糖适量，清汤1碗。

做法 ①将百合洗净；黄花菜、枸杞子用温水泡开，洗净备用。

②将莲子去心，入锅煮熟待用。

③锅中加入清汤，放入百合、黄花菜、莲子、枸杞子烧沸，再加入冰糖煮至溶化即成。

参竹百合润肺煲

主料 沙参15克，玉竹10克，新鲜百合1个，芦笋160克，红枣8粒。

调料 精盐2小匙。

做法 ①将沙参、玉竹洗净；百合剥瓣，洗净；芦笋削去老皮，洗净，切成段；红枣用清水浸泡15分钟，去核备用。

②将沙参、玉竹、红枣放入沙锅中，再加入5杯清水煮沸，炖30分钟，然后放入芦笋、百合煮5分钟，加入精盐调味即可。

雪梨响螺百合汤

主料 百合50克，雪梨2个，大响螺1只。

调料 陈皮1块，精盐少许。

做法 ①将响螺去壳、取肉，洗净，切成片；雪梨去蒂、去核，洗净，切成块；百合、陈皮洗净备用。

②瓦煲内加入清水，用大火烧至水滚，再加入百合、陈皮、响螺、雪梨，转中火煲3小时，然后加入精盐调味即可。

主料 冬瓜400克，鲜虾150克，豌豆100克，猪瘦肉200克。
调料 精盐、白胡椒粉各适量。

做法 ①将冬瓜去皮、洗净，切成三角块；鲜虾去头、去壳，洗净；豌豆老的剥豆，嫩的洗净备用。
②将猪瘦肉洗净，切成块，放入沸水锅中焯烫，捞出沥水待用。
③锅中加入清水烧开，再放入所有原料用大火煮沸，然后转小火煲40分钟，加入精盐、胡椒粉调味即可。

冬瓜鲜虾豌豆汤

主料 江珧柱30克，冬瓜200克，玉米片60克。
调料 精盐适量。

做法 ①珧柱洗净，浸软撕碎；冬瓜去皮，洗净，切粒；玉米片用少许清水调湿。
②把珧柱放入锅内，加清水适量，武火煮沸后，再用文火续煮20分钟，放入冬瓜粒，煮沸后再放湿玉米片，煮熟放精盐调味即可。

珧柱冬瓜玉米汤

主料 鲫鱼350克，鸡肉250克，冬瓜1000克，莲子、眉豆各50克。
调料 生姜2片，精盐适量，米醋1小匙。

做法 ①鲫鱼宰杀洗净，去其鳞、鳃、内脏，用油锅加醋慢火煎至微黄后置于纱布袋内；鸡肉用热水洗净，斩成大块。冬瓜洗净，连皮切成大块；莲子、眉豆淘洗干净，莲子去心；待用。
②将3000克(约12碗)清水倒进洗净的煲内，将煲置于炉上。将煲内水烧沸后，把所有用料全部倒进煲内煲之。先用大火煲半小时，再用中火煲1小时，后用小火煲1.5小时，加入香油、精盐调味即可。

冬瓜莲豆煲鲫鱼汤

主料 冬瓜500克，金针菇120克，胡萝卜320克，鱼尾1条。
调料 姜2片，盐适量，植物油30克

做法 ①所有材料洗净；冬瓜切厚片；胡萝卜去皮切块；鱼尾去鳞，锅中加入少植物油烧热，放鱼尾略煎备用。
②煲中加入适量水烧开，下所有原料煲滚后改小火煲1小时，放盐调味即可。

冬瓜鱼尾汤

里脊冬瓜汤

主料 里脊瘦肉饼100克,冬瓜150克,绿色蔬菜少许,胡萝卜2根。

调料 精盐、胡椒粉各适量,蔬菜高汤6杯,葱油少许。

做法 ①将里脊瘦肉饼切成宽条;冬瓜去皮、洗净,切三角形块备用。

②将胡萝卜去皮、洗净,切成块;绿色蔬菜依个人喜好选用,洗净待用。

③锅中加入蔬菜高汤烧沸,下入所有原料煮沸,再开盖煮8分钟,然后加入精盐、胡椒粉调味,淋入葱油即可。

冬瓜猪肋汤

主料 冬瓜500克,猪肋骨250克。

调料 生姜数片,精盐少许,料酒1大匙,生油1小匙。

做法 ①将猪肋骨洗净,入沸水锅中焯烫,捞出,放入汤锅中,加入8杯水煮成高汤,撇去浮油备用。

②将冬瓜去皮、去子,洗净,切成块待用。

③将冬瓜块、料酒、生抽、生姜放入高汤中,用大火煮沸,再转小火煮10分钟,然后加入精盐调味,盖上锅盖焖5分钟即成。

干贝冬瓜汤

主料 干贝80克,冬瓜300克,猪骨100克。

调料 姜丝少许,精盐、胡椒粉各适量,料酒2大匙。

做法 ①将猪骨斩断,洗净,入沸水锅中焯水,取出,再入滚水锅中煲40分钟,拣出猪骨离火备用。

②将干贝洗净,放入温水中浸涨;冬瓜去皮、洗净,切成块。

③将煲好的猪骨高汤烧开,下入干贝、冬瓜、姜丝,用小火煲40分钟,再加入精盐、胡椒粉、料酒调味即可。

冬瓜薏米墨鱼汤

主料 墨鱼200克,冬瓜250克,薏米20克。

调料 精盐适量

做法 ①冬瓜连皮洗净,切块;薏米洗净,浸半小时;墨鱼洗净,去骨。

②把全部原料放入锅内,加清水适量,大火煮沸后,再用小火续煮1小时,放精盐调味即成。

主料 冬瓜750克，虾肉、冬菇各60克，叉烧肉90克，猪瘦肉120克，鲜鸡蛋2个，鲜鸡肝1副。

调料 精盐适量，料酒1小匙。

做法 ①将冬瓜去皮、去瓤，洗净，切成粒；冬菇用清水浸软，去蒂、洗净，切成粒备用。
②将瘦肉、鸡肝分别洗净，均切成粒；鲜虾去壳，挑去虾线，洗净，切成粒；鸡蛋磕入碗中搅匀待用。
③锅中加入清水烧开，下入冬菇、冬瓜煮至八成熟时，放入瘦肉、叉烧肉、虾肉、鸡肝烧煮至熟，再淋入鸡蛋液，加入料酒、精盐调味即可。

冬瓜粒杂锦汤

主料 鸡肉100克，冬瓜250克。

调料 葱、生姜各3克，精盐、料酒各1小匙，味精1/2小匙。

做法 ①将生姜、葱洗净，均切成末；冬瓜去皮、洗净，切成片备用。
②将鸡肉洗净，剁成块，放入锅中，添入清水没过鸡块，再加入料酒、姜末烧沸，撇去浮沫，然后转小火炖至鸡块酥烂时，放入冬瓜片炖熟，加入葱末、精盐、味精调好味即成。

鸡肉炖冬瓜

主料 猪后腿肉500克，冬瓜600克。

调料 姜、葱各20克，大蒜10克，花椒20粒，味精、花椒油各少许，郫县豆瓣2大匙，酱油3大匙，红油辣椒5小匙。

做法 ①将猪后腿肉洗净，放入冷水锅内，加入花椒、姜、葱煮至熟透，捞起晾凉，切薄片备用。
②将冬瓜去皮、去子，洗净，切成长5厘米、宽3厘米、厚1厘米的条，放入煮过肉的汤内，煮至冬瓜熟透微烂时，再放入切好的熟肉片煮沸，起锅盛入大碗内(花椒、姜、葱要去掉)待用。
③将郫县豆瓣剁细，入锅(放少量油)炒至断生，盛入碗内，加入酱油、花椒油、红油辣椒、蒜泥、味精调匀成味汁，盛入2个小碟内，同冬瓜连锅一起上桌，蘸味汁食用即可。

冬瓜连锅汤

主料 菜心100克，冬瓜200克。

调料 精盐、胡椒粉各少许。

做法 ①将冬瓜去皮、瓤，洗净，用小勺挖成椭圆形，再修成圆球。
②将菜心去根、洗净，放入果汁机中搅打成汁待用。
③将打好的蔬菜汁倒入汤锅中，加入适量清水搅匀烧沸，再下入冬瓜球、精盐煮至冬瓜球透明时，加入胡椒粉调味即可。

蔬菜水晶球

冬瓜芦笋鸽蛋汤

主料 鸽蛋10个，冬瓜200克，芦笋100克。

调料 精盐、胡椒粉各适量，鸡精1/2小匙，姜汁、白醋各少许，高汤8杯。

做法 ①将冬瓜去皮、去瓤，洗净，切菱形条；芦笋洗净，切斜刀片备用。

②将鸽蛋洗净，加入适量清水煮熟，冷水中过凉，剥去外皮。

③汤锅中加入高汤煮沸，下入冬瓜条、芦笋片、鸽蛋、精盐、胡椒粉、姜汁、鸡精、白醋煮至冬瓜透明即可。

辣汁冬瓜汤

主料 冬瓜300克，海带丝少许。

调料 葱末、姜末各少许，精盐适量，辣酱、料酒各1大匙，烧汁2大匙，高汤8杯。

做法 ①将冬瓜去皮、洗净，切成扇形块备用。

②碗中放入辣酱、料酒、精盐搅匀，对成酱汁待用。

③汤锅中注入8杯高汤，加入对好的酱汁、葱姜末煮沸，再下入冬瓜块煮至透明，然后放入海带丝续煮片刻即可。

鲩鱼冬瓜汤

主料 冬瓜750克，鲩鱼尾250克，猪骨250克。

调料 生姜数片，植物油2小匙，料酒1小匙，精盐适量，胡椒粉少许。

做法 ①冬瓜去皮，洗净切粗块。

②将鲩鱼去鳞，洗净，原件先放入锅内，加入植物油、精盐、料酒煎至微黄铲起。

③取洗净瓦煲，置火上；备好各料投入瓦煲共煲，加清水6碗，用文火慢煲3小时，调入精盐和胡椒粉各适量调味即可。

冬瓜荷叶瘦肉汤

主料 鲜荷叶2块，冬瓜500克，猪瘦肉200克。

调料 生姜数片，精盐适量，料酒1小匙。

做法 ①将荷叶用清水冲洗干净备用。

②将冬瓜去子、洗净，连皮切成块状；猪瘦肉洗净，切成块，入沸水锅中焯烫一下，捞出待用。

③汤煲置火上，加入6碗清水、料酒、姜片，下入所有原料烧沸，用小火煲2小时，再加入精盐调味即成。

冬茸鱼片汤

主料 草鱼尾1个，冬瓜200克，香菜15克。

调料 葱、姜各5克，精盐、白糖、酱油各1/2小匙，料酒、米醋、水淀粉各1小匙，植物油2大匙。

做法 ①将鱼尾洗净，沥干水分，用精盐、料酒腌10分钟；冬瓜洗净，去皮、去子，切成片；香菜洗净，切成段备用。
②坐锅点火，放入植物油烧至五成热，下入鱼尾煎至两面上色，再放入葱、姜炒出香味，然后加入适量清水，放入冬瓜烧沸，转小火，再加入精盐、料酒、酱油、白糖烧至入味，转大火收汁，用水淀粉勾芡，烹入米醋，放入香菜段即成。

荸荠冬瓜汤

主料 荸荠12个，黄豆80克，冬瓜750克，白果40克，瘦肉160克。

调料 姜2片，精盐适量。

做法 ①将荸荠去皮、洗净；黄豆挑去杂质，洗净；冬瓜去皮、洗净，切厚片；白果去壳，入沸水中浸片刻，去衣和心；瘦肉切成片，入沸水中氽烫，捞出洗净备用。
②锅中放入适量清水烧开，下入所有材料煮沸，转小火煲2小时，再加入精盐调味即可。

冬瓜炖鱼尾

主料 鲩鱼尾、冬瓜各250克，香菜适量。

调料 葱、姜各15克，精盐、白糖、水淀粉各1小匙，绍酒1大匙，酱油、米醋各1/2匙，植物油2大匙。

做法 ①将鲩鱼尾洗净控干水分，用盐、绍酒略腌10分钟（少盐）冬瓜洗净去皮、子后切片。香菜洗净切段，油菜洗净待用。
②坐锅点火入油至5成热，下鱼尾两面煎至上色，下姜、葱略炒出香味后加清水适量，放冬瓜、油菜转小火下盐、绍酒、酱油、白糖待冬瓜、鱼尾也烧入味后转大火收汁，加入少许醋放香菜段即成。

绿豆冬瓜煲寸骨

主料 猪寸骨10个，绿豆50克，冬瓜100克，豌豆苗少许。

调料 姜片2片，葱结15克，精盐、味精各2小匙，鸡精、料酒、胡椒粉各1大匙，清水2杯。

做法 ①寸骨洗净，同冷水入锅，沸后煮约5分钟捞出，冲漂去浮沫；绿豆洗净，用温水泡约2小时；冬瓜洗净切块。
②将清水入锅内烧沸，调入精盐、味精、鸡精、胡椒粉、料酒成咸鲜口味，倒在汤盆内，放入寸骨、绿豆、冬瓜和葱结、姜片，随后用双层牛皮纸封口，入笼内用中火蒸约2小时至骨肉软烂，离火，取出，揭去纸后，撒入洗净的豌豆苗，即可上桌。

红枣冬瓜煲龙骨

主料 冬瓜150克，龙骨150克，红枣5个。

调料 生姜10克，精盐、味精各2小匙，鸡精粉少许，料酒2小匙。

做法 ①将冬瓜去子留皮，切大块；龙骨切成块；红枣泡洗干净；生姜去皮切厚片。

②将瓦煲置于火上，加入龙骨、红枣、生姜、料酒，注入清水，用小火煲约1小时。

③然后加入冬瓜煲30分钟，调入精盐、味精、鸡精粉，煲透即可食用。

冬瓜八宝汤

主料 冬瓜1/4个，干贝、虾仁、猪后腿肉各50克，干香菇3朵，胡萝卜20克。

调料 葱1支，精盐1小匙。

做法 ①冬瓜和胡萝卜分别去皮，洗净，切小块；虾仁去肠泥，洗净；猪后腿肉洗净，切片；干香菇泡软，对半切开后再切成小块；葱洗净，切段。

②干贝浸入冷水中泡软，捞出，放入锅中，加水淹过干贝、虾仁、肉片和香菇，改用小火再煮5分钟，再加调味料调匀，撒上葱段即可。

绿豆冬瓜汤

主料 冬瓜1/2个，绿豆300克。

调料 鲜汤2杯，姜10克，精盐1/2小匙，葱30克。

做法 ①锅洗净置旺火上，倒入鲜汤烧沸，捞去泡沫；姜洗净拍破放入锅内；葱去根洗净，切成节入锅；绿豆淘洗干净，去掉浮于水面的豆皮，然后入汤锅内炖烧。

②将冬瓜去皮、去瓤，洗净，切块，投入汤锅内，炖至酥而不烂，加少许精盐，即可食用。

三鲜冬瓜汤

主料 海带(鲜)100克，冬瓜500克。

调料 料酒1大匙，精盐1小匙，淡菜(鲜)30克，味精2小匙，大葱25克，姜15克，植物油25克。

做法 ①淡菜用温水泡软，洗净，去杂质放锅内。

②加少许水、料酒、葱结、姜片，用中火煮至酥烂。

③海带切成菱形块。

④冬瓜去皮、去子，切成块。

⑤锅内放植物油，烧至五成热时，放入冬瓜、海带略炒一下。

⑥加入开水，用中火煮30分钟。

⑦再放入淡菜及原汤，烧沸后用味精、精盐调味即可。

主料　冬瓜1/5个, 凉粉200克。

调料　精盐1/2小匙, 味精少许, 香菜末5克, 醋1大匙, 胡椒粉1小匙。

做法　①将冬瓜去皮切块, 凉粉泡软洗净, 放入锅中, 加入精盐、味精煮汤。

②上桌前撒入香菜末、胡椒粉, 浇上醋即成。

酸辣凉粉冬瓜汤

主料　虾干250克, 冬瓜1/4个, 豌豆苗10克。

调料　葱结、姜片各10克, 精盐1小匙, 味精、鸡精、料酒各2小匙, 植物油4大匙。

做法　①将冬瓜去皮、瓤, 改刀切成长3.5厘米、宽2厘米、厚0.5厘米的长方块, 用沸水焯一下, 捞出控干水分; 虾干用沸水焯2遍, 然后控尽汁水; 豌豆苗洗净, 沥水。

②炒锅置火上, 放熟食用油烧至六成热, 下葱结、姜片, 炸出香味, 烹料酒, 加入适量清水, 放虾干和冬瓜块, 大火烧开后, 转小火炖至九成熟时, 加精盐、味精、鸡精调好口味, 倒在沙锅内, 随后将沙锅重置火上, 用小火续炖约10分钟, 撒入豌豆苗, 加盖上桌即可。

虾干冬瓜煲

主料　冬瓜1/2个, 鲤鱼1条。

调料　葱段、姜片各50克, 料酒1大匙, 精盐2小匙, 白糖3/5小匙, 植物油2大匙, 胡椒粉30克。

做法　①将冬瓜去皮, 去瓤, 洗净, 切成片。

②将鲤鱼去鳞, 去鳃, 去鳍, 去内脏, 洗净, 下油锅煎至金黄色, 锅中注入适量清水, 加入冬瓜、料酒、精盐、白糖、葱、姜, 煮至鱼熟瓜烂, 拣去葱、姜, 用胡椒粉调味即成。

冬瓜鲤鱼汤

主料　冬瓜1/5个, 虾仁、鲜贝、芥蓝片各50克。

调料　精盐、香油各1/3小匙, 鸡粉1/2小匙, 胡椒粉少许, 水淀粉2大匙, 高汤3杯。

做法　①将冬瓜洗净, 去皮及瓤, 切成小块, 再放入榨汁机中打成蓉状, 然后放入蒸锅中蒸熟, 取出备用。

②将虾仁去沙线, 洗净, 切成小丁; 鲜贝洗涤整理干净, 与芥蓝片一起放入沸水中焯透, 捞出, 沥干待用。

③锅中加入高汤烧开, 先下入冬瓜蓉、虾仁、鲜贝、芥蓝片略煮, 再加入精盐、鸡粉调好口味, 然后用水淀粉勾薄芡, 撒入胡椒粉, 淋入香油, 出锅装碗即可。

海鲜冬瓜羹

荷叶冬瓜鱼尾煲

主料　草鱼尾1个，冬瓜600克，荷叶半张。
调料　姜1片，精盐适量，色拉油1大匙。

做法　①将草鱼尾洗净，沥干；冬瓜连皮切成大块；荷叶洗净备用。
②锅中加色拉油烧热，下入姜片爆香，再放入鱼尾煎至金黄色。
③沙锅中加入4杯清水烧开，再放入鱼尾、冬瓜煮沸，转小火炖30分钟，然后放入荷叶炖15分钟，加入精盐调味即可。

冰糖冬瓜爽

主料　冬瓜200克，柠檬2片。
调料　蜂蜜1大匙，冰糖15克

做法　①将冬瓜去皮、洗净，切成粒，入锅煮10分钟，取出冲凉备用。
②锅中加入清水、冰糖煮至溶化，再加入蜂蜜搅匀，出锅晾凉，然后放入冬瓜、柠檬片，冷藏即可。

消肿茯苓冬瓜汤

主料　玉米2个，芥蓝150克，冬瓜600克，蛤蜊300克。
调料　姜2片，桂枝5克，茯苓、黄芪各7克，精盐1小匙，料酒1大匙。

做法　①锅中加入适量清水烧开，放入茯苓、桂枝、黄芪、玉米续煮20分钟，滤出杂质，留汤汁备用。
②将冬瓜去皮、洗净，切成块；蛤蜊泡水、洗净；芥蓝洗净，切成段待用。
③锅置火上，倒入汤汁，下入冬瓜、蛤蜊、姜片煮10分钟，再加入芥蓝、料酒、精盐煮沸，出锅装碗即可。

虾米冬瓜汤

主料　冬瓜(去皮、去瓤)300克，虾米少许。
调料　葱花、精盐、味精各少许，上汤300克，熟油适量。

做法　①将冬瓜洗净，切成2厘米长、1.5厘米宽的片；虾米用温水泡软备用。
②锅置火上，加入上汤烧开，再放入冬瓜、虾米、精盐烧10分钟左右，待冬瓜煮熟入味，再加入葱花、味精，淋入熟油即成。

主料 冬瓜、红枣各500克，猪瘦肉、洋葱各30克。
调料 精盐、淀粉、水淀粉各适量。

做法 ①将猪瘦肉洗净，切成小粒，加入淀粉拌匀；冬瓜去皮、洗净，切小粒；红枣去核、洗净，捣成泥状；洋葱洗净，切成小粒备用。
②锅置火上，加入适量清水烧开，下入冬瓜粒煮熟，再放入洋葱粒、红枣泥搅匀，然后放入猪肉粒煮熟，淋入少许水淀粉煮沸，加入精盐调味即成。

冬瓜红枣汤

主料 豆角200克，香芋、海兔各150克。
调料 葱丝、姜丝、精盐各适量，鸡精1/2小匙，酱油、料酒各1大匙，牛骨高汤8杯，香油少许，色拉油2大匙。

做法 ①将豆角择洗干净，切斜刀段；香芋去皮、洗净，切滚刀块；海兔洗净，入沸水锅中焯一下，捞出备用。
②坐锅点火，倒入色拉油烧热，下入葱、姜丝煸出香味，再放入香芋、豆角、料酒、酱油翻炒片刻，然后加入牛骨高汤、精盐、鸡精煮至熟软时，下入海兔转小火煨10分钟，淋入香油即可。

豆角香芋煮海兔

主料 豆角300克，干贝50克，洋葱1/2个。
调料 精盐适量，味精1/2小匙，鲍鱼汁1小匙，顶汤8杯，色拉油2大匙。

做法 ①将豆角择洗干净，切成段；干贝用温水泡软，撕成丝备用。
②将洋葱去皮、洗净，切成碎粒待用。
③锅中加入色拉油烧热，下入洋葱丁炒软，再放入豆角炒至断生，然后倒入顶汤，加入干贝丝、调料煮至入味即可。

豆角干贝汤

主料 豆角400克，金针菇150克，大葱2根。
调料 精盐适量，鸡精1/2小匙，香油少许，胡椒粉适量。

做法 ①豆角择洗净去除老筋，切丝。
②金针菇切去蒂部洗净；大葱去皮，切丝；待用。
③锅置火上，加2大匙色拉油烧热，下入葱丝炒香，再下入豆角丝、金针菇炒至豆角变绿时，倒入6杯猪骨高汤，加精盐、鸡精，大火煮沸，转小火煮至豆角丝熟烂时，调入胡椒粉，淋香油即可。

金针菇豆角汤

胡辣冬笋汤

主料　冬笋罐头1瓶，胡萝卜1根，油豆腐50克。

调料　精盐、胡椒粉各适量，鸡精1/2小匙，辣椒酱少许，高汤8杯。

做法　①将冬笋洗净，沥水，切成厚片备用。

②将油豆腐切成块；胡萝卜洗净，切条待用。

③锅中加入色拉油烧热，下入辣椒酱、油豆腐略炒，再倒入高汤煮沸，然后放入冬笋圈、胡萝卜、精盐、胡椒粉、鸡精煮15分钟即可。

冬笋莴苣汤

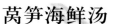

主料　冬笋罐头1瓶，莴苣50克，红椒丝少许，姜丝少许。

调料　精盐适量，味精1/2小匙，花椒水2大匙，鸡汤8杯，香油少许。

做法　①将冬笋控净水分，用流水冲洗干净，切成条。

②莴苣择洗干净，切成段。

③汤锅中加入8杯鸡汤、冬笋、姜丝、花椒水煨入味，待冬笋熟透后，下入莴苣、红椒丝余烫2～3分钟，再加精盐、味精调味，滴入香油，出锅装碗即可。

莴笋海鲜汤

主料　莴笋200克，鲜虾6只，水发鱿鱼100克，蚬子80克。

调料　葱、姜末各少许，精盐适量，鸡精1/3小匙，料酒1大匙，高汤8杯。

做法　①将莴笋去老皮、洗净，切菱形块；水发鱿鱼洗净，剞花刀，鲜虾、蚬子洗净备用。

②将鱿鱼、蚬子分别入沸水锅中焯烫，捞出待用。

③锅中加入色拉油烧热，下入葱、姜末略炒，再加入高汤煮沸，然后放入鱿鱼、蚬子、鲜虾、莴笋块，加入精盐、鸡精、料酒煮10分钟，待汤汁入味出锅即可。

清笋丝肉丸汤

主料　鲜莴笋1棵，瘦肉150克，红萝卜20克，冬菇2朵。

调料　植物油2小匙，精盐、味精各1/2大匙，白糖3/5大匙，鸡精粉1小匙，干生粉适量，熟鸡油1小匙。

做法　①莴笋去皮切成丝，生姜去皮切成片，葱切花，红萝卜切成块，冬菇切片。

②瘦肉用刀剁成肉泥，调入少许精盐、味精、干生粉拌匀，打至起胶汁，做成肉丸待用。

③烧锅下油，放入姜，注入清水烧开，下莴笋、冬菇、红萝卜，用中火煮至冬瓜快熟，放入肉丸，煮到肉丸浮起时，调入精盐、味精、白糖、鸡精粉煮透，淋入熟鸡油，撒上葱花即成。

辣味鸡汤莴笋

主料　莴笋300克，鸡腿3个，玉米粒1/2瓶。
调料　川椒、精盐各适量，胡椒粉1/2小匙，辣椒酱1/2大匙，鸡汤8杯，色拉油2大匙。

做法　①将鸡腿洗净，剁成块；入沸水锅中焯烫，捞出沥水；玉米粒控水；莴笋去皮、洗净，切方块备用。
②锅中加入色拉油烧热，下入川椒、鸡腿、辣椒酱煸炒片刻，再倒入鸡汤煮沸，然后放入玉米粒，转小火煮30分钟，加入精盐、胡椒粉调味即可。

鸡丝芦笋汤

主料　芦笋罐头1罐，鸡胸肉110克，金针菇、嫩豆苗各40克，蛋清1个。
调料　精盐1/2小匙，淀粉2大匙。

做法　①将鸡胸肉洗净，切成丝，加入精盐、蛋清、淀粉拌匀；芦笋取出沥水，切成长段；金针菇去根，洗净沥干；豆苗洗净备用。
②将鸡胸肉入沸水中拨散、烫熟，再放入芦笋、金针菇煮沸，然后加入精盐、味精、豆苗烧开即可。

西洋菜蜜枣汤

主料　鲜西洋菜500克，蜜枣5~6枚。
调料　生姜数块，精盐适量，香油少许。

做法　①将鲜西洋菜洗净，沥水备用。
②将蜜枣去核、洗净；生姜洗净，切成片待用。
③汤锅置火上，注入3000克清水烧开，放入西洋菜、蜜枣、姜片炖煮2小时，再加入精盐，淋入香油即成。

西洋菜排骨汤

主料　排骨500克，西洋菜100克。
调料　精盐1小匙。

做法　①排骨洗净切段，锅中加水烧开，放入排骨煮。
②西洋菜先择下嫩叶，将梗洗净，放入排骨中一起煮，嫩叶洗净备用。
③开锅2分钟后，拣除菜梗，加精盐调味，放入西洋叶煮软即可盛出。

荸荠芹菜降压汤

主料 芹菜3棵，西红柿2个，紫菜20克，荸荠5个，洋葱1/2个。

调料 精盐、鸡精各1/2小匙。

做法 ①将芹菜择洗干净，切5厘米长的段；荸荠削皮、洗净；紫菜用温水浸泡，洗净，撕成小块；西红柿洗净，切成片；洋葱去皮、洗净，切细丝备用。

②炒锅内注入适量清水，放入全部原料，用武火烧开，再加入精盐、鸡精，用文火煮1小时即成。

健康蔬果汤

主料 西红柿250克，洋葱、西芹、面粉各50克，胡萝卜、土豆各100克。

调料 精盐1小匙，白糖、黄油各1/2小匙，鲜牛奶100克，植物油2大匙。

做法 ①将西红柿洗净，切成块；洋葱洗净，切成丝；胡萝卜、土豆洗净，均切成条备用。

②锅中放植物油烧热，下入原料烧透，再加入清汤煮8分钟待用。

③另起锅放入黄油烧热，加入面粉炒匀，再冲入牛奶烧开，然后倒入蔬菜及汤烧开，加入调料调味即可。

苦瓜番茄汤

主料 苦瓜1根，番茄2个，土豆1个，胡萝卜1/2根，洋葱片少许。

调料 精盐适量，鸡精1/2小匙，色拉油2大匙。

做法 ①将苦瓜洗净，剖开去子，切片；番茄去蒂、洗净，切成块备用。

②将土豆去皮、洗净，切成块；胡萝卜去皮、洗净，切成片待用。

③锅置火上，放入色拉油烧热，下入洋葱片、土豆块炒至断生，再放入番茄炒软，然后倒入适量清水煮沸，再加入苦瓜、精盐、鸡精煮至入味即可。

番茄蛋清汤

主料 番茄250克，鸡蛋清1个。

调料 葱1根，精盐适量。

做法 ①将鸡蛋清放入碗中，用筷子打匀；番茄洗净，切成块；葱去须根，洗净，切成葱花备用。

②锅置火上，加入适量清水烧沸，再放入番茄块煮熟，然后加入鸡蛋清搅匀，撒入葱花，加入精盐调味即成。

番茄鱼丸汤

主料 鱼肉80克，番茄100克，蛋清1个。

调料 葱1根，精盐适量，鸡精1/2小匙，料酒1大匙。

做法 ①将番茄去蒂、洗净，切成块；葱洗净，切成葱花备用。

②将鱼肉洗净，放入搅肉机中打成泥状，再放入容器内，加入蛋清液、精盐、鸡精、葱花搅至上劲，然后制成每个约8克重的丸子待用。

③锅中加适量清水烧开，放入番茄煮沸，再下入鱼丸煮熟，然后撒入葱花，加入精盐调味即可。

番茄草菇汤

主料 番茄2个，鲜草菇200克，红绿椒50克，苏叶少许。

调料 精盐1小匙，白糖1/2大匙，鸡精少许，清汤6杯，色拉油2大匙。

做法 ①将草菇去蒂、洗净，纵切两半；红绿椒去蒂、去子，洗净，切圈备用。

②将番茄洗净，用热水烫去外皮，切成丁待用。

③锅中放入色拉油烧热，下入番茄丁炒软，再加入清汤煮沸，然后放入草菇、红绿椒片、调料煮至草菇熟透入味，放入苏叶点缀即可。

番茄玉米汤

主料　玉米粒200克，番茄2个，香菜末少许。

调料　精盐、胡椒粉各少许，奶油高汤6杯。

做法　①将番茄洗净，用热水烫一下，去外皮、去子，切成丁备用。
②锅中加入6杯奶油高汤煮沸，入玉米粒、番茄、精盐、胡椒粉煮5分钟，再撒入香菜末即可。

西梅番茄甜汤

主料　小番茄100克，西梅8粒，银杏10粒。

调料　白糖适量，蜂蜜1小匙，洋酒2大匙。

做法　①将西梅去核、洗净；银杏洗净；小番茄去蒂，洗净备用。
②锅中加入适量清水烧沸，再放入白糖、西梅、银杏熬煮，然后加入小番茄煮3～5分钟离火，淋入蜂蜜、洋酒调味即可。

肉丸鲜贝蔬菜汤

主料　牛肉丸、鲜贝、卷心菜各100克，香菇、荷兰豆各50克，胡萝卜1根。

调料　精盐适量。

做法　①将卷心菜洗净，切成块；香菇去蒂、洗净，切成条；胡萝卜去皮、洗净，切成条；鲜贝、荷兰豆洗净备用。
②锅中放入肉丸、香菇、鲜贝，再加入清水用大火煮沸，然后转小火煮30分钟，再放入其他原料煮20分钟，加入精盐调味即可。

红薯南瓜汤

主料　红薯400克，南瓜250克。

调料　姜2块，冰糖160克。

做法　①将红薯去皮、洗净，切成块，放入清水中浸泡30分钟；南瓜去子、洗净，切成块备用。
②煲内放入姜块、红薯，再倒入5杯清水煮滚煲10分钟，然后放入南瓜再煲10分钟，加入冰糖煲至溶化即可。

红薯菠菜汤

主料　红薯1个，菠菜3棵。

调料　姜10克，葱10克，鲜汤4杯，精盐1/2小匙，植物油3大匙，味精1/2小匙。

做法　①将红薯洗净，切成丝；菠菜洗净，入开水锅中余一下取出；姜去皮拍破，葱洗净切花。
②锅洗净置火上，掺入鲜汤，下入红薯丝、姜块、植物油稍煮，下菠菜、味精、精盐、葱花，开后起锅即可。

红薯姜汤

主料　红薯300克。

调料　姜100克，白糖10克，盐5克。

做法　①将红薯去皮、洗净，切大块；姜去皮、洗净，切块；备用。
②锅置火上，放入足量清水烧开，放入红薯、姜块；大火煮开后，转小火煮约30分钟。最后加入盐、白糖搅匀，待白糖溶化即可。

地瓜荷兰豆汤

主料 地瓜干150克，荷兰豆150克，葡萄干20克。
调料 精盐适量，胡椒粉适量。

做法 ①将地瓜干放入冷水中浸泡12小时，待其回软后捞出切成条。
②荷兰豆择洗干净切去两端，葡萄干洗净备用。
③锅内放入6杯高汤煮沸，先放入地瓜干和葡萄干煮10分钟，再加入荷兰豆和精盐，煮至原料熟透，加胡椒粉调味即可。

红薯煲姜

主料 红薯600克，老姜1块（约120克）。
调料 精盐1/2小匙，白糖1大匙。

做法 ①将红薯削皮、洗净、切成块；老姜洗净，用刀拍散备用。
②锅中倒入1400毫升清水，再放入红薯及老姜，用大火煲滚，转小火煲透，然后加入精盐、白糖煮至融化即可。

卷心菜花蛤汤

主料 卷心菜300克，花蛤100克，红椒粒少许。
调料 香葱花少许，精盐适量，味精1/2小匙，柠檬汁1大匙，牛奶1杯。

做法 ①将花蛤用清水洗净外壳，放入沸水锅中煮至壳张开，捞出，用流水洗去泥沙备用。
②将卷心菜洗净，切成丝，取一半卷心菜丝放入果汁机中，加入牛奶、柠檬汁搅打成汁待用。
③锅中加入菜汁、适量清水及剩余的卷心菜丝煮沸，再放入花蛤，加入精盐、味精、香葱、红椒粒煮片刻即可。

培根卷心菜汤

主料 培根200克，卷心菜150克，小番茄、山药各50克。
调料 姜丝少许，精盐适量，味精1/2小匙，料酒1大匙。

做法 ①将培根洗净，切成3厘米长的片；小番茄洗净，一切两半备用。
②将卷心菜洗净，切块；山药去皮，切薄片，浸于水中待用。
③汤锅中加入6杯清水煮滚，再放入所有主料、调料煮15分钟即可。

主料　鲜虾、卷心菜各100克。

调料　蒜、姜末各少许,精盐适量,胡椒粉1/2小匙,番茄酱1大匙,辣酱1小匙,高汤8杯,料酒、黄油各2大匙。

做法 ①将鲜虾去壳、去虾线,洗净;卷心菜洗净,切成块备用。
②锅中加入黄油烧至熔化,下入蒜、姜末、辣酱、番茄酱炒香,再放入鲜虾、卷心菜拌炒,然后烹入料酒,倒入高汤烧沸,再加入精盐、胡椒粉煮至入味即可。

鲜虾卷心菜辣汤

主料　卷心菜500克,土豆250克,番茄250克,洋葱200克,胡萝卜200克,芹菜、熟牛肉各100克。

调料　干辣椒10克,蒜蓉、葱丝各50克,鸡汤1500克,香叶2片,胡椒粒10粒,精盐4小匙,鸡精2/5小匙,奶油40克,油炒面10克。

做法 ①洋葱、胡萝卜切块;芹菜切段;土豆削皮与卷心菜均切成块;牛肉切片;番茄稍烫后切块。
②锅内加奶油30克烧热,放干辣椒、胡椒粒、香叶、洋葱块和胡萝卜块,焖至六成熟,加油炒面、鸡汤和主料烧开。
③移小火,待菜煮熟烂,加调料调味,淋上剩余奶油即可。

卷心菜汤

主料　白瓜200克,银耳、蟹钳肉各50克,玉米粒30克,蛋清2个,法香少许。

调料　精盐适量,味精1/2小匙,蔬菜高汤6杯。

做法 ①将白瓜去皮、去子,洗净,切菱形块备用。
②将银耳用清水泡软,洗净;蟹钳肉、玉米粒冲净待用。
③锅中加入蔬菜高汤煮沸,下入所有原料,再加入精盐煮至原料熟透,然后淋入蛋白搅匀,加入味精调味,点缀法香即可。

蟹味白瓜银耳汤

主料　白瓜500克,咸鸭蛋3个,绿豆粉丝60克。

调料　紫菜少许,精盐适量。

做法 ①将白瓜去瓤、子,洗净,切成片,放入锅中,加入适量清水用武火煮沸15分钟备用。
②将绿豆粉丝用清水反复清洗干净,待用。
③咸鸭蛋切成小块备用。
④将咸鸭蛋、粉丝放入白瓜锅中稍煮片刻,再放入紫菜煮沸,加入精盐调味即可。

白瓜咸蛋汤

黄豆芽菜鱼尾汤

主料 黄豆芽菜600克、鲩鱼(草鱼)尾380克
调料 料酒2大匙、生姜1块、精盐适量、植物油2小匙

做法 ①将黄豆芽菜去根，洗净，沥干水，放入热锅中(不用油)炒软，铲起；待用。
②将生姜去皮洗净，切片；待用。
③鲩鱼尾去鳞洗净，放入少许精盐腌15分钟，下油起锅，放鱼尾及姜片，煎至鱼尾两面微黄。
④将原料一齐放入沙煲内，加入开水适量，用大火煮沸后，改用小火慢煲半小时，烹入料酒，加精盐适量调味即可。

当归补血蔬菜汤

主料 香菇10朵，黄豆芽、连藕各300克，菠菜150克，牛蒡1根，当归、枸杞子、川芎各少许，猪肋骨225克。
调料 姜2片，精盐1小匙，米酒1大匙。

做法 ①将猪肋骨洗净，放入清水锅中，加入当归、枸杞子、川芎炖煮30分钟，滤除杂质备用。
②将牛蒡去皮、洗净，切成段；连藕去皮、洗净，切成片；香菇泡软洗净；菠菜洗净，入沸水中烫熟，捞出备用。
③除菠菜以外，将所有原料放入猪骨高汤中煮15分钟，再加入调料调味，然后加入烫熟的菠菜即可。

黄瓜木耳汤

主料 黄瓜1个，木耳1朵。
调料 味精少许，精盐、香油各1/2小匙，植物油、酱油各少许。

做法 ①将黄瓜削去皮，剖开挖出瓜瓤，切成厚块；木耳用温水浸发洗净，择去硬蒂，沥去水分。
②锅烧热，下少许油，爆炒木耳，加适量水和少许酱油烧滚，然后倒入黄瓜，略滚一下，再以味精、精盐、香油调味，即可供食。

黄瓜雪耳蜜枣汤

主料 黄瓜2根，雪耳2朵，蜜枣6粒，瘦肉400克。
调料 姜2片，精盐1大匙，味精、胡椒粉各2小匙。

做法 ①黄瓜洗净，切开两边，去瓤切成条；雪耳用清水浸约1小时，洗干净后剪碎；洗干净蜜枣。
②洗干净瘦肉，过水后再冲干净。
③烧滚适量水，下黄瓜、雪耳、蜜枣、瘦肉和姜片，水滚后改用慢火煲约2小时，下精盐调味即成。

芥菜马蹄炖排骨

主料 排骨150克，芥菜300克，马蹄6个。

调料 蒜蓉25克，生抽5小匙，精盐、味精各1大匙，料酒5小匙，糖1大匙，植物油1大匙。

做法 ①排骨洗净，切小块；芥菜洗净，切段；马蹄去皮，用精盐水略泡，切滚刀块。

②将排骨、芥菜分别放入开水中氽烫，捞起，将马蹄放入热油锅中炸1分钟，捞起。

③沙锅中烧热1大匙油，爆香蒜蓉，其他材料一起放入锅中，加约4杯水，炖20分钟至熟，调味即可。

干贝芥菜汤

主料 干贝80克，芥菜400克。

调料 姜丝、精盐各适量，蚝油少许，柴鱼高汤6杯，葱油1大匙，色拉油2大匙。

做法 ①将干贝用温水泡至回软，洗净；芥菜洗净，切成段备用。

②锅中加入色拉油烧热，下入姜丝、芥菜、蚝油翻炒片刻，再倒入柴鱼高汤，放入干贝、精盐煮10分钟，淋入葱油即可。

蟹丝芥菜汤

主料 蟹足棒、芥菜各200克。

调料 葱、蒜末各少许，精盐适量，鸡汁1/3小匙，姜汁1小匙，料酒1大匙，柴鱼高汤8杯，色拉油2大匙。

做法 ①将蟹足棒解冻，切成段，再切成丝备用。

②将芥菜洗净，切成段待用。

③锅置火上，加入色拉油烧热，下入葱、蒜末炒香，再放入芥菜翻炒片刻，然后倒入柴鱼高汤，放入蟹足丝，再加入鸡汁、姜汁、料酒、精盐煮沸即可。

芥菜牛肉汤

主料 牛肉250克，芥菜500克。

调料 生姜30克，精盐、胡椒粉各适量，植物油2大匙。

做法 ①将生姜去皮、洗净，切成片备用。

②将牛肉洗净，切成片；芥菜洗净待用。

③将牛肉片、芥菜、生姜及植物油、精盐放入开水锅内，用武火煮沸片刻，趁热撒入胡椒粉调味即成。

芥菜猪肚胡椒汤

主料 芥菜100克，鲜猪肚1个，粉肠200～300克。

调料 潮州咸菜50～100克，姜3～4片，葱段少许，蒜肉2粒，白胡椒粒约15克。

做法 ①咸菜略浸，洗净，切条；潮州咸菜略浸，洗净，切条；白胡椒粒略冲净，沥干，留用。②先用蒜肉洗净粉肠，剪去部分肥膏，洗净，放入滚开水中略烫过后捞起，待用。③用粗盐及生粉将猪肚内外擦净，放入有姜、葱的滚开水中略煮，放滚开水中略烫过捞起洗净，备用。④烧开适量清水，放入各种原料及姜2片，待再滚开，改用文火煲1小时至肚肠熟及汤浓，以适量精盐调味。⑤捞出猪肚和粉肠切成条，拌上适量熟油和生抽，趁热食用。

芥菜咸蛋汤

主料 芥菜250克，熟咸鸭蛋2个。

调料 酱油1/2小匙，味精少许，植物油2大匙，姜片1片。

做法 ①将芥菜洗净切段；熟咸鸭蛋去壳，放入碗内，取出蛋黄放在案板上，用刀压扁，咸蛋白放入凉水中浸泡。
②汤锅置火上，下油烧热，下姜片炝锅，然后烹入清水烧开，放入芥菜与咸蛋黄，烧开后再放入咸蛋白，最后放入酱油、味精，起锅盛装汤碗内即成。

香菇煲芥菜

主料 香菇、芥菜心各250克，火腿片20克。

调料 精盐、味精各1/2小匙，胡椒粉、食用纯碱各1/3小匙，水淀粉1大匙，香油1小匙，鸡油、植物油各2大匙，猪骨汤4杯。

做法 ①将芥菜心切片，放加有食用纯碱的开水中略焯，再洗净，去掉外膜；香菇去蒂、泡发备用。②锅中加鸡油烧热，先下香菇炒香，再添猪骨汤煮透，盛出待用。③锅加油烧热，先下入芥菜心炒透，再加猪骨汤、精盐，中火炖约20分钟，然后放入香菇续炖10分钟，滗出原汁，将芥菜心盛盘中，香菇摆在四周，放上火腿片。④将原汁下锅，加味精、胡椒粉、香油调好口味，用水淀粉勾芡，加鸡油拌匀，浇在芥菜心上即可。

豆苗大蒜鱼丸汤

主料 鱼胶50克，豆苗250克，大蒜2粒。

调料 精盐1小匙，植物油2大匙。

做法 ①将鱼胶搅打上劲，制成鱼丸备用。
②将豆苗洗净；大蒜去皮、洗净，拍烂待用。
③锅中放入植物油烧热，下入大蒜炒出香味，再加适量清水煮沸，放入鱼丸煮熟，然后放入豆苗稍煮，加入精盐调味即成。

主料 苦瓜、猪肚各300克，红椒圈少许。
调料 蒜片、姜片各少许，精盐适量，鸡精、白糖各1/2小匙，猪骨高汤8杯，红油适量。

做法 ①将猪肚用面粉擦拭，再放入清水中两面洗净，下入开水锅中加姜片焯烫后捞起，放入冷水中，用刀刮去浮油，切成条备用。
②将苦瓜去蒂、去瓤，洗净，切成长条形待用。
③锅中加入红油烧热，下入蒜片、肚条略炒，再倒入猪骨高汤，加入苦瓜、调料烧沸，用中火煮15分钟，撒入红椒圈即可。

苦瓜猪肚汤

主料 苦瓜600克，猪软骨300克，酸菜心2片，黄豆芽150克。
调料 姜片3片，盐1小匙，鸡粉1/2小匙

做法 ①苦瓜洗净，对半切开，去子、切块；酸菜心洗净、切片；黄豆芽洗净。
②猪软骨剁成小块，放入滚水中余烫约5分钟，捞出，洗净。
③煲锅中倒入1800毫升清水煮开，加入所有材料，以中火煲45分钟，再加入调料调味即可。

凉瓜酸菜煲软骨

主料 苦瓜半根，枸杞子1大匙，小银鱼150克。
调料 精盐1小匙，香油1/2小匙。

做法 ①将苦瓜对半剖开，去子，刮除内部白膜，洗净，切薄片备用。
②将小银鱼和枸杞子分别洗净。
③锅中倒入3杯清水煮沸，放入苦瓜煮熟，再加入小银鱼及调料煮匀，撒入枸杞子即可。

苦瓜小鱼汤

主料 鲜苦瓜150克，猪瘦肉60克。
调料 精盐适量。

做法 ①将苦瓜去核、洗净，切成象眼块备用。
②将猪瘦肉洗净；切成片，入沸水锅中焯烫去血污，捞出待用。
③锅中放入苦瓜块、猪肉片，加入清水12杯，用武火煲20分钟，再用文火慢煲2小时，然后加入精盐调味即可。

苦瓜猪瘦肉汤

酸菜肉丝汤

主料 四川酸菜300克，猪肉100克。

调料 葱花、泡姜片各5克，味精、胡椒粉各1小匙，精盐1/2大匙，猪化油3大匙，鲜汤4杯。

做法 ①将酸菜洗净，切成细丝；猪肉洗净，切丝备用。
②坐锅点火，加入猪化油烧热，先下入酸菜丝、泡姜片、肉丝炒出香味，再加入鲜汤、精盐、胡椒粉、味精煮约5分钟，然后撒上葱花，出锅装入汤碗即可。

酸菜炖鸡块

主料 酸白菜200克，鸡腿4个。

调料 葱结、姜片各10克，料酒1大匙，精盐2小匙，味精1小匙，鸡精、胡椒粉各2小匙，白醋、香油各1小匙，猪化油3大匙，八角2枚，香菜段5克，鲜汤5杯。

做法 ①将肉鸡腿上的残毛污物处理干净，剁成2厘米见方的块，热水中煮约3分钟捞出，冲漂净污沫，沥尽水分；酸白菜用沸水烫一下，过凉，挤干水分，切成细丝，均待用。
②净锅放猪化油烧热，先下姜片、葱结和八角炸香，再下酸白菜丝炒至水分干时，掺入鲜汤，放鸡块，调入精盐、味精、鸡精、胡椒粉，用小火炖至鸡肉软烂时，加白醋、香油调味，起锅盛在沙锅内，撒香菜段，加盖，置预先点燃的酒精炉上即可。

酸菜敲虾汤

主料 酸菜片300克，大虾仁10只。

调料 葱花、泡姜片各5克，味精、胡椒粉各1小匙，精盐1/2大匙，淀粉100克，猪化油3大匙，鲜汤4杯。

做法 ①将大虾仁洗净，在背部划一刀，挑除沙线，再沾匀淀粉，用木棒敲打成圆形大片，备用。
②坐锅点火，加入猪化油烧热，先下入酸菜片、泡姜片炒香，再添入鲜汤，加入精盐、味精、胡椒粉，用大火煮约2分钟，然后下入虾仁片略煮，装入汤碗中，再撒上葱花即成。

酸菜鱼片

主料 活黑鱼1条（约1000克），酸泡菜1袋，泡辣椒4个。

调料 葱花、姜末、蒜泥共20克，蛋清1个，水淀粉20克，料酒2小匙，葱姜汁2小匙，精盐半大匙，味精2/5小匙，花椒2/5小匙，上汤2杯，植物油1500克（实耗40克）。

做法 ①将黑鱼初加工，取鱼肉，斜切成鱼片，再用料酒、葱姜汁、精盐、味精搅至上劲，加鸡蛋清、水淀粉抓匀。②酸菜挤干卤水，切成短节，泡辣椒剁细。③烧热锅，当油至七成热时，将鱼片滑油，变色就捞出，沥油。④锅内留适量油，放泡辣椒、姜末、葱花、蒜末(一部分)炒香，再将酸菜放锅内煸炒，加料酒、上汤等煮沸，调味后装大汤碗内。⑤将滑油后的鱼片倒在酸菜上，撒上炒香并碾碎的花椒，中间放上蒜末，淋热油即可。

主料 莲藕300克,熟黑芝麻30克,胡萝卜1/3根。
调料 精盐适量,味精1/2小匙,胡椒粉少许,酱油1小匙,猪骨高汤8杯。

做法 ①莲藕去皮、洗净,切成薄片;胡萝卜洗净,切成梅花片备用。
②做锅点火,倒入猪骨高汤煮沸,再放入莲藕片、胡萝卜片、黑芝麻、精盐、酱油煮开,转小火煮30分钟,然后加入味精、胡椒粉调味即可。

黑芝麻莲藕汤

主料 小鱼干、莲藕各150克,西蓝花200克。
调料 姜末少许,精盐适量,鸡精1/2小匙,酱油1大匙,高汤8杯,料酒、色拉油各2大匙。

做法 ①将小鱼干用温水泡软、洗净;莲藕去皮、洗净,切成片;西蓝花洗净,切成小朵备用。
②炒锅加入色拉油烧热,下入姜末略炒,再放入莲藕、西蓝花,加入料酒、酱油翻炒均匀,然后倒入高汤煮沸,加入精盐、鸡精煮至入味即可。

小鱼莲藕蓝花汤

主料 莲藕300克,五香花生50克,西蓝花2朵,杏仁罐头1瓶。
调料 奶油、牛奶各1/2杯,精盐、白糖各适量。

做法 ①将藕切去藕节,削去外皮,洗净,一切两半,再切成块备用。
②将西蓝花掰成小朵,洗净;五香花生去外皮;杏仁罐头开瓶控水,洗净待用。
③锅置火上,加入奶油烧至熔化,再加入杏仁、适量清水、牛奶及原料煮沸,撒入白糖搅匀即可。

奶汤藕块

主料 新鲜莲藕750克,红豆50克,鲜八爪鱼300克,蜜枣4枚。
调料 姜末、精盐各适量。

做法 ①将莲藕去皮、洗净,切薄片;新鲜八爪鱼洗净,切成段备用。
②将红豆淘洗干净,捞出沥水。
③煲中加入6碗清水,放入蜜枣、红豆、莲藕、八爪鱼煲足3小时,待藕熟烂出味时,加入精盐、姜末调味即可。

润肠肺生津补血汤

莲藕章豆猪舌汤

主料 猪舌头1条，猪腿肉200克，章鱼干25克，莲藕750克，眉豆50克，圆肉10克。

调料 陈皮1块，精盐适量，香油少许。

做法 ①将猪舌头刮洗干净，切成大块；猪腿肉洗净，切成大块，同猪舌头一起入沸水中焯烫，捞出备用。

②将章鱼干用清水泡发，洗净，切成中块；莲藕去皮、去节，洗净，切成中段；陈皮刮去内瓤。

③汤锅置火上，加入清水烧开，放入全部原料、陈皮，先用大火煲半小时，再用中火煲1小时，然后转小火煲1.5小时，加入精盐、香油调味即可。

莲藕栗子汤

主料 莲藕750克，栗子20个，葡萄干50克，白糖1小匙。

调料 葡萄干50克，白糖1小匙

做法 ①将莲藕表面洗净，刮去外皮，切除藕节，再切成片；栗子去壳、去膜，洗净备用。

②锅内加入适量清水，放入莲藕、栗子烧沸，转中火煮15分钟，加盖后放入焖烧锅内焖3～4小时，取出后放入葡萄干、白糖搅拌均匀即可食用。

莲藕竹荪冬菇汤

主料 莲藕500克，竹荪100克，冬菇50克。

调料 姜2片，精盐1小匙。

做法 ①将莲藕去皮，洗净，切成片；竹荪、冬菇用清水浸软，洗净，冬菇去蒂，切成瓣备用。

②汤煲中加入适量清水烧沸，下入莲藕、竹荪、冬菇、姜片，用大火烧沸，然后转文火煲2小时，再加入精盐调味即可。

莲藕瘦肉珧柱汤

主料 莲藕1根，瘦肉250～300克，珧柱2粒。

调料 姜2片，精盐1大匙，味精2小匙，料酒1大匙。

做法 ①瘦肉放滚开水中略烫过捞起，用清水洗净，抹干，切成大块；珧柱洗净，浸软，待用。

②将莲藕切成大块，留用。

③烧滚小半锅清水，放入瘦肉、珧柱和莲藕，改用中火滚约2小时，改用小火煲8分钟至材料软熟及汤浓调味，即可盛出上桌，趁热食用。

莲藕骨头汤

主料 莲藕2根（约500克），腔骨500克。
调料 姜6片，精盐2小匙。

做法 ①将腔骨剁成块，洗净；莲藕去皮切块。
②净锅中倒入清水，大火加热至沸腾后，放入腔骨焯烫3分钟，捞出用清水冲去表面的浮沫。
③将腔骨放入汤煲中，一次性加够足量清水，盖上盖子，大火加热至快沸腾时，打开盖子，用勺撇去浮沫，放入姜片，盖上盖子，调中小火煲30分钟。
④放入莲藕块，盖上盖子，继续用中小火煲1个半小时即可，食用前调入盐。

藕片汤

主料 生藕1根，干冬菇3朵，猪肉100克。
调料 葱末、姜丝各5克，精盐1小匙，白糖2小匙，料酒1小匙，味精1/2小匙，植物油1大匙。

做法 ①将猪肉洗净，切成薄片，放入大碗内，用葱末、姜丝、料酒和少许精盐调汁浸泡5分钟；冬菇用温水浸泡洗净；藕洗净削皮，切成片。
②汤锅置火上，放油烧热，先将猪肉片煸炒片刻，放入水4杯，同时加入冬菇、料酒、白糖，煮5分钟，放精盐、味精，起锅盛入汤碗内即成。

红豆莲藕牛肉煲

主料 牛腿肉300克，莲藕600克，红豆160克，陈皮1片。
调料 精盐适量。

做法 ①将牛肉洗净，切成片；莲藕去皮、洗净，切成片；红豆洗净，用清水浸泡30分钟；陈皮洗净备用。
②沙锅中加入8杯清水煮沸，再放入所有原料用中火煲2小时，然后加入精盐调味即可。

莲藕炖猪尾

主料 猪尾300克，莲藕400克。
调料 葱花少许，精盐、味精各1小匙，鸡粉1/3小匙，老抽适量，老汤2杯，色拉油500克。

做法 ①将猪尾洗净，剁成小段，入清水锅中煮熟，捞出沥干；莲藕去皮、洗净，切成小块备用。
②锅置火上，放入色拉油烧热，下入猪尾炸至皮酥时，捞出沥油待用。
③净锅置火上，加入老汤，再放入猪尾、莲藕煮8分钟，然后加入精盐、味精、鸡粉、老抽，出锅盛入碗中，撒上葱花即可。

奶汤鲜虾土豆

主料 鲜虾、冬瓜各80克，土豆300克，蚕豆30克，菜叶少许。

调料 精盐少许，黑胡椒1/2小匙，椰奶4杯，白葡萄酒1大匙，高汤适量。

做法 ①将鲜虾洗净，去头、去壳，留虾尾肉，挑去沙线备用。
②将土豆去皮、洗净，切成块；冬瓜去皮、去子，洗净，切方块；蚕豆、菜叶洗净待用。
③锅中放入椰奶、高汤煮沸，再加入土豆、蚕豆、冬瓜、精盐煮至熟软，然后放入鲜虾尾、菜叶煮10分钟，撒入黑胡椒调味即可。

老鸭土豆杂烩

主料 土豆500克，老鸭200克，猕猴桃2个，红苹果1个，洋葱粒适量。

调料 葱、姜段各少许，精盐、黑胡椒粉各适量，三花淡奶2大匙。

做法 ①将老鸭洗净，剁成块，入沸水锅中，加入葱、姜段焯烫去血污、腥味，捞出沥水备用。
②将土豆去皮、洗净，切块；猕猴桃去皮，切块，苹果洗净，去子切块待用。
③汤锅中加清汤烧沸，放老鸭块、土豆块、洋葱粒、三花淡奶煮至熟透，再放猕猴桃、苹果及所有调料，不加盖煮5～6分钟即可。

土豆三丝清汤

主料 土豆300克，胡萝卜1根，青椒4个，芹菜50克。

调料 葱花5克，精盐适量，胡椒粉、米醋各少许，高汤8杯，色拉油2大匙。

做法 ①将土豆去皮、洗净，切成丝，放入清水中备用。
②将胡萝卜去皮、洗净，切成丝；青椒去蒂、去子，洗净，切成丝；芹菜择洗干净，切段待用。
③锅中放入色拉油烧热，下入葱花、土豆丝、胡萝卜、青椒、芹菜、米醋炒匀，再注入高汤，加入精盐，用小火煮15分钟，撒入胡椒粉调味即可。

土豆鲜蘑玉米汤

主料 熟玉米棒1个，土豆100克，青椒2个，鲜蘑80克，胡萝卜1/2根。

调料 精盐适量，鸡精1/2小匙，高汤8杯。

做法 ①将熟玉米切成段；土豆去皮、洗净，切成块；青椒去蒂、去子，洗净，切成块；胡萝卜去皮、洗净，切成块；鲜蘑去蒂、洗净，撕成条备用。
②锅置火上，加入8杯高汤，再放入所有原料煮沸，然后加入精盐、鸡精煮至入味即可。

土豆泥酸奶猪肚汤

主料 猪肚菌300克，土豆2个，碎芹少许。

调料 大精盐1/2小匙，胡椒粉1/4小匙，酸奶、清汤各1杯。

做法 ①将猪肚菌洗净，切成块；土豆去皮、洗净，入蒸箱蒸熟，取出捣成泥备用。
②炒锅置火上，倒入酸奶、清汤烧沸，再放入猪肚菌、土豆泥煮片刻，然后加入调料调味，撒上碎芹，出锅装碗即可。

土豆炖牛肉

主料 牛肉500克，土豆200克。

调料 香菜10克，胡萝卜20克，植物油2大匙，精盐1小匙，花椒粉1/2小匙，味精1/4小匙，葱丝6克，酱油1大匙，姜末4克。

做法 ①将牛肉切成块，入水锅焯一下，捞出，控净水。②将土豆去皮洗净，切成滚刀块；胡萝卜切成小丁；香菜洗净，切成3厘米长的段。③勺内加水，放入适量的油，葱、姜，花椒粉、牛肉块，旺火烧开，移小火上保持微开，牛肉将要炖烂时，放入土豆块，胡萝卜丁稍炖，再加酱油，精盐调味。熟时加味精，撒上香菜段，即可。

丝瓜咸蛋肉片汤

主料 丝瓜300克，生咸蛋2个，瘦肉150克。

调料 精盐适量。

做法 ①将丝瓜洗净，切块，去皮与否可随个人喜好，留皮其更有营养价值，但味欠清纯；瘦肉洗净，切片。

②将丝瓜、瘦肉一起放入锅内，加入适量清水，并把咸蛋打散在锅内，一起滚汤，约滚30分钟后，下少许精盐调好口味，即可装碗上桌，饮汤食肉。

胜瓜豆腐鱼头汤

主料 丝瓜（又名胜瓜）2条，豆腐2块，大鱼头1个。

调料 生姜2片，精盐少许，植物油2大匙。

做法 ①拣选新鲜大鱼头，斩件，用清水洗去血污，再以姜、油起锅，将大鱼头煎透，铲起。②丝瓜去皮，切角片，用清水洗干净；待用。③豆腐漂洗干净，沥干水。④生姜用清水洗干净，刮去姜皮，切1片。⑤瓦煲内加入适量清水，先用猛火煲至水开，然后放入以上全部材料，候水再开，改用中火继续煲至丝瓜、大鱼头熟透，以少许精盐调味即可。

丝瓜猪瘦肉汤

主料 丝瓜250克，猪瘦肉150克。

调料 精盐适量，胡椒粉1/2小匙。

做法 ①将猪瘦肉洗净，切成片，入沸水锅中焯烫，捞出沥水备用。

②将丝瓜去皮、洗净，切成块待用。

③锅中加入12杯清水烧沸，放入猪肉片煮沸，用小火煲1小时，再放入丝瓜块煲20分钟，然后加入精盐、胡椒粉调味即可。

丝瓜煲花腩

主料 丝瓜1根，五花肉200克，凤爪1只，红枣5枚。

调料 姜10克，精盐4小匙，味精2小匙，白糖1小匙。

做法 ①丝瓜去外皮切块；五花肉洗干净，切厚片；姜切片；凤爪切去爪尖。

②瓦煲注入清水，放入姜片、五花肉、凤爪、红枣，用中火煲30分钟。

③再加入丝瓜，放入精盐、味精、白糖，调好味，煲5分钟。

丝瓜粉丝汤

主料 丝瓜250克，粉丝25克。

调料 精盐1/2小匙，味精少许，胡椒粉5小匙，植物油4小匙。

做法 ①丝瓜切去蒂，轻轻刮去少许皮，洗净，切成滚刀块；粉丝用温水泡软；葱切段。

②油锅上火，放入葱爆香，即放入丝瓜迅速炒拌，随后加3杯清水，待烧滚片刻，加入粉丝，以精盐、味精调味，即成。

丝瓜海鲜汤

主料 丝瓜1根，鲜虾8只。

调料 精盐、绍酒、胡椒粉、蛋清、淀粉、鸡精、香油、海鲜酱、腐乳汁、高汤、香菜各适量。

做法 ①将鲜虾去皮，洗净，挤干，用精盐、绍酒、鸡精、蛋清、淀粉上浆，再放冰箱冷藏10分钟，取出。②将丝瓜切圆片，挖去子，制成瓜环片，再将虾逐个穿入每个瓜环中。③炒锅加高汤烧开，先放穿好的虾环，再加精盐、绍酒、胡椒粉、鸡精调味，待虾环断生后捞出，放碗中，再将汤中加香油、香菜煮开，浇在虾环上即可。④食用时，蘸海鲜酱和腐乳汁调成的酱汁。

五色蔬菜汤

主料 胡萝卜1根，长豆、山药各50克，南瓜100克，香菇3朵。

调料 精盐适量，鸡汁少许。

做法 ①将胡萝卜去皮、洗净，切花片；长豆洗净，切成段；香菇去柄、洗净，剞十字花刀；南瓜去皮、洗净，切成片；山药去皮、洗净，切厚片，浸于水中备用。

②将以上各种蔬菜放入锅中，加入8杯清水，置大火上煮沸，再转小火煮15分钟，然后加入精盐、鸡汁煮至入味即可。

南瓜牛肉汤

主料 南瓜600克，牛肉300克。

调料 生姜1块，精盐、白砂糖、生抽、生油各少许，淀粉适量。

做法 ①将生抽、生油、白砂糖、淀粉拌匀成腌料备用。

②将牛肉洗净，抹干水，顺横纹切成薄片，加入腌料拌匀，腌透入味待用。

③将南瓜洗净，去皮、瓤，切成小块；生姜去皮、洗净，切成片备用。

④瓦煲内加入适量清水和生姜片烧开，再放入牛肉煲熟，然后放入南瓜煲至熟烂，加入精盐调味即成。

南瓜蚬尖汤

主料 蚬尖（速冻）200克，南瓜300克，紫苏叶少许，青苹果1/2个。

调料 精盐适量。

做法 ①将南瓜去皮、去子，切成块，入清水锅中煮熟，取一半放入果汁机中搅打成汁备用。

②将蚬尖解冻洗净；青苹果洗净，切成片待用。

③将南瓜汁倒入锅中，加入精盐煮沸，再放入蚬尖、另一半南瓜、紫苏叶、青苹果煮熟，待汤汁浓稠后熄火即可。

蒜烧双蛋南瓜

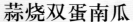

主料 蒜5粒，南瓜600克，鸭蛋3个，松花蛋3个。

调料 精盐、酒各1小匙，糖1大匙，植物油30克。

做法 ①蒜去皮切片，南瓜洗净切方块备用。鸭蛋、松花蛋切成瓣备用。油锅爆香蒜片，放入南瓜炒匀，加入调味料及适量水煮滚，转小火焖煮至南瓜熟透，加入鸭蛋、松花蛋，烧2分钟即可。

主料 山药200克，豌豆荚80克，花菇30克，胡萝卜1根，地瓜50克。

调料 葱、姜、蒜末各少许，八角1粒，精盐适量，鸡汁1大匙，香醋1/3小匙，色拉油2大匙。

做法 ①将山药、地瓜分别去皮、洗净，切成片；花菇洗净，用清水泡软，取出剞十字花刀备用。

②将胡萝卜洗净，切凤尾花刀；豌豆荚洗净，切成段待用。

③锅中加入色拉油烧热，下入葱、姜、蒜末、八角炒香，再烹入香醋，倒入清汤，然后放入所有原料用中火煮至熟烂，再加入精盐、鸡汁煮至入味即可。

山药百烩

主料 猪肚、山药各200克。

调料 生姜1块，精盐、胡椒粉各适量，面粉、料酒各少许。

做法 ①将猪肚用面粉擦一遍，再用清水洗净，放入沸水锅中，加入料酒焯烫，取出用刀刮净浮油，切成块备用。

②将山药去皮、洗净，切成块；生姜洗净，切薄片待用。

③锅中加入清水烧沸，放入猪肚、山药、姜片用武火煮滚，再转文火煮2小时至猪肚熟烂，加入精盐、胡椒粉调味即成。

山药炖猪肚

主料 山药300克，花芸豆30克，青豆、胡萝卜花各少许。

调料 葱花少许，白糖适量，果汁1大匙。

做法 ①将花芸豆洗净，用清水浸透，放入锅中，加入适量清水、果汁、白糖煮熟，捞出备用。

②将山药去皮、洗净，切成片，放入果汁机中绞打成泥待用。

③汤锅中加入少许清水，倒入山药泥搅匀，再加入青豆煮沸，然后放入花芸豆、胡萝卜花续煮5分钟离火，撒入葱花即可。

花芸豆山药羹

主料 羊心、羊肝、羊肺、山药各100克，羊肾80克，无花果4个，红椒50克。

调料 精盐1小匙，绍酒1大匙。

做法 ①将羊杂用清水浸洗去血水，切成块，入沸水锅中焯烫，捞出沥水备用。

②将山药去皮、洗净，切厚片，红椒去蒂、去子，洗净，切椒圈，无花果洗净，一切两半待用。

③锅中加入清水烧沸，下入所有原料用大火煲20分钟，烹入绍酒，再转小火煲2小时，加入精盐调味即可。

无花果羊杂山药汤

山药胡萝卜鸡汤

主料 鸡翅根、山药各300克，胡萝卜80克。

调料 精盐适量，料酒1大匙。

做法 ①将鸡翅根洗净，剁成段，入沸水锅中焯烫，捞出备用。

②将山药、胡萝卜分别去皮、洗净，切成块待用。

③锅中加入10杯清水烧开，下入所有原料煮沸，再淋入料酒，转小火煮1小时，然后加入精盐调味，撒入葱丝点缀即可。

蟹味菇鳜鱼汤

主料 蟹味菇150克，山药200克，鳜鱼1条。

调料 姜丝、葱段各少许，精盐、胡椒粉各适量，料酒1小匙，酱油1大匙，高汤8杯。

做法 ①将鳜鱼去鳞、去鳃、除内脏，洗净，斩去头尾，剔骨取肉，切成块备用。

②将鱼块入沸水锅中焯烫一下，去其腥味；捞出沥水待用。

③将山药去皮、洗净，切成块；蟹味菇洗净备用。

④汤锅中加高汤烧沸，下所有原料，再加入料酒、酱油、精盐、胡椒粉煮40分钟至入味即可。

什锦蔬菜汤

主料 山药50克，番茄1个，黄瓜、胡萝卜各1根，紫洋葱、通心粉各50克。

调料 精盐适量，味精1/2小匙，料酒1大匙，酱油1小匙，柠檬水、黄油适量。

做法 ①将山药去皮、洗净，切成片，放入柠檬水中浸泡备用。

②将紫洋葱去皮、洗净，切成块，番茄、黄瓜分别洗净，均切成块，胡萝卜洗净，切成花片；通心粉用清水浸泡回软待用。

③锅置火上，放入黄油至熔化，下入洋葱块炒软，再放入其他原料，加入酱油、料酒翻炒片刻，然后添入适量清水，加入精盐、味精煮至熟软，出锅装碗即可。

芥菜山药汤

主料 山药300克，芥菜150克，番茄2个，洋葱丁少许。

调料 蒜蓉1大匙，精盐适量，鸡精1/2小匙，高汤8杯，黄油2大匙。

做法 ①将山药去皮、洗净，切成块；芥菜洗净，从中间切开，入沸水锅中焯烫，捞出冲凉，挤干水分，切成段；番茄用热水烫一下，撕去外皮，切成丁备用。

②锅置火上，放入黄油烧至熔化，下入洋葱丁、番茄丁炒软，再添入高汤，然后放入山药、芥菜、精盐、鸡精煮至入味，撒入蒜蓉即可。

山药豆腐汤

主料 山药200克,豆腐400克。

调料 蒜蓉5克,葱1.5克,酱油4小匙,植物油5小匙,香油、精盐、味精各1/2小匙。

做法 ①将山药去皮,豆腐用沸水烫后分别切成丁。
②炒锅放植物油烧至五成热,爆香蒜蓉,倒入山药丁翻炒数下,加上适量水,待沸倒入豆腐丁,调味,煮沸,撒上葱花,淋上香油即成。

山药排骨汤

主料 排骨4000克,山药100克。

调料 盐1/2小匙,鸡粉1/2小匙,胡萝卜20克,料酒2大匙。

做法 ①排骨洗净,然后放沙锅煮开后,然后将水倒掉,重新放水再煮,放几片生姜,再放1个八角。
②汤煮开后,将火关到最小,煮上1小时左右,然后将山药和胡萝卜切成块放入汤中,加入适量盐,大火煮开后,用小火煮至山药和胡萝卜熟透即可出锅。

红枣桂圆山药汤

主料 红枣50克,山药300克,桂圆干30克。

调料 冰糖1大匙。

做法 ①将山药去皮、洗净,切成丁,放入柠檬水中浸泡备用。
②将红枣、桂圆干洗净待用。
③锅中加入清水煮沸,放入山药、桂圆干、大枣煮至熟软,再加入冰糖煮至溶化即可。

山药薏米牛奶锅

主料 山药100克,花生30克,薏米30克,牛奶6杯,柳松菇50克。

调料 枸杞子8克,黄芪2片,精盐2小匙,白糖1大匙。

做法 ①将山药去皮、洗净,用波纹刀切成片;花生、柳松菇洗净;薏米泡水,捞出备用。
②锅置火上,倒入牛奶、花生、薏米煮至花生软化,再加入山药片、枸杞子、黄芪、精盐、白糖,用小火煮15分钟,然后加入柳松菇煮匀即可。

五色调理煲

主料　西蓝花、新鲜山药各240克，黄豆芽120克，水发黑木耳80克，红甜椒1个。

调料　精盐适量。

做法　①将西蓝花去梗、切小朵，洗净；山药削皮、洗净，切小方块，浸泡在水中；黄豆芽去尾，洗净沥干；黑木耳去蒂、洗净，切小块；红甜椒去子，切小块。

②将山药沥干，与甜椒、木耳、黄豆芽一起放入沙锅中，加入6杯清水煮沸，转小火炖20分钟，再放入西蓝花煮4分钟，加入精盐调味即可。

山药猪肚汤

主料　猪肚400克，山药80克，薏苡仁80克，芡实15克。

调料　姜片2片，精盐1/2小匙，绍酒1大匙，玫瑰露酒5大匙，淀粉200克。

做法　①将猪肚洗净，用玫瑰露酒反复抓洗，去除异味，再用淀粉搓去表面黏液，放入沸水中焯透，切成宽条备用。

②将薏苡仁洗净，用清水泡透；山药去皮洗净，切粒；芡实洗净，待用。

③锅中加水烧沸，先放入猪肚、姜片、绍酒、薏苡仁煲约2小时，再下入芡实转小火煲制30分钟，然后加入山药续煮20分钟，再放入精盐调好口味，即可装碗上桌。

香芋芡实薏米汤

主料　香芋300克，薏米80克，芡实30克，海带丝少许。

调料　精盐适量。

做法　①将香芋去皮、洗净，切成滚刀块；薏米用清水浸泡；芡实洗净备用。

②将泡软的薏米放入锅中，加入清水煮熟，再放入芡实、香芋、海带丝，加入精盐，用小火煮1小时即可。

银杏芋头鱼肚汤

主料　银杏30克，芋头300克，鲜鱼肚200克，四季豆50克。

调料　精盐适量，鸡精、鲍鱼汁各1/2小匙，鸡汤8杯。

做法　①将芋头去皮、洗净，切成块；鲜鱼肚洗净，切成块，入沸水锅中焯烫一下，捞出控水；四季豆洗净，切成段备用。

②汤锅中加入鸡汤煮沸，放入所有原料、调料煮至入味即可。

龙眼清凉补汤

主料 龙眼（桂圆）肉、薏仁各30克，芡实50克，莲子、百合、沙参、玉竹各20克，红枣4颗。
调料 冰糖适量。

做法 ①将薏仁洗净，放入清水中浸泡3小时，其他原料均洗净备用。
②锅中倒入清水，放入薏仁、芡实、莲子、百合、沙参、玉竹、红枣，用旺火煮沸，再转小火煮45分钟，然后加入龙眼肉煮15分钟，再放入冰糖调味即可。

莲参圆肉猪心汤

主料 猪心1个，莲子60克，太子参30克，桂圆肉15克。
调料 生姜1块，精盐适量，料酒1大匙，香油少许。

做法 ①将莲子（去心）、太子参、桂圆肉洗净备用。
②将猪心去肥油洗净，入沸水锅中，加入料酒焯烫去腥味，捞出待用。
③将生姜去皮、切成片备用。
④将全部原料放入沙锅中，再加入姜片、料酒、清水适量，先用武火煮沸，然后转文火煲2小时(或以莲子绵软为度)，加入精盐，淋入香油即成。

人参莲子汤

主料 人参10克，莲子20枚。
调料 冰糖30克。

做法 ①将人参洗净，莲子洗净(去心)，放入碗内，加清水适量泡发，再放入冰糖。
②将碗置蒸锅中，隔水蒸炖1小时即成。喝汤，吃莲子。

莲子黄瓜猪尾汤

主料 新鲜莲子50克，新鲜荷叶1角，老黄瓜1个，生薏米100克，猪尾1条。
调料 陈皮1角，精盐少许。

做法 ①猪尾放入滚水中煮5分钟，捞起，刮洗干净待用；莲子去硬皮及心，洗干净待用；老黄瓜冲洗干净，连皮切厚件待用；生薏米、陈皮浸泡透，淘洗干净；荷叶洗净，待用。
②瓦煲内加清水，用猛火煲至水滚，放入莲子、老黄瓜、生薏米、猪尾和陈皮，待水再滚起，改用中火煲3小时，再放入荷叶稍滚，以精盐调味即可。

莲子百合炖猪肉

主料 莲子10枚，百合30克，猪瘦肉300克。

调料 葱结、姜片各5克，料酒2小匙，精盐、味精各1大匙，植物油3大匙。

做法 ①莲子放在水锅中，加少许食用碱，沸后煮约20分钟，捞出，除掉莲心；百合洗净表面灰分；猪瘦肉洗净，切成1.5厘米见方的小块，均待用。

②炒锅上火，放植物油烧热，下葱结、姜片炸香，放入猪肉块，煸炒至变色，烹入料酒，掺适量清水烧开，倒在沙锅内，并放入莲子和百合，置小火上炖约45分钟后，调入精盐、味精，继续炖至猪肉块软烂入味，拣出葱结、姜片，即可食用。

豆角菜花汤

主料 菜花200克，豆角100克，胡萝卜80克。

调料 精盐、胡椒粉各适量，味精少许，清汤8杯，色拉油2大匙。

做法 ①将胡萝卜去皮、洗净、切花片；

②菜花洗净，切小朵；豆角去老筋、洗净，斜切细丝备用。

③锅置火上，加入色拉油烧热，下入所有原料煸炒至断生，再倒入清汤，加入调料煮至入味即可。

西湖莼菜汤

主料 莼菜1罐，肉丝、胡萝卜、罗汉笋、香菇各25克。

调料 葱花少许，精盐1小匙，味精1/2小匙，清汤1碗，葱油适量。

做法 ①将胡萝卜、罗汉笋、香菇分别洗净，均切成丝备用。

②锅中加入清水烧沸，将上述原料同莼菜一起入锅焯水，捞出待用。

③净锅置火上，加入清汤，放入全部原料，再加入精盐、味精烧沸，淋入葱油，撒上葱花即成。

莼菜鸽蛋汤

主料 莼菜1瓶，鸽蛋8个，虾仁30克，小番茄100克，洋葱1个。

调料 精盐适量，味精1/2小匙，蔬菜高汤6杯，葱油少许，色拉油2大匙。

做法 ①将瓶装莼菜倒去浸液，用清水洗净备用。

②将小番茄去蒂、一切两半；洋葱去皮、洗净，切圈待用。

③将鸽蛋加入适量清水煮熟，取出过凉，剥壳备用。

④锅中加入色拉油烧热，下洋葱圈轻炒片刻，再倒入蔬菜高汤煮沸，然后放入所有原料、精盐、味精煮5分钟，淋入葱油即可。

主料 小排骨600克，牛蒡1根。
调料 盐、鸡精各1/2小匙。

做法 ①将牛蒡洗净，用小刀刮去皮，切成寸段备用。
②将小排骨洗净，剁成段，入沸水锅中焯烫，捞出待用。
③汤锅内加入适量清水，下入牛蒡、排骨，再加入精盐、鸡精，用大火煮滚，然后转小火炖1小时即可。

牛蒡排骨汤

主料 山楂25克，牛蒡600克，魔芋卷240克，胡萝卜1根。
调料 精盐适量。

做法 ①将山楂洗净；牛蒡削皮、洗净，切滚刀块，浸入盐水中；胡萝卜削皮、洗净，切滚刀块。
②将所有材料放入沙锅中，再加入6杯清水置旺火上煮沸，然后转小火炖至牛蒡熟软，加入精盐调味即可。

山楂牛蒡瘦身煲

主料 茼蒿250克，淡菜15克，鸡蛋清1个。
调料 精盐适量。

做法 ①将鸡蛋清放入碗中，搅拌均匀备用。
②将茼蒿去根、洗净，切成小段；淡菜用清水浸软，洗净待用。
③锅内加入适量清水，放入淡菜煮沸20分钟，再放入筒蒿段煮沸，然后淋入鸡蛋清搅匀，加入精盐调味即成。

茼蒿淡菜蛋清汤

主料 西葫芦200克，虾干、粉丝各50克。
调料 姜丝少许，精盐1小匙，味精1/2小匙，鸡汤1碗，葱油少许。

做法 ①将虾干、粉丝用热水泡开；西葫芦洗净，切成片，入沸水锅中焯水，捞出沥水备用。
②锅置火上，加入鸡汤，放入虾干、粉丝、西葫芦、姜丝煮3分钟，再加入精盐、味精烧沸，撇去浮沫，淋入葱油即成。

虾干粉丝葫芦汤

油菜玉米汤

主料 玉米粒150克，油菜200克，虾仁50克，洋葱1/3个。

调料 精盐1小匙，黄油2大匙，浓缩鸡汁1/3小匙。

做法 ①将油菜去根、洗净，从中间切开；洋葱洗净，切末备用。

②锅置火上预热，加入黄油烧至熔化，下入洋葱末炒香，再倒入适量清汤，放入玉米粒，加入精盐、鸡汁煮片刻，待汤汁滚沸时，下入油菜烫至翠绿，出锅装碗即可。

菜心面筋煲

主料 肉末300克，油面筋10个，油豆腐10个，小油菜200克，虾米2大匙。

调料 酱油1小匙，精盐少许，香油1小匙，胡椒粉少许，酱油1大匙，精盐、水淀粉各适量，葱花1大匙，植物油30克。

做法 ①虾米泡好，将一半剁碎；面筋泡软；肉末加虾米、葱花及精盐、胡椒粉拌匀，作成馅料；面筋开一小口，塞入约1大匙肉末，包成两头尖的橄榄形；小油菜烫软，冲冷水沥干；油豆腐洗净、沥干。

②煲锅中倒油烧热，爆香葱和酱油，加水，酱油豆腐、面筋和小油菜排入煲锅中，撒入剩余的虾米，以小火焖煮。加精盐调味，淋入淀粉勾芡，滴入香油即可。

娃娃菜鲜鱼汤

主料 加吉鱼1尾，娃娃菜150克，香菇2朵，柠檬片、碎芹各少许。

调料 葱花、姜末各少许，鸡精1/2小匙，料酒1大匙，高汤8杯，色拉油2大匙。

做法 ①将加吉鱼肉去鳞、鳃、内脏，洗净，切成块备用。

②将娃娃菜洗净，一棵切4块，入沸水锅中焯烫，捞出冲凉；香菇去蒂、洗净，一切两半待用。

③锅中加入色拉油烧热，下入葱花、姜末炒香，再放入娃娃菜翻炒，然后烹入料酒，倒入高汤烧沸，放入加吉鱼、香菇、柠檬片、调料煮至入味，撒入碎芹即可。

芹菜豆腐蛤蜊汤

主料 蛤蜊肉30克，芹菜200克，豆腐1块。

调料 精盐适量。

做法 ①将蛤蜊肉用清水冲洗干净备用。

②将芹菜去根、叶，洗净，切成段；豆腐切成小块待用。

③将蛤蜊肉放入锅中，加入适量清水煮沸半小时，再放入芹菜、豆腐同煮10分钟，加入精盐调味即成。

主料　浮小麦30克，大枣10枚，炙甘草6克。
调料　冰糖适量。

做法　①将浮小麦、大枣（去核）、炙甘草分别用清水洗净备用。
②将全部原料放入锅内，加入适量清水煎煮，再放入冰糖煮至溶化即成。

甘麦大枣汤

主料　乌豆、大枣各50克，桂圆肉15克。
调料　冰糖适量。

做法　①将乌豆用清水浸软，洗净；桂圆肉、大枣（去核）洗净备用。
②将乌豆、大枣、桂圆肉放入锅中，加入适量清水烧沸，再用小火煮30分钟，加入冰糖煮至溶化即可。

乌豆圆肉大枣汤

主料　杏仁奶200克，红枣、桂圆各100克，百合、荔枝各50克。
调料　冰糖1小匙，草莓酱1大匙。

做法　①将红枣洗净；百合洗净，切成小块；桂圆、荔枝去皮，取肉，放在一起用清水浸泡1小时备用。
②锅中加入杏仁奶、冰糖烧开，再放入红枣、桂圆、百合、荔枝、草莓酱，然后转小火煮1小时即可。

杏人贵妃露

主料　莲子、红枣、桂圆各10克，鸭蛋8个。
调料　红糖3大匙，精盐4小匙，清水2杯。

做法　①莲子、红枣、桂圆洗干净，鸭蛋煮熟去壳。
②瓦煲内注入清水，放入鸭蛋、莲子、红枣、桂圆，用小火煲30分钟。
③然后调入红糖、精盐，同煲10分钟即成。

三味煲

苹果雪梨生鱼汤

主料 雪梨、苹果各2个，生鱼1条（约400克），南北杏各15克。

调料 姜2片，精盐适量，胡椒粉少许，色拉油2大匙。

做法 ①将生鱼去鳞、去鳃、除内脏，洗净沥干，放入精盐、胡椒粉略腌备用。

②将苹果、雪梨去皮、核，洗净，切大块；南北杏洗净沥干。

③锅中放入色拉油烧热，下入姜片爆香，再放入生鱼略煎，注入适量清水烧开，然后加入雪梨、苹果及南北杏，用文火煲3小时，加入精盐调味即可。

苹果沙梨瘦肉汤

主料 猪瘦肉、苹果、沙梨各100克，薄荷叶2个，蜜枣20克。

调料 精盐1小匙。

做法 ①将苹果、沙梨洗净，均切成4瓣，去核备用。

②将猪瘦肉洗净，切成块，入沸水锅中煮5分钟，取出过凉水待用。

③沙锅中加入适量清水烧沸，放入猪瘦肉、苹果、沙梨、蜜枣煲1.5小时，再放入薄荷叶稍煮，加入精盐调味即可。

甘草莲心水果饮

主料 生甘草、百合各30克，胖大海2枚，莲子心4克，雪梨、苹果各2个。

调料 冰糖适量。

做法 ①将雪梨去皮、去子，洗净，切成片；苹果去皮、去子，洗净，切成片备用。

②将甘草洗净，用清水浸透；百合、胖大海、莲子心洗净待用。

③沙锅内加入清水、雪梨、苹果、百合煮沸，再放入甘草、胖大海、莲子心煮15分钟，加入冰糖煮化即可。

雪梨胡萝卜汤

主料 雪梨200克，胡萝卜3根，菠菜50克。

调料 精盐适量，胡椒粉1小匙，鸡高汤8杯，黄油2大匙。

做法 ①将胡萝卜去皮、洗净，切成条；雪梨洗净，去皮、去子，切成块；菠菜择洗干净，切碎。

②锅中加入黄油烧至熔化，下入胡萝卜条炒至断生，再倒入鸡高汤煮沸，然后放入雪梨，加入精盐、胡椒粉煮至入味，撒入菠菜续煮2分钟即可。

白果菊梨淡奶汤

主料 淡牛奶适量，白果30克，白菊花4朵，雪梨4个。

调料 蜜糖适量。

做法 ①将白果去壳，用热水烫后除去衣、心备用。

②将菊花洗净，择取花瓣；雪梨削皮、去核，取梨肉切粒待用。

③将白果、雪梨放入锅内，加入适量清水用武火煮沸，再转文火煮至白果烂熟，加入菊花瓣、牛奶煮沸，熄火稍降温，再加入蜜糖调味即成。

西洋参炖梨

主料 鸭梨1个，西洋参15克，川贝9克。

调料 冰糖适量。

做法 ①将鸭梨洗净，一切两半，挖去果核；西洋参、川贝洗净备用。

②沙锅中将所有原料和调料放入炖盅内，加入3杯清水，炖盅加盖，入锅用大火隔水炖20分钟即可。

木瓜银耳炖红薯

主料　红薯300克，木瓜100克

调料　银耳50克，杏仁50克，白糖1/2小匙，蜂蜜1大匙

做法　①将红薯去皮切成块；木瓜去皮去子切成块，银耳泡发备用。

②将红薯、银耳放入沙锅中，加入适量水、白糖炖10分钟后，再放入木瓜、杏仁再煮10分钟，加入适量白糖调味，出锅晾凉后加入蜂蜜即可。

牛奶木瓜养颜汤

主料　熟透的木瓜2个，鲜牛奶500克，白砂糖适量。

调料　鲜牛奶500克，白砂糖适量

做法　①将木瓜洗净，去皮、子，切成细丝备用。

②将木瓜丝放入锅中，加入清水、白砂糖熬煮至木瓜熟烂，再注入鲜牛奶调匀，煮至汤微沸时即可。

木瓜杏奶炖雪耳

主料　木瓜200克，杏奶150克，雪耳50克。

调料　白糖1/2小匙，蜂蜜100克。

做法　①将雪耳用温水泡发，洗净，撕成小朵备用。

②将木瓜剖开，去瓤制成盛器待用。

③锅置火上，倒入杏奶烧开，再加入白糖、蜂蜜、雪耳烧3分钟，起锅盛入木瓜中，然后上火蒸5分钟，取出即可。

木瓜煲猪尾

主料　木瓜1个，猪尾500克，花生100克。

调料　姜片、精盐、鸡精、花椒粉各适量。

做法　①将花生洗净，用清水浸泡半小时，使其充分涨发；木瓜去皮、去子，洗净，切成厚片；猪尾刮去细毛，洗净，斩成段，入沸水锅中焯5分钟，捞出沥水备用。

②汤煲内加清水，再下木瓜、猪尾、花生、姜片，用大火烧开，然后转小火煲1.5小时，再加入精盐、鸡精、胡椒粉调味即可。

木瓜排骨煲鸡爪

主料　木瓜半个，鲜鸡爪3对，排骨300克。

调料　姜2片，精盐、味精各1大匙，鲜汤2杯。

做法　①青木瓜去皮及子，洗净，切成块，留用。

②鸡爪剪去趾尖，与排骨放入滚水中略烫后捞起，洗净，抹干，待用。

③将青木瓜、鸡爪、排骨和姜片放于汤煲里，注入大半锅清水，煲滚改用中小火，煲1小时至肉熟及汤浓，以适量精盐调味，即可盛出，趁热食用。

木瓜龙骨煲

主料　木瓜1个，大骨200克，红萝卜20克，桂圆肉10克。

调料　精盐2小匙，味精1大匙，白糖1小匙。

做法　①木瓜去子切块，大骨切成块，红萝卜切块，生姜切片。

②瓦煲烧热，放入大骨煎一煎，注入清水，放入大骨、桂圆肉，用中火煲40分钟。

③然后加入木瓜、精盐、味精、白糖，煲20分钟即成。

山楂决明红枣汤

主料 山楂20克，草决明15克，红枣5粒。

调料 冰糖适量。

做法 ①山楂、红枣去核，洗净，草决明洗净备用。

②将山楂、红枣、草决明放入锅内，加入清水用武火煮沸，再转文火煲1小时，然后放入冰糖溶化，出锅装碗，代茶饮用即可。

银花山楂汤

主料 银花30克，山楂10克。

调料 蜂蜜20克。

做法 ①将山楂去核，洗净；银花用清水冲洗干净备用。

②将银花、山楂放入沙锅内，加入4碗清水煎至2碗，去渣取汁，再加入蜂蜜拌匀即可。

山楂乌梅草姜饮

主料 山楂脯20克，乌梅5～10枚，甘草5克。

调料 生姜（或干姜）15克，冰糖适量。

做法 ①将乌梅洗净，去核，切成片；生姜去皮、洗净，切成片；甘草洗净备用。

②锅中加入清水用大火烧开，放入所有原料煲20分钟，再加入冰糖煮至溶化即可。

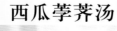

西瓜荸荠汤

主料 西瓜750克，荸荠12个，百合40克，银耳20克，瘦肉50克。

调料 精盐适量。

做法 ①将西瓜洗净，连皮切成厚片；荸荠去皮、洗净，对半切开；百合洗净；银耳浸软、洗净，剪碎；瘦肉洗净，切成片，入沸水锅中焯烫，捞出再洗净备用。

②锅置火上，放入适量清水烧开，下入西瓜、荸荠、百合、银耳、瘦肉片烧沸，转小火煲2小时，再加入精盐调味即可。

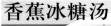

香蕉冰糖汤

主料 香蕉5个。

调料 陈皮1片，冰糖适量。

做法 ①将香蕉剥皮，每个切成3段；陈皮用清水浸软，去白备用。

②将香蕉、陈皮放入锅内，加入适量清水烧开，转文火煮15分钟，再加入冰糖煮至溶化即成。

枇杷叶蜜枣汤

主料 枇杷叶、杏仁、桔梗各15克，蜜枣10粒。

调料 冰糖少许。

做法 ①将枇杷叶、蜜枣、杏仁、桔梗洗净备用。

②将枇杷叶用干净的纱布包好，与蜜枣、杏仁、桔梗一同放入锅中，加入3碗清水，先用猛火煮开，再用文火煮至剩1碗半左右时，加入冰糖溶化即可。

桑杏汤

主料 桑叶、杏仁、梨皮各13克，沙参12克，浙贝母、淡豆豉、山栀皮各9克。

调料 白糖适量。

做法 ①将桑叶、杏仁、沙参、浙贝母、淡豆豉、山栀皮、梨皮用清水冲洗干净，装入纱布袋中备用。

②沙锅中加入3碗清水、纱布袋，先用猛火煲开，再用文火煲至剩1碗水时熄火，加入白糖调味即可。

杂果冰汤

主料 红柚100克，猕猴桃1个，桑葚5粒，柠檬少许，番茄、胡萝卜各适量。

调料 白糖、碎冰各适量。

做法 ①将猕猴桃剥皮，切半圆片；红柚剥皮取净肉；柠檬切片备用。

②将番茄、胡萝卜洗净，切小块，搅打成汁待用。

③汤锅置火上，加入番茄、胡萝卜汁、白糖煮沸，盛入碗中晾凉，再放入所有原料，然后把碎冰置另一碗中，再放上原料碗，隔碗冰镇5分钟即可。

木耳肉丝汤

主料　猪里脊肉100克，胡萝卜1/2根，黑木耳3朵。

调料　葱1支，精盐、米酒各1小匙，干生粉2小匙，高汤3大匙，精盐、胡椒粉各1小匙。

做法　①猪里脊肉洗净，切丝，放入碗中，加入调料腌10分钟；黑木耳洗净，切丝；胡萝卜去皮，切成丝；葱洗净，切末。
②锅中倒入调料烧开，放入黑木耳、胡萝卜及肉丝煮熟，加入精盐调匀，撒上葱末即可。

忘忧润燥汤

主料　黄花菜、黑木耳各150克，竹荪75克，龙骨（猪的脊椎骨）1根。

调料　精盐1小匙。

做法　①龙骨切块，用冷水洗净。锅内加水烧开，放入龙骨焯透捞出。
②烧开半锅水，放入龙骨以中小火熬煮1小时，熬出高汤。
③黄花菜、黑木耳、竹荪分别泡发透，竹荪、黑木耳切段，黄花菜打结。
④熬好的高汤煮滚，放入黄花菜、竹荪和黑木耳，等汤再次煮滚，加精盐调味即可盛出。

什锦三丝汤

主料　鸭蛋清2个，鸡蛋1个，番茄1个，水发木耳2朵。

调料　精盐、味精、香油各1大匙，鸡油3大匙。

做法　①将番茄洗净，用开水烫一下，去皮和子，切成丝；水发木耳择洗干净，切丝。
②鸡蛋磕入碗内，打散，放入热油锅中，摊成蛋皮，然后切成丝。
③锅置火上，放入鸡汤烧开，下入蛋皮丝、木耳丝、番茄丝烫一下取出，随即放入蛋清，加入精盐、味精、香油，待蛋清片浮起后，将汤倒入汤碗内，最后把蛋皮丝、木耳丝、番茄丝依次码在蛋清上即可。

香菇木耳淡菜汤

主料　淡菜30克，香菇15克，木耳50克。

调料　精盐适量。

做法　①将香菇去根，浸软、洗净；木耳用清水泡开，择洗干净；淡菜用清水浸软，洗净备用。
②锅置火上，加入适量清水，放入香菇、淡菜，用武火煮沸，再转文火煮半小时，然后放入木耳煮10分钟，加入精盐调味即成。

主料 银耳150克，鹌鹑蛋6个，鹌鹑1只，蘑菇、番茄各50克。
调料 葱、姜各5克，精盐、料酒各1小匙，鸡精1/2小匙。

做法 ①将鹌鹑宰杀，洗涤整理干净，用精盐、料酒腌制20分钟备用。
②锅中加入清水煮沸，放入鹌鹑，加入葱、姜、料酒，转中火煮30分钟，撇去浮沫，捞出葱、姜、鹌鹑待用。
③将鹌鹑蛋洗净，煮熟、去壳；银耳洗净，切成小朵；蘑菇洗净，切成片，放入已煮好的汤中，加入精盐、鸡精煮10分钟，再放入番茄片稍煮即成。

银耳鹌鹑蛋汤

主料 银耳1朵。
调料 精盐少许，白糖1/2小匙，鸡汤（或鸭汤）2杯。

做法 ①将银耳洗净，用温水浸泡20分钟，发开后去蒂。
②将发开的银耳放入沙锅，加清水1碗，先用小火炖半小时左右，然后调入鸡汤，加入精盐、白糖调味，再炖至滚熟即成。

银耳鸡汤

主料 银耳1朵，鲜莲子10枚。
调料 料酒2小匙，精盐4小匙，味精2小匙，白糖1小匙，鸡汤1杯。

做法 ①把发好的银耳放入一大碗内，加鸡汤蒸透取出。
②鲜莲子剥去青皮和一层嫩白皮，切去两头，去心，用沸水氽透后，用开水泡起。
③烧开鸡汤，加入料酒、精盐、白糖、味精，将银耳、莲子装在碗内，注入鸡汤即成。

鲜莲银耳汤

主料 水发银耳3朵，雪蛤40克。
调料 冰糖30克。

做法 ①将雪蛤放入清水中浸泡8小时，使其充分涨发，再去除杂质，撕成小块；银耳去蒂、洗净，撕成小朵备用。
②将雪蛤、银耳分别放入沸水中焯烫一下，捞出沥干待用。
③坐锅点火，加入适量清水烧开，先下入银耳煮约40分钟，待银耳软烂，汤汁浓稠时，再放入雪蛤，然后加入冰糖煮溶，即可盛出食用。

银耳炖雪蛤

木耳汤

主料 白木耳100克，鹿角胶75克。
调料 冰糖15克。

做法 ①白木耳用温水发泡，去杂质，待用。将发泡好的白木耳置沙锅内，加清水适量，用温水煎熬。
②木耳熟后，加鹿角胶和冰糖，使之熔化，和匀，熬透即成。

浓汤猴头菇

主料 猴头菇200克，红枣4个。
调料 精盐、蘑菇精各1小匙，蘑菇浓汤适量。

做法 ①将猴头菇洗净，切成大块备用。
②将红枣去核，洗净待用。
③沙锅置火上，加入蘑菇浓汤，放入原料，用小火炖30分钟，再加精盐、蘑菇精调味即可。

山珍菌汤

主料 猴头菇、竹荪、榛蘑、黄蘑、香菇、口蘑、牛肝菌各适量。
调料 姜片、鸡油、绍酒、牛肉清汤粉、精盐、胡椒粉各少许。

做法 ①将所有菌类原料涨发回软，整理干净，放入沸水中焯透，捞出沥干备用。
②坐沙锅烧热下鸡油，先炒香姜片，再烹入绍酒，添清汤，然后放入所有菌类原料，再调入牛肉清汤粉、精盐、胡椒粉，烧沸后撇净浮沫，续煲30分钟至入味，出锅装碗即可。

卤味猴头菇

主料 猴头菇200克。
调料 葱段10克，姜片8克，桂皮3克，大料2克，味精、香油各2小匙，白糖1小匙，酱油1大匙，老汤2杯，植物油3大匙。

做法 ①将猴头菇放入温水中浸泡12小时，切去老根，冲洗干净，挤干备用。
②锅中加油烧热，先放入葱段、姜片炒香，再添入老汤，加入桂皮、大料、味精、酱油、白糖，烧开后撇净浮沫，放入猴头菇，中火烧开后转小火煨至收汁，捞出猴头菇，切成4瓣装盘。
③将锅中汤汁过滤，上火烧浓，再淋入香油，浇在猴头菇上即可。

平菇豆腐煮冬瓜

主料　平菇200克，内酯豆腐1盒，冬瓜100克。
调料　葱、姜各少许，精盐、料酒各1小匙，酱油1/2小匙，蘑菇浓汤2杯，色拉油适量。
做法　①将平菇洗净，撕成大片；豆腐入热油锅中煎至两面金黄，取出沥油；冬瓜去皮、洗净，切成滚刀块备用。
②锅中加入色拉油烧热，放入原料、酱油翻炒片刻，再加入葱、姜、料酒、蘑菇浓汤、精盐煮至熟烂，淋入香油即可。

平菇凤翅汤

主料　鲜平菇250克，鸡翅10对。
调料　蒜瓣20粒，葱白6段，姜6片，料酒2小匙，精盐1/2小匙，香油1小匙。
做法　①将平菇洗净切片煮汤备用，用大碗装鸡翅，上覆平菇（连汤）。
②调入料酒，加葱段、姜片、蒜瓣和精盐，倒入少量清水，移入蒸笼里蒸炖1小时左右。
③炖至鸡翅膀肉一按即可离骨后，取出，淋入香油，即可上桌。

椒油脆腐煮凤尾

主料　平菇、荷兰豆各100克，脆豆腐300克，胡萝卜50克。
调料　香葱末少许，花椒10克，精盐1小匙，鸡精、胡椒粉、白糖各1/2小匙，植物油2大匙。
做法　①将平菇洗净，撕成条；胡萝卜洗净，同脆豆腐均切成条备用。
②坐锅点火，倒入植物油烧热，下入花椒炸香，再添入清水烧开，然后放平菇、脆豆腐、胡萝卜煮5分钟，再加入荷兰豆、精盐、鸡精、白糖、胡椒粉调味，出锅装碗，撒入香葱末即可。

肉末蔬菜汤

主料　西蓝花50克，鸡蛋2个，瘦肉50克，干粉丝10克，鸡腿菇10克。
调料　植物油2大匙，精盐、味精各2小匙，白糖3/5小匙，鸡精粉1小匙，麻油2/5小匙。
做法　①将西蓝花切成粒洗净，瘦肉剁成泥，生姜去皮切成丝，干粉丝用温水泡透切成段，鸡腿菇切片。
②平锅烧热，抹入少许油，倒入打好鸡蛋液，小火摊成薄饼状，掺入瘦肉泥卷成卷，蒸熟切成斜段。
③烧锅下油，放入姜丝，注入清汤，下入鸡腿菇、粉丝、西蓝花煮开，调入精盐、味精、白糖、鸡精，然后放入鸡蛋卷，淋入麻油，盛入汤碗内即成。

冬菇葫芦汤

主料　冬菇（浸软）10个，猪瘦肉150克，葫芦250克，水发木耳20克，莲子75克。

调料　姜2片，精盐1小匙。

做法　①将葫芦去皮、洗净、切厚块；莲子洗净；冬菇、水发木耳洗净，撕成小朵；猪瘦肉洗净，切小块，用沸水焯烫，捞出洗净。
②锅置火上，加适量清水烧开，下入冬菇、葫芦、木耳、莲子、猪瘦肉、姜片煮沸，转文火煲2小时，再加入精盐调味即成。

冬菇煲鸭

主料　干冬菇5朵，老鸭1只，红枣5枚。

调料　生姜10克，料酒4小匙，精盐、味精各2小匙，白糖1/2小匙，胡椒粉1大匙。

做法　①老鸭清洗干净，不切留整只，把腿骨砍断；红枣泡洗干净；干冬菇去蒂清洗干净；生姜去皮切片。
②烧锅加入清水，待水开时放入老鸭，煮去鸭内血水，捞起用清水冲洗干净。
③将瓦煲放在火炉上，注入清水、料酒，把鸭、姜片、冬菇、红枣放入，用小火煲约40分钟至鸭肉烂时，调入精盐、味精、白糖、胡椒粉，再煲5分钟，盛入汤碗即成。煲制过程中不要经常打开盖，否则易使汤味不香。

白蘑田园汤

主料　白蘑200克，玉米笋50克，胡萝卜50克，土豆50克，西蓝花30克。

调料　植物油30克，酱油1小匙，精盐1小匙，鸡精1/2小匙，鸡汤500克，绍酒2小匙，葱花少许。

做法　①先将白蘑去根，择洗干净，切成薄片；玉米笋切滚刀块；土豆、胡萝卜分别去皮切圆片；西蓝花掰成小朵。
②锅中加植物油烧热，放葱花炒香，加入鸡汤及白蘑、玉米笋、土豆、胡萝卜，烧开后再放西蓝花，小火炖至熟烂时，下入调料入味即可。

白灵菇煲飞蟹

主料　白灵菇200克，飞蟹1只。

调料　葱花少许，精盐1小匙，胡椒粉1/2小匙，蘑菇高汤2杯，绍酒、色拉油各适量。

做法　①将白灵菇洗净，切成片；飞蟹清洗干净，剁成块备用。
②炒锅置旺火上，倒入蘑菇高汤，再放入白灵菇、飞蟹烧沸，然后加入精盐、绍酒、胡椒粉，用小火炖至入味，撒入葱花即可。

主料 滑子蘑200克，花蚬子100克。

调料 葱花少许，精盐1小匙，蘑菇精1/2小匙，蘑菇清汤2杯，花生油2大匙。

做法 ①将滑子蘑去蒂、洗净，入沸水锅中焯水，捞出沥干；花蚬子用清水冲去泥沙，入沸水锅中焯烫一下，捞出沥水备用。

②炒锅置火上，放入花生油烧热，倒入蘑菇清汤烧滚，再加入滑子蘑、花蚬子炖煮片刻，然后加入精盐、蘑菇精、葱花，出锅装碗即可。

滑蘑蚬子汤

主料 滑子蘑100克，猪肉片、小白菜各50克。

调料 葱花、姜片各少许，精盐1小匙，味精1/2小匙，鸡汤2杯，色拉油适量。

做法 ①将滑子蘑洗净，与猪肉片分别入沸水锅中焯水，捞出沥水；小白菜洗净，切成段备用。

②锅中放入色拉油烧热，下入葱、姜爆香，倒入鸡汤，再放入滑子蘑、肉片煮3分钟，然后加入小白菜、精盐、味精，淋入少许明油即可。

滑菇肉片白菜汤

主料 竹荪蛋200克，圣女果80克，小鱼、牛肉丝各50克，西蓝花30克。

调料 姜末少许，精盐1小匙，冰糖2小匙，蘑菇高汤1杯，虾子酱、水淀粉、色拉油各适量。

做法 ①将竹荪蛋用清水洗去盐分；圣女果洗净，切成瓣；西蓝花洗净，掰成小朵备用。

②锅中加入色拉油烧热，放入蘑菇高汤、竹荪蛋、小鱼、牛肉丝烧沸，再加入精盐、冰糖用小火煨至入味，然后放入圣女果、西蓝花稍煮片刻，出锅时放入虾子酱即可。

一品竹荪蛋

主料 人参5克(或党参30克)，茯神15克，酸枣仁10克。

调料 砂糖30克。

做法 ①将人参、茯神、酸枣仁分别用清水洗净，待用。

②洗净沙煲，注入适量清水，将人参、茯神、酸枣仁全部放入，猛火煮沸，再用慢火煲煮。

③饮用时调入砂糖，可以代茶服用。

人参枣仁汤

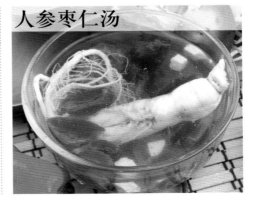

鲜蘑菜松汤

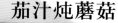

主料 青菜心3棵，鲜蘑菇5朵。

调料 花椒15～20粒，湿淀粉4小匙，酱油、精盐各2小匙，芝麻油3大匙，味精1小匙，高汤2杯。

做法 ①将青菜心洗净，放沸水中，烫至青菜颜色变深色即捞出，放在凉水中漂凉，捞出，挤干水，切成3厘米长的段。

②将鲜蘑去根，洗净，切成薄片，放开水中焯一下。

③炒锅内放高汤、酱油、精盐、蘑菇片和青菜段，用大火烧开，加入味精，用湿淀粉调芡，倒入汤碗内。

④炒锅内放芝麻油，用大火烧至五成热，放入花椒，炸至呈黑色，捞出花椒，将锅中的花椒油浇在汤碗内即可。

茄汁炖蘑菇

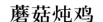

主料 蘑菇500克，番茄酱250克。

调料 精盐、鸡精、白糖、料酒、香油各1/2小匙。

做法 ①将鲜蘑菇洗净，入沸水锅中焯一下，捞出用清水投凉备用。

②锅置火上，放入香油烧热，下入番茄酱煸炒至浓稠，再放入蘑菇，加入精盐、料酒、白糖及适量清水，用大火烧沸，小火炖熟即可。

蘑菇炖鸡

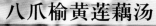

主料 净熟笋鸡200克，水发冬菇100克，净香菜15克。

调料 葱段、葱丝、蒜片各10克，精盐、味精、姜水、香油、熟猪油各适量，酱油4小匙，绍酒、白醋各1大匙，鸡汤1000克。

做法 ①将熟笋鸡撕成筷子粗的丝；冬菇洗净，切成筷子粗的丝备用。

②汤勺加入熟猪油烧热，先下入葱段、蒜片炒香，再放入鸡汤、绍酒、姜水、味精、精盐烧开，撇去浮沫，然后放入鸡、冬菇烧沸，再撇净浮沫，出锅装碗，撒入香菜、香油、白醋、葱丝即可。

八爪榆黄莲藕汤

主料 榆黄蘑200克，八爪鱼150克，莲藕100克，红枣少许。

调料 葱花少许，精盐1小匙，胡椒粉少许，料酒2小匙，鸡汤适量。

做法 ①将榆黄蘑去根、洗净；莲藕去皮、洗净，切成块备用。

②将八爪鱼洗涤整理干净，改刀；入沸水锅中焯烫一下，捞出沥水待用。

③炒锅置火上，加入鸡汤烧沸，再放入原料、调料，用小火炖至入味，出锅时放入葱花即可。

主料 黄牛肝菌150克，净鲈鱼丝100克，白果30克，鸡蛋1个，法香少许。

调料 精盐1小匙，胡椒粉1/2小匙，红酒醋2小匙，清汤2杯，水淀粉、色拉油各适量。

做法 ①将黄牛肝菌洗净，切成丝；鲈鱼丝加入鸡蛋液、淀粉上浆，再入沸水锅中焯水，捞出备用。
②锅中放入色拉油烧热，加入清汤、调料、黄牛肝菌丝、鲈鱼丝、白果烧至入味，用水淀粉勾玻璃芡，撒上法香即可。

牛肝白果鲈鱼羹

主料 黑牛肝菌200克，内脂豆腐1盒，番茄丝、豆苗各少许。

调料 精盐1小匙，胡椒粉1/2小匙，鲜汤2杯，葱油1大匙。

做法 ①将黑牛肝菌洗净，切成丝；内脂豆腐放入盐水中浸泡10分钟，捞出切成丝备用。
②锅置火上，加入清汤，下黑牛肝菌丝、内脂豆腐丝、调料煮沸，待豆腐丝浮起时，放入番茄丝、豆苗稍煮，再淋入葱油即可。

牛肝玉丝汤

主料 鸡枞菌300克，鱼头1个，党参1根，天麻片10克，红枣30克，油菜1棵。

调料 葱、姜丝各少许，精盐1小匙，胡椒粉1/2小匙，料酒2大匙，蘑菇浓汤2杯，色拉油适量。

做法 ①将鸡枞菌去根、洗净；鱼头去鳃、洗净，用料酒略腌备用。
②锅置旺火上，放入色拉油烧热，下入鱼头两面略煎一下，再放入葱、姜丝、蘑菇浓汤、鸡枞菌、天麻、党参、红枣、油菜、调料炖至入味即可。

鸡枞菌煲鱼头

主料 榆耳200克，熟鹿鞭150克，油菜、洋葱、米椒各少许。

调料 精盐1小匙，蚝油1/2小匙，香菇煮汁3大匙，高汤2杯。

做法 ①将榆耳洗净，切成瓣；鹿鞭剞花刀，入沸水锅中焯水，捞出沥水备用。
②将油菜择去老叶，洗净；洋葱去皮、洗净，切成圈待用。
③炒锅置火上，添入高汤，再放入香菇煮汁及原料、精盐、蚝油，煮沸后小火煲20分钟即可。

榆耳煲鹿鞭

板栗菜心煲虎掌

主料 黑虎掌菌、广东菜心各150克，板栗50克，洋葱丝少许。

调料 精盐1小匙，胡椒粉少许，水淀粉适量，蔬菜高汤2杯，橄榄油2大匙。

做法 ①将黑虎掌菌洗净，切成丝；菜心洗净，切成丁备用。
②锅置旺火上，放入橄榄油烧热，下入洋葱丝炒软，再加入蔬菜高汤、原料、调料烧沸，然后转小火煮至入味，用水淀粉勾芡即可。

时蔬松茸煲鸡肾

主料 鲜松茸菌5朵，鸡肾4个，油菜1棵，枸杞子10粒。

调料 姜片、葱结各10克，精盐、味精、鸡精、白胡椒粉、料酒各适量，鲜汤4杯，香油1小匙，猪化油2大匙。

做法 ①将鲜松茸菌用清水反复漂洗；鸡肾洗净，用料酒、姜片、葱结等腌味约10分钟，入开水锅中汆一下，捞出，漂于清水中撕净筋膜，均待用。
②取中号沙锅1个，放入松茸菌和鸡肾，添入鲜汤，加姜片、葱结、料酒、精盐、味精、鸡精、白胡椒粉和猪化油等，置旺火上烧沸，改小火炖约40分钟至软烂入味，拣出姜片、葱结，放枸杞子略炖，淋香油，即可上桌。

茶树菇煲天梯

主料 茶树菇300克，天梯100克，树椒、香菜各少许。

调料 香葱段少许，精盐、酱油各1小匙，料酒2小匙，高汤3杯，花生油适量。

做法 ①将茶树菇去蒂、洗净；天梯择洗干净备用。
②将茶树菇、天梯分别入沸水锅中焯水，捞出沥水待用。
③沙锅置火上，加入花生油烧热，下入树椒、香葱段炝锅，再倒入高汤烧沸，然后放入原料、调料煲至入味，撒入香菜即可。

沙锅鹅掌炖口蘑

主料 口蘑200克，净鹅掌1只。

调料 姜丝、法香各少许，鲍鱼汁2小匙，精盐1/2小匙，顶汤3杯，八角少许，花生油适量。

做法 ①口蘑洗净剞十字花刀，同鹅掌一起焯水备用。
②沙锅烧热加入顶汤，依次加鲍鱼汁、八角、精盐调味，再投入鹅掌、口蘑小火炖熟，撒上姜丝、法香，淋入花生油离火即可。

主料 净金针菇150克，海马2条，乳鸽1只，党参3克，枸杞子少许。

调料 姜3片，精盐1小匙，鸡粉1/2小匙，顶汤适量，白酒2小匙。

做法 ①将乳鸽去内脏，洗净，剁成块；党参洗净备用。
②锅中加入顶汤烧沸，放入乳鸽、金针菇、海马、姜片、党参、枸杞子、白酒，用小火煮至乳鸽熟烂时，再加入精盐、鸡粉调味即可。

海马乳鸽金针汤

主料 姬菇300克，豆苗50克，鸡蛋1个。

调料 精盐1小匙，胡椒粉、香油各少许，清汤1杯。

做法 ①将姬菇、豆苗洗净；鸡蛋磕入碗中，搅打均匀备用。
②锅中加入清汤，放入姬菇煮沸，再加入精盐、胡椒粉调味，然后淋入蛋液，待蛋花浮起时，放入豆苗，淋入香油即可。

姬菇豆苗蛋花

主料 鸡油菌300克，羊肉100克，板栗30克，小白菜2棵，洋葱丝少许。

调料 精盐、纯鲜酱油各1小匙，高汤2杯，胡椒粉、香油各少许。

做法 ①将鸡油菌去蒂、洗净，切成片；入沸水锅中焯水后捞出；羊肉洗净，切成片；小白菜洗净。
②炒锅置火上，下入洋葱丝炒香，再加入高汤、鸡油菌、板栗及调料烧沸，然后放入羊肉、小白菜略煮，淋入香油即可。

板栗鸡油炖羊肉

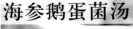

主料 海参150克，鹅蛋菌200克，茼蒿少许。

调料 精盐1小匙，料酒1大匙，酱油1/3小匙，鸡汤2杯，花椒油少许。

做法 ①将鹅蛋菌洗净；海参洗净，切成条备用。
②锅中加入鸡汤烧沸，再放入鹅蛋菌、海参，然后加入酱油、料酒、精盐，用小火炖熟，再放入茼蒿，淋入花椒油即可。

海参鹅蛋菌汤

一品菌王汤

主料 羊肚菌200克，松茸100克，牛鞭150克，鲜贝50克，法香少许。

调料 精盐1小匙，复合味粉1/2小匙，葱油少许，顶汤适量。

做法 ①将羊肚菌用温水泡至回软，再用流水冲洗干净；松茸洗净，切成片；牛鞭洗净，切梳子花刀备用。

②炒锅置火上，加入顶汤与原料烧沸，倒入汤煲内，用慢火煲45分钟，然后放入精盐、复合味粉调味，离火，淋入葱油即可。

海鲜杏鲍莼菜汤

主料 杏鲍菇300克，莼菜80克，基围虾3只，牡蛎50克。

调料 姜丝少许，精盐1小匙，胡椒粉1/2小匙，上汤2杯，橄榄油2大匙。

做法 ①将杏鲍菇去蒂、洗净，一切两半，牡蛎用清水冲洗干净；莼菜、基围虾分别洗净备用。

②炒锅置火上，放入橄榄油烧热，下入姜丝炝锅，再倒入上汤，加入杏鲍菇、莼菜、牡蛎、基围虾烧沸，撇去浮沫，然后加入精盐、胡椒粉烧至入味，出锅装碗即可。

珊瑚鱼骨汤

主料 珊瑚菌300克，鱼骨80克，茼蒿少许。

调料 姜片少许，精盐1小匙，味精、白酒、牛奶各1/2小匙，鱼高汤2杯。

做法 ①将珊瑚菌去蒂、洗净，茼蒿择洗干净备用。

②锅中加入鱼高汤，再放入姜片、鱼骨、珊瑚菌和调料，用大火烧沸，然后淋入白酒、牛奶煮至入味，再放入茼蒿煮滚即可。

芥蓝珊瑚小土豆

主料 珊瑚菌200克，芥蓝100克，小土豆100克，洋葱末少许。

调料 纯鲜酱油1小匙，精盐1小匙，蘑菇浓汤2杯，胡椒粉少许，色拉油适量。

做法 ①珊瑚菌去蒂洗净改刀，与芥蓝分别焯水，小土豆滑油待用。

②炒锅入色拉油烧热，洋葱末炒软后，加入珊瑚菌、小土豆和调料烧至熟烂时，放入芥蓝再烧至片刻，收汁即可。

竹笋香菇汤

主料 香菇25克，金针蘑1袋，竹笋15克。

调料 姜15克，味精2大匙，精盐1小匙，清汤300克。

做法 ①香菇泡软去蒂切厚丝。
②姜切丝。
③金针洗净后打结，竹笋剥皮切厚丝。
④竹笋、姜丝放汤锅中加适量清水，煮沸15分钟，再放香菇，金针煮5分钟后，放精盐、味精即可。

柠檬香菇汤

主料 香菇200克，柠檬1个，红椒丝少许。

调料 白糖适量，高汤8杯。

做法 ①将柠檬切片，再留少许柠檬皮切成丝；香菇去蒂、洗净，剞花刀备用。
②汤锅中加入高汤煮沸，下入所有原料，加入白糖煮至入味即可食用。

酸辣球盖肫花汤

主料 大球盖菇200克，鸡肫100克，豆苗30克，枸杞子、树椒各少许。

调料 精盐1小匙，胡椒粉、料酒各2小匙，京醋3小匙，鸡汤2杯，香油适量。

做法 ①将大球盖菌洗净，切成片；鸡肫去筋膜、洗净，剞花刀，加入料酒腌渍10分钟，洗净；豆苗洗净备用。
②炒锅置火上，加入鸡汤、大球盖菇、鸡肫、豆苗、枸杞子、树椒烧沸，加入调料炖至入味，淋入香油即可。

极品珍菌佛跳墙

主料 老人头菌200克，鲜贝、水发鱼肚各50克，鱼翅、虫草各10克，豆苗少许。

调料 葱段、姜片各少许，精盐1小匙，绍兴花雕酒2大匙，冰糖、顶汤、色拉油各适量。

做法 ①将虫草用温水泡软，洗净；老人头菌洗净，切成块，入沸水锅中稍焯，捞出沥水；鱼肚洗净，切成片备用。
②锅中放入色拉油烧热，下入葱、姜煸香，再加入顶汤、原料用旺火烧沸，然后到入沙锅内，用文火煨至软烂，再加入调料，放入豆苗稍煮即可。

冬菜鸡蛋汤

主料　鸡蛋2个，冬菜50克。

调料　精盐2小匙，味精1小匙，香油适量。

做法　①冬菜择洗干净；鸡蛋磕入碗内，用筷子打匀。

②净锅置火上，放水烧开，倒入冬菜，淋入蛋液，加精盐、味精，再烧开，起锅盛入汤碗内，淋入香油即可。

甜味蛋花汤

主料　鸡蛋2个。

调料　白糖2大匙。

做法　①鸡蛋磕入碗内，用筷子打散。

②锅置火上，放适量清水烧开，加入白糖，将鸡蛋液淋入锅中，烧开即可。

三鲜鸡蛋汤

主料　鸡蛋4个，肥瘦猪肉末、鲜虾肉各50克，水发香菇3朵，笋尖1个，生菜适量。

调料　胡椒粉2小匙，味精1小匙，水淀粉50克，精盐1小匙，酱油2小匙，料酒2小匙，白糖2大匙。

做法　①香菇、笋尖切末，放碗内，与猪肉末、精盐、胡椒粉拌匀；鸡蛋打散；虾肉剁烂，加姜汁、酱油、精盐、白糖、料酒、水淀粉拌成虾泥，再与猪肉馅搅匀。②生菜略烫一下取出，每片生菜叶上放一份馅，淋上鸡蛋液，卷成卷，烫熟，取出放汤碗中。③锅中注入高汤烧开，浇入盛生菜卷肉馅的碗中。

煎泡蛋汤

主料　鸡蛋4个。

调料　葱5克，植物油2大匙，精盐1小匙，味精1/2小匙，胡椒粉1小匙。

做法　①将鸡蛋去壳打散，葱切成末。

②炒锅置火上，放油烧热后，放入鸡蛋煎，烧至起泡，倒入开水5杯，加入精盐、味精、胡椒粉，煮出香味，起锅盛入汤碗，撒上葱末即成。

当归红枣蛋锅

主料　当归10克，红枣4粒，鸡蛋1个。

调料　冰糖适量。

做法　①将当归、红枣洗净，放入沙锅中，加入2碗清水用大火煮沸，再转小火炖约10分钟备用。

②将鸡蛋洗净外壳，入锅煮7分钟至熟，取出冲凉，剥去外壳，切成6瓣，放入当归、红枣锅中煮沸即可。

补脑益智羹

主料　银耳、黑木耳各10克，香菇、桂圆各20克，何首乌汁、鹌鹑蛋各100克。

调料　精盐1小匙，鸡精1/2小匙，水淀粉、高汤各1大匙。

做法　①将银耳、黑木耳、香菇用清水泡发好，择去杂质、根，洗净；鹌鹑蛋放入凉水锅中煮熟，取出去壳；桂圆去壳取肉备用。

②锅置旺火上，加入高汤，放入银耳、木耳、香菇、何首乌汁、桂圆肉和鹌鹑蛋烧沸，再转中火炖20分钟，用水淀粉勾芡即成。

皮蛋高汤杂菌

主料 皮蛋4个，鸡腿菇、蟹味菇各100克，茶树菇、木耳、圆白菜各50克。

调料 大蒜15克，精盐1大匙，高汤精1小匙，白糖1/2小匙，橄榄油2大匙。

做法 ①将皮蛋切4瓣；鸡腿菇、蟹味菇、茶树菇洗净；木耳泡发，洗净；圆白菜切丝备用。②坐锅点火，倒入橄榄油烧热，下入鸡腿菇、蟹味菇、茶树菇煸至干香，添入适量开水，再放入皮蛋，加入精盐、高汤精、白糖焖煮几分钟待用。③锅中放入橄榄油烧热，下入蒜片煸香，再放入圆白菜丝、木耳翻炒，然后加入精盐炒熟，出锅装碗，将皮蛋汤浇在上面即可。

番茄皮蛋汤

主料 瘦猪肉100克，松花蛋3个，粉丝25克，番茄1个。

调料 姜、葱各5克，精盐1大匙，味精、香油各2小匙，高汤8杯。

做法 ①把猪肉洗净切成细丝、番茄洗净去皮，切成条；粉丝用温水泡软；松花蛋切成瓣状。②锅内放入高汤烧开，把粉丝、葱姜加入高汤内，待汤滚开时再加入肉丝、松花蛋、番茄条，锅再开时，加入味精，盛入汤碗中，淋上香油即成。

皮蛋冻豆腐汤

主料 皮蛋4个，冻豆腐1块，花生30克，松仁15克，枸杞子10粒，香菜叶少许。

调料 精盐适量，鸡精1/2小匙，猪骨高汤8杯。

做法 ①将皮蛋剥皮，切成瓣；冻豆腐解冻，切成块备用。②将花生放入热油锅中炸熟，捞出去皮；再放入松仁炸香，捞出待用。③锅中加入猪骨高汤烧沸，再放入皮蛋、冻豆腐、枸杞子、鸡精、精盐煮10分钟，然后撒入花生、松仁、香菜即可。

枸杞鸽蛋汤

主料 鸽蛋12个，海参2只，枸杞15克。

调料 酱油1大匙，料酒1大匙，胡椒粉适量，干淀粉适量，葱姜少许。

做法 ①鸽蛋凉水下锅，小火煮熟，捞出去壳，裹上淀粉，放入油锅中炸呈黄色，捞出。②海参凉水泡发，将内壁膜洗干净，放入开水中余烫，捞出，切菱形花刀；枸杞洗净。③锅内加入少许植物油烧热，爆香葱、姜，加适量水煮沸，加入海参、酱油、料酒、胡椒粉，小火炖40分钟，加入鸽蛋、枸杞，炖10分钟即可。

油茶鸽蛋汤

主料 鸽蛋5个，龙眼肉15克，油茶面30克，青菜叶少许，圣女果2个。

调料 葱花少许，砂糖适量，蔬菜高汤8杯，花生油2大匙。

做法 ①将青菜叶洗净，切成碎末；圣女果去蒂、洗净，切成瓣备用。②锅中放入花生油烧热，下入葱花炒香，再加入蔬菜高汤烧沸，然后放入油茶面搅匀，再加入鸽蛋、龙眼肉续煮片刻，最后放入青菜叶、圣女果及调料煮至入味即可。

人参鸽蛋银耳汤

主料 人参粉1小匙，鸽蛋12个，银耳25克，熟火腿30克，水发冬菇10克。

调料 熟鸡油10克，精盐3/5小匙，鸡清汤750克。

做法 ①将银耳用温水泡软，再换70℃~80℃热水浸涨，去蒂洗净。②银耳入碗内上笼蒸至松软取出，沥干，放热鸡汤锅内烫一下捞出。③选小碟12个，抹熟鸡油，每个碟磕入鸽蛋1个，将火腿、冬菇切成圆片，各12片，放在鸽蛋黄的两边，蒸熟取出，稍凉后放入碗内。④炒锅下精盐、鸡汤烧沸，撇净浮沫，加银耳烧沸，下入参粉、鸽蛋，淋上熟鸡油即成。

杞子黑豆炖鲤鱼

主料 鲤鱼1条(约750克)，黑豆100克，枸杞子15克。

调料 姜3片，陈皮1块，精盐适量，绍酒1大匙。

做法 ①将鲤鱼去鳞、去鳃、除内脏(小心别弄破鱼胆)，洗净，用干净的布抹干鱼身内外，再用绍酒搽匀备用。
②将黑豆洗净，捞出晾干，下锅炒香待用。
③将枸杞子洗净；陈皮用清水浸软，刮去内瓤备用。
④将鲤鱼及其他材料放入炖盅内，加入开水，盖盅盖，入锅用猛火隔水炖半小时，再转文火炖2.5小时，加入精盐调味即成。

奶汤鲤鱼

主料 鲜鲤鱼1条，冬笋尖100克，鸡蛋清2个，青蒜苗10克。

调料 干细淀粉25克，姜片、葱段、香菜段各10克，精盐2小匙，味精1大匙，料酒2小匙，胡椒粉4小匙，猪化油2大匙，香油1大匙。

做法 ①将鲜鲤鱼刮鳞、抠鳃、去内脏，洗净血污，用刀沿脊骨片下净肉，带皮用坡刀切成0.5厘米厚的片，入清水中漂净血水后，挤干水分，放碗内，加鸡蛋清、料酒、精盐、味精和干细淀粉抓匀上浆；冬笋按自然状切薄片；蒜苗洗净，切丝。
②净锅放猪化油烧热，下姜片、葱段炸香后，添入适量清水，入鱼头和骨架，炖至汤汁乳白时，拣出葱段、姜片，再下笋片和上浆的鱼片，用中火炖至鱼肉熟透时，加精盐、味精和胡椒粉调味，倒在汤盆内，淋香油，撒香菜段即成。

鲤鱼苦瓜汤

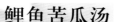

主料 净鲤鱼1尾，苦瓜200克，柠檬1个。

调料 精盐适量，味精1/2小匙，白糖少许，姜汁、料酒1各大匙，高汤8杯。

做法 ①将鲤鱼洗净，去头、尾，鱼肉剔除鱼骨，切成片备用。
②将苦瓜纵切两半，去子、去内膜，洗净，切成片；柠檬切片待用。
③汤锅中注入高汤，放入所有原料、调料，用大火煮开，再转小火煮10分钟即可。

天麻鱼辫汤

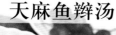

主料 鲤鱼肉300克，冬瓜200克，胡萝卜1根，天麻10克。

调料 葱花、胡椒粉各少许，精盐1小匙，高汤8杯。

做法 ①将鲤鱼肉洗净，切成条状，编成麻花辫摆放盘中，入蒸箱蒸熟，取出备用。
②将冬瓜去皮、瓤，洗净，切成块；胡萝卜洗净，切成象眼块；天麻洗净待用。
③锅中加入高汤煮沸，放入天麻、冬瓜、精盐用小火煮至熟烂，再下入蒸好的鱼辫、胡椒粉、胡萝卜续煮片刻，出锅装碗即可。

主料 鲤鱼1条(约750克),冬瓜片200克,香菜末25克。

调料 葱段、姜片、精盐、绍酒、胡椒粉、高汤、植物油各适量。

做法 ①将鲤鱼去鳞、去鳃、除内脏,洗涤整理干净,在鱼身两侧剞上"棋盘花刀"备用。

②坐锅点火,加油烧热,放入鲤鱼煎至两面呈金黄色,捞出沥油待用。

③锅中留底油烧热,先下入葱段、姜片炝锅,再烹入绍酒,放入鲤鱼,然后加入高汤、冬瓜片、精盐,锅开后转小火炖至入味,再拣出葱、姜、加入胡椒粉、香菜末,即可出锅装碗。

鲤鱼煲冬瓜片

主料 麻哈鱼肉300克,玉兰笋100克,南瓜80克,西芹50克。

调料 八角2粒,月桂叶、姜各2片,精盐适量,味精1/3小匙,酱油1大匙,料酒2大匙,高汤8杯。

做法 ①将麻哈鱼肉洗净,切成块,用料酒、酱油码味,再入热油锅中煎至金黄色,捞出沥油备用。

②将玉兰笋洗净,切成;南瓜去皮、瓤,洗净,切成块;西芹洗净,切斜刀段待用。

③锅中加入高汤,再放入所有原料、调料煮沸,然后转小火煮30分钟入味即可。

笋片南瓜煮鱼汤

主料 麻哈鱼肉300克,甘草6克,白术10克,山药50克,油菜30克,橘皮丝少许。

调料 精盐适量,料酒1大匙。

做法 ①将麻哈鱼肉洗净,切成段,入油锅中煎至金黄色,取出备用。

②将山药去皮、洗净,切成块;甘草、白术、油菜分别洗净待用。

③锅中放入清水煲滚,下入所有原料用大火煲15分钟,再转小火煲40分钟,加入精盐、料酒调味即可。

甘草白术鱼汤

主料 麻哈鱼肉300克,香芋200克,葱丝、姜片各少许。

调料 精盐1小匙,胡椒粉少许,绍酒1小匙,味精少许。

做法 ①将麻哈鱼肉洗净切块,加精盐、葱、姜、味精腌渍10分钟,入滚水滑散,捞出备用。

②芋头去皮洗净切块,入蒸箱蒸熟取出捣成泥。

③汤锅加适量清水煮开,下入蒸好的芋泥,转至小火慢慢熬稠,加入精盐等调味,然后再将滑好的麻哈鱼肉下入锅中续煮5分钟,撒入胡椒粉、葱丝即可。

芋泥麻哈鱼羹

腩块鳝鱼煲

主料 鳝鱼2条，猪五花肉150克，鸡蛋1个。

调料 葱花2克，姜米25克，精盐、味精、鸡精各2小匙，料酒2大匙，酱油5小匙，干淀粉2大匙，湿淀粉2小匙，胡椒粉5小匙。

做法 ①将鳝鱼烫去黏液，剔去脊骨后洗净，内面朝上置案板上，用刀尖在上面排剞1遍，用精盐、料酒、葱姜汁腌约5分钟；猪五花肉剁成泥，放碗中，加鸡蛋液、湿淀粉、姜米、酱油、精盐、味精、鸡精，拌匀成猪肉馅，待用。②揩干鳝鱼的水分，理平于案板上，先扑干淀粉，再摊上肉馅，用餐刀蘸水抹平，改刀切段，投入五成热的油锅中炸呈金红色，捞出。③炒锅留底油，放葱花、姜米炸香，烹料酒、酱油，掺鲜汤烧滚，放入炸好的鳝鱼段，调入精盐、味精、鸡精、胡椒粉等，用中火炖5分钟，起锅倒在烧热的沙锅中，淋香油，撒香菜段即成。

萝卜露笋煮鳝鱼

主料 鳝鱼300克，胡萝卜100克，露笋150克，杏仁少许。

调料 鲜姜1块，精盐、白糖、鸡精各1/2小匙，胡椒粉、料酒各1小匙。

做法 ①将鳝鱼洗涤整理干净，切成段，剞花刀，加入精盐略腌。

②将胡萝卜去皮、洗净，切成条；露笋洗净，切成段；姜洗净，切细条；杏仁用清水泡好。

③锅上火烧热，下入腌好的鳝鱼、姜条煎一下，再放入胡萝卜煎透，然后加入露笋和清水，用小火炖30分钟，至汤汁浓稠时即可。

淮山玉竹炖白鳝

主料 白鳝500克，淮山药、玉竹各60克。

调料 生姜1块，精盐、米醋各适量。

做法 ①将白鳝洗涤整理干净，切小段，入沸水锅中，加入米醋、精盐焯烫一下，捞出控水备用。

②将淮山药去皮、洗净；玉竹、生姜洗净，切成片待用。

③将白鳝、淮山药、玉竹、姜片放入炖盅内，加入清水12杯，炖盅加盖，入锅用文火隔水炖3小时，放入精盐调味即成。

鳝鱼辣味汤

主料 鳝鱼5条，鸡丝5克，鸡蛋1个，面筋5克。

调料 葱、姜各40克，水淀粉3大匙，胡椒粉4小匙，味精2小匙，酱油4小匙，醋2小匙，麻油1小匙，精盐2小匙，鸡汤1杯，鳝鱼汤1杯。

做法 ①鳝鱼宰杀，切成细丝；鸡蛋打入碗中搅匀。

②锅中放入鸡汤、鳝鱼汤各1杯，烧开，放入鳝鱼丝、鸡丝、面筋条，加入酱油、醋、葱、姜、精盐，烧沸，倒入鸡蛋成花，加入水淀粉勾芡，开锅后盛入碗中，加上胡椒粉、味精、麻油即成食用。

酸辣鳝鱼汤

主料 鳝鱼1条，熟火腿50克，熟鸡脯肉50克，冬笋50克，香菜15克。

调料 植物油、料酒各5小匙，精盐2小匙，酱油1小匙，醋4小匙，味精、胡椒粉各少许，鲜汤4杯。

做法 ①将鳝鱼宰杀后，洗净，沥干水分，切成6厘米长的丝；火腿、冬笋、鸡肉分别切成丝；香菜切成细末待用。
②锅置火上，放入汤、料酒、鳝鱼丝、火腿丝、冬笋丝、鸡丝、精盐，烧沸后，加入植物油、胡椒粉、酱油、味精、醋搅匀，盛入汤盆，撒上香菜末即成。

清炖水鱼汤

主料 水鱼1只，火腿2片。

调料 生姜、葱各少许，八角1粒，精盐少许，料酒1大匙，上汤适量。

做法 ①用热水浇淋水鱼，使其排尽污物，剁去头，然后从甲与腹之间剖开，去除内脏、尾巴及四脚，用刷子洗净壳，肉切成小块备用。
②将生姜洗净，拍松；葱洗净，切成段待用。
③将水鱼放入大炖盅里，放入姜、葱等调料，再加入适量清水，用旺火隔水炖半小时，然后加入上汤、料酒、火腿，再隔水炖1小时，然后转小火炖半小时，加入精盐调味即可。

杞子淮山水鱼汤

主料 水鱼1只(约500克)，淮山30克，枸杞子15克。

调料 生姜1片，精盐少许。

做法 ①将淮山去皮，洗净，用清水浸泡半小时；枸杞子洗净备用。
②将水鱼用热水烫一下，使其排尿，剖开，去内脏，洗净，切成块待用。
③将水鱼、淮山、枸杞子、姜片放入炖盅内，加入适量开水，炖盅加盖，入锅用文火隔水炖2～3小时，再加入精盐调味即可。

凤爪枸杞水鱼汤

主料 水鱼1只(约450克)，凤爪350克，枸杞子、桂圆肉各25克，淮山、莲子各50克。

调料 精盐适量，料酒1大匙，香油1小匙。

做法 ①将水鱼放入冷水锅内，用小火加热，使其排出粪便后宰杀、洗净，斩成大块，用开水烫煮一下，捞出备用。
②将凤爪用开水烫一下，剥净脚衣，斩去脚甲，洗净待用。
③将枸杞子、桂圆肉、淮山、莲子分别洗净；莲子去心备用。
④锅中加入清水烧沸，放入所有原料，加入料酒煮沸，用小火煲3小时，加入精盐、香油调味即可。

八爪鱼蒜仔土豆汤

主料　八爪鱼300克，土豆200克，蒜仔10粒，小番茄4粒，罗勒叶少许。

调料　精盐适量，味精1/2小匙，酱油1大匙，高汤8杯，料酒、色拉油各2大匙。

做法　①将八爪鱼洗净、改刀，入沸水锅中焯烫，捞出沥水；土豆去皮、洗净，切小块；小番茄洗净，切成两半备用。

②锅置火上，加入色拉油烧热，下入洋葱末、蒜仔炒香，再放入八爪鱼、土豆、酱油翻炒上色，然后烹入料酒，倒入高汤烧沸，再加入小番茄、精盐、味精煮至入味即可。

酸辣八爪鱼汤

主料　八爪鱼300克，番茄80克，法香少许。

调料　精盐，胡椒粉各适量，味精1/2小匙，酱油1小匙，香醋少许，辣椒酱1大匙，清汤6杯，料酒、色拉油各2大匙。

做法　①将八爪鱼洗净、改刀，加入辣椒酱、料酒、酱油、香醋腌渍15分钟备用。

②将番茄洗净，入沸水中焯烫、去皮，切成块待用。

③锅中放入色拉油烧热，下入八爪鱼煸炒，再放入番茄炒软，然后倒入清汤煮滚，加入调料煮至汤汁入味时，撒入法香即可。

烩汤

主料　干墨鱼200克，猪肉馅、香菇、木耳各50克，鸡蛋15克，腐竹25克，玉兰片30克。

调料　葱、姜各15克，精盐、鸡精、香油各1/2小匙，料酒1大匙，鸡汤2杯。

做法　①将墨鱼、腐竹、木耳泡发、洗净，墨鱼和玉兰片分别入沸水锅中焯一下，捞出沥水备用。

②将猪肉馅中加入葱、姜末、香油、精盐、料酒搅拌均匀上劲，鸡蛋加入清水打散，入锅蒸成蛋羹待用。

③锅中倒入鸡汤烧开，再放入墨鱼、玉兰片、木耳、姜稍煮片刻，然后放入腐竹，将肉馅制成丸子放入汤中，再把蛋羹划成块放入汤中，加入精盐、鸡精、料酒煮至入味即可。

生姜酸菜墨鱼汤

主料　墨鱼200克，嫩生姜40克，咸酸菜30克。

调料　精盐适量。

做法　①将墨鱼择洗干净，制成墨鱼胶，再用手挤成墨鱼丸备用。

②将嫩生姜洗净，切薄片；咸酸菜洗净，切成丝待用。

③锅内加入适量清水，放入咸酸菜丝、生姜片烧开，再放入墨鱼丸煮20分钟，然后加入精盐调味即成。

玫瑰墨鱼汤

主料　墨鱼仔200克，百合50克，玫瑰花少许。

调料　精盐1小匙，味精1/2小匙，清汤1碗，香油适量。

做法　①将墨鱼仔洗净，入沸水锅中焯水，捞出沥水；百合洗净备用。

②锅置火上，加入清汤，再放入墨鱼仔、百合、精盐、味精煮5分钟，然后加入玫瑰花瓣，淋入香油，出锅装碗即可。

墨鱼油菜汤

主料　墨鱼肉、油菜各200克，红椒2个。

调料　精盐适量，烧汁2大匙，料酒1大匙，柴鱼高汤8杯。

做法　①将油菜去根部，洗净，从中间切开；红椒去蒂、去子，洗净，切成条备用。

②将墨鱼洗净，先切成厚片，再切成条待用。

③锅中加入柴鱼高汤烧沸，放入所有原料、调料煮沸，再用中火滚煮5分钟入味即可。

香芹藕片八爪鱼汤

主料　八爪鱼200克，莲藕100克，香芹150克。

调料　姜片少许，精盐、胡椒粉各适量，味精1/2小匙，料酒1大匙，柴鱼高汤8杯，色拉油2大匙。

做法　①将八爪鱼洗净，切成段，放入热水锅中焯烫，捞出沥水备用。

②将莲藕去皮、洗净，切薄片；香芹洗净，切段待用。

③锅中加入色拉油烧热，下入姜片、八爪鱼翻炒，再烹入料酒，倒入柴鱼高汤煮沸，然后放入香芹、藕片、精盐、味精、胡椒粉煮5分钟即可。

贡菜草菇棒鱼汤

主料　棒鱼200克，贡菜150克，草菇100克，胡萝卜1根。

调料　精盐1小匙，胡椒粉、味精各1/2小匙，酱油1大匙，料酒2大匙，高汤8杯。

做法　①将棒鱼去头、洗净，切成段，入热油锅中炸至金黄色，捞出备用。

②将贡菜、草菇分别洗净，改刀；胡萝卜去皮、洗净，切滚刀块待用。

③汤锅中加入高汤煮沸，放入棒鱼、贡菜、草菇、胡萝卜，再加入料酒、精盐、酱油、味精、胡椒粉煮至入味，出锅即可。

酸菜海参汤

主料 海参2条，酸菜心半棵，笋1根，胡萝卜1/3根。

调料 姜3片，葱、姜、料酒、胡椒粉各少许，米醋1小匙。

做法 ①将海参洗净，切斜片，放入锅中，加入清水3杯及葱、姜、料酒煮5分钟，捞出备用。

②将酸菜心洗净，斜切大片；笋、胡萝卜分别去皮、洗净，入锅煮熟，取出切片待用。

③锅中加入清水煮开，放姜片、海参、酸菜心、胡萝卜、笋片，加入胡椒粉、米醋煮沸即可。

双宝海参汤

主料 海参2条，黑木耳、白木耳各75克，杏仁1大匙，红枣6粒，胡萝卜片10克，五花肉200克，甜豆50克。

调料 葱、姜各5克，精盐1/2大匙，鸡精2小匙，香油适量。

做法 ①将海参洗净，切斜块；白木耳、黑木耳用清水泡开、洗净，撕成小朵；五花肉洗净，切成片，入沸水锅中焯烫，捞出沥水备用。

②锅中倒入清水，下入杏仁、红枣煮开，再放入五花肉、黑木耳、白木耳炖煮约20分钟，然后加入海参块、葱段、姜片炖煮20分钟，再放入甜豆、胡萝卜片稍煮一下，加入精盐、鸡精、香油调味即可。

香菇海参煲

主料 水发海参5个，水发香菇、嫩竹笋各75克，青蒜苗100克。

调料 大料2枚，精盐、味精各1大匙，鸡精、料酒各4小匙，鲜汤6杯，香油1小匙，植物油3大匙，酱油5小匙。

做法 ①水发海参切厚片；水发香菇切条；嫩竹笋切片；葱白切段；青蒜苗切段。②锅内放鲜汤4杯，加料酒、精盐、味精，放海参、香菇和笋片，沸后煮5分钟捞出冲凉、沥干。③炒锅上火，放油下100克葱段炸香，烹料酒、酱油，倒入海带、香菇和笋片略炒，加鲜汤，调入精盐、味精，沸后倒在沙锅内，炖10分钟至入味，置于盘子上。④炒锅放油烧热，下入剩余的葱白段炸至金黄色，倒在沙锅内，撒青蒜苗段即成。

富贵海鲜汤

主料 海参、肉丁各50克，牛眼贝250克，红椒丝少许。

调料 葱丝少许，精盐1小匙，味精1/2小匙，料酒、葱油各适量，清汤1碗。

做法 ①将海参用清水泡发好，洗净，切成块；牛眼贝洗净备用。

②将海参、牛眼贝、肉丁入沸水锅中焯水，捞出沥水待用。

③锅中添入清汤，放入原料、调料煮3分钟，再淋入葱油，撒入葱丝、红椒丝即可。

海参枸杞鸽蛋煲

主料 海参2个，枸杞子15克，鸽蛋12个。

调料 葱、姜适量，胡椒粉、淀粉、酱油、料酒、色拉油各适量。

做法 ①将鸽蛋洗净，凉水下锅，用小火煮熟，捞出去壳，再裹上淀粉，入油锅中炸呈黄色，捞出沥油备用。

②将海参用凉水泡发，洗净，放入开水锅中焯烫捞出，切菱形花刀；枸杞子洗净待用。

③沙锅放油烧热，爆香葱、姜，添清水煮沸，加海参、酱油、料酒、胡椒粉用小火炖40分钟，再加鸽蛋、枸杞子炖10分钟即可。

五彩海参汤

主料 水发海参100克，火腿、丝瓜皮、徽子各50克，熟冬笋75克，香菜10克。

调料 姜末5克，精盐2小匙，味精、胡椒粉各少许，酱油、葱汁各3/5小匙，水淀粉4大匙，香油1小匙，鲜汤750克，植物油3大匙。

做法 ①将海参、冬笋、火腿、丝瓜皮分别切成粗丝；徽子拆成段；香菜切段。②锅加清水烧沸，分别放火腿、冬笋、丝瓜皮、海参煮至断生捞出；锅中放油烧三成热，下姜末炒香，再放火腿、冬笋、丝瓜皮、海参炒一下，然后加鲜汤、精盐、味精、葱汁、酱油、胡椒粉烧至入味，勾芡，倒入装有香油的盘中，再撒上香菜段、徽子段即可。

宫廷酸辣汤

主料 鸭血、豆腐各2块，瘦肉丝100克，水发海参200克，冬菇4朵，笋丝少许，榨菜1小块，鸡蛋2个，香菜1棵。

调料 精盐3/4小匙，鸡精1/2小匙，辣豆瓣酱1/2大匙，淀粉、米醋各3大匙，酱油、香油各1大匙。

做法 ①将笋丝、海参分别入沸水锅中焯烫；肉丝加入少许淀粉、清水拌匀备用。

②锅中放入香油烧热，加清水、鸡精及调味料煮沸，再放所有原料烧开，用水淀粉勾芡，然后淋入蛋液搅匀，撒上香菜末即可。

清炖鸡参汤

主料 水发海参1只（约400克），童子鸡半只，火腿片25克，水发冬菇50克，笋花片50克，鸡骨500克，小排骨250克。

调料 精盐1小匙，料酒2大匙，葱姜各10克，味精1小匙，高汤4杯。

做法 ①将发好的海参氽一下取出；鸡骨、小排骨切块，与童子鸡一起氽一下取出；冬菇洗净。

②将海参、童子鸡先拼放在汤碗内，将笋花片放在海参与童子鸡之间的空隙两头，火腿片放在中央，加料酒、味精、精盐、葱姜、鸡骨、小排骨、高汤，盖上盖，上笼蒸烂取出，除去鸡骨、小排骨，拣去葱姜即成。

山东海参

主料 水发海参3只，水发海米10克，鸡蛋清25克，鸡脯肉150克，鸡蛋皮25克。

调料 葱丝10克，味精、精盐各1/2小匙，胡椒粉少许，清汤4杯，香菜段15克，酱油、湿淀粉、芝麻油各1大匙。

做法 ①将海参片成薄片；鸡脯肉片薄片，放碗中，加料酒、精盐、味精、鸡蛋清、湿淀粉抓匀；鸡蛋皮切象眼片。②净锅放清汤2杯烧开，分别入海参、鸡片，氽一下捞出，均放大汤碗内，撒上葱丝、香菜段、蛋皮片。③汤锅再加清汤2杯加热，放料酒20克、精盐、味精、酱油、海米烧开，加醋、胡椒粉调味，淋上芝麻油，冲入放有海参、鸡片的汤碗内即成。

胡椒海参汤

主料 水发海参5只，胡椒粉1/2小匙。

调料 猪化油5小匙，葱25克，料酒1大匙，盐、味精各1小匙，生姜水2小匙，香油、酱油各少许，鸡汤3杯。

做法 ①把发好的海参放于清水中，逐个细心抠去腹内黑膜，洗净泥沙，片成大片，在开水中氽透控出水分；香菜择好洗净，切成3厘米长的段。②炒锅上旺火，将猪化油烧热，放入葱丝稍炒，烹入料酒，加入鸡汤、味精、生姜水、酱油、盐和胡椒粉，将海参片也放入汤内，汤开后将浮抹撇去，调好味，淋入香油，盛入大汤碗中，撒上葱丝和香菜段即可。

玉枣海参

主料 海参2条，玉米笋6个，小黄瓜1根，黄芪40克，红枣5粒。

调料 精盐适量，酱油3小匙。

做法 ①将海参剖开，取出沙肠，洗净沥干；小黄瓜洗净，切成两段，每段划上几刀，但不切断；玉米笋、黄芪、红枣洗净备用。

②沙锅中放入所有原料和调料，再加清水没过原料煮沸，转小火炖至海参烂熟，出锅装碗即可。

鲜虾丝瓜鱼汤

主料 比目鱼1条，玉米笋30克，鲜虾、丝瓜各50克。

调料 罗勒叶、葱末各少许，精盐适量，虾酱、鱼露各1大匙。

做法 ①将比目鱼撕去两面的鱼皮，切去头尾，去内脏，洗净，切成段；鲜虾去头、壳，挑去虾线，洗净备用。

②将丝瓜去子、洗净，切成块；玉米笋洗净；罗勒叶、虾酱、鱼露放入容器罐内捣匀待用。

③汤锅内加入适量清汤烧开，再放入所有原料煮沸，然后加入捣好的酱汁焖煮10分钟，再加入精盐调味即可。

老黄瓜豆腐煲鱼尾

主料 草鱼尾1条，老黄瓜、豆腐各250克，瘦肉100克。
调料 姜1块，精盐适量。

做法 ①将草鱼尾洗净，加入姜煎透，捞出；黄瓜洗净，切段备用。
②将豆腐洗净，切成小片，入锅略煎，取出待用。
③将所有材料放入沙锅中，加入清水煮沸，转小火炖30分钟，再加入精盐调味即可。

丁香鱼片杞子汤

主料 草鱼肉400克，枸杞子10克，丁香3克，蔬菜少许。
调料 葱末少许，精盐、柠檬汁、高汤各适量，胡椒粉1小匙。

做法 ①将草鱼宰杀处理干净，斩下鱼头，然后片下两扇鱼肉，再片成小块，待用。
②将枸杞子、丁香、蔬菜用清水冲洗干净待用。
③锅中加适量高汤煮沸，下入枸杞子、丁香、鱼片滚沸，下入柠檬汁、胡椒粉、精盐调味，出锅时撒入葱末、蔬菜即可。

酸辣鱼肉羹

主料 草鱼1条，水发木耳、胡萝卜各50克，香菜末少许。
调料 精盐1/2小匙，胡椒粉、味精各2小匙，白醋4小匙，辣椒仔1瓶，水淀粉适量。

做法 ①将草鱼去鳞、去鳃、除内脏，洗净后去骨取肉，切成小丁；木耳洗净，切丁；胡萝卜洗净，切丁备用。
②坐锅点火，加入适量清水烧开，先下入草鱼丁、木耳丁、胡萝卜丁，再加入精盐、味精、辣椒仔、胡椒粉，烧开后撇去浮沫，用水淀粉勾芡，撒上香菜末即可。

板鸭草鱼煲

主料 板鸭半只，草鱼中段300克。
调料 姜片2片，葱段1段，米酒、精盐、味精各2小匙，鸡精1小匙，胡椒粉、香油各2小匙，猪化油3大匙。

做法 ①板鸭洗净后剁成骨牌块；草鱼中段也切成块，用精盐、料酒、葱姜汁拌匀腌约5分钟。
②净锅上火烧热，放入猪化油烧至六成热时，放鱼块煎至紧皮时，入姜片、葱段、米酒和板鸭块，翻炒片刻，掺入适量清水烧沸，撇去浮沫，用大火烧约5分钟至汤汁乳白时，调入精盐、味精、鸡精和胡椒粉，改中火续炖约5分钟至料熟入味，出锅盛入汤盆内，淋香油，撒香菜段即成。

咸鱼头豆腐汤

主料　咸鱼头(黄花鱼头为上品)600克，鲜白菜500克，白菜干100克，豆腐4块。

调料　生姜2块，精盐、料酒各适量，胡椒粉少许。

做法　①将鱼头开边，洗净；豆腐切成中等块备用。
②将鲜白菜、白菜干、生姜分别洗净待用。
③将鱼头、鲜白菜、白菜干与豆腐共置瓦煲内，加入8碗清水、料酒、生姜，用慢火煲3小时，加入精盐、胡椒粉调味即可。

鱼肉胡萝卜汤

主料　鱼肉(黄花鱼)300克，胡萝卜150克，芋头80克，油菜心50克。

调料　白酱油1小匙，甜料酒1大匙，姜汁2大匙，精盐适量，胡萝卜汁2大匙。

做法　①黄花鱼宰杀处理干净，斩掉头尾取中段鱼肉洗净斩段，加甜料酒、姜汁腌渍20分钟备用。
②胡萝卜洗净切长条块，芋头洗净去皮切块浸于水中，油菜心洗净切瓣备用。
③汤锅加入8杯高汤烧沸，下入所有原料、调料，烧沸后煮至熟透入味即可。

奶汤黄鱼

主料　黄鱼1尾(约500克)，鲜牛奶100克。

调料　葱结、姜片各10克，料酒、精盐各1小匙，味精2小匙，鸡精1大匙，白胡椒粉、植物油各5小匙。

做法　①将黄鱼宰杀洗净，在其两侧剞上一字花刀，投入热锅中煎一下。
②净锅上火，放花生油烧热，下葱结、姜片炸香，烹入料酒，加入清水8杯，放入黄鱼，用旺火煮沸后，撇净表层泡沫，待炖约8分钟至汤汁乳白时，加入鲜牛奶、精盐、味精、鸡精和白胡椒粉，续炖约4分钟，起锅盛在汤盆内，点香油，撒葱花即成。

黄鱼雪菜汤

主料　大黄鱼1条(重约750克)，雪里红50克，冬笋肉50克。

调料　葱头1个，生姜6片，黄酒2大匙，精盐、味精各1/2小匙，植物油100克，胡椒粉少许。

做法　①黄鱼收拾干净，去头，尾的肉厚处两面各划几条刀纹；雪里红洗净，切成1.5厘米长的段；冬笋切成小薄片。
②炒锅置于炉上，加入菜油，烧至六成热，下鱼煎黄，烹入黄酒，加入葱、姜、雪里红段、冬笋片，加水适量煮10分钟，去葱、姜，加精盐、味精、胡椒粉，盛碗上桌。

百合大枣乌龟汤

主料 乌龟1只(约250克)，百合30克，红枣10粒。

调料 葱、姜各适量，精盐、冰糖各少许，料酒1大匙。

做法 ①将乌龟宰杀，去头、爪、内脏，洗净，用开水烫2分钟，刮去外皮，肉切成小块备用。

②锅中添入适量清水，加入料酒、葱、姜烧沸，下入龟肉焯烫去腥味，捞出沥水待用。

③将百合、红枣用温水洗净待用。

④将龟肉连同其他原料、葱、姜一起放入锅内，再加入适量清水，用文火熬煮2小时至龟肉烂熟，然后加入精盐、冰糖调味即可。

杞龟汤

主料 乌龟1只，枸杞子50粒，高丽参9克。

调料 葱段、姜片各5克，精盐、料酒、香油各适量。

做法 ①将乌龟剖开洗净，去头、爪、内脏，用开水烫2分钟，刮去外皮；肉切成小块备用。

②锅中加入适量清水，放入料酒、葱、姜烧沸，下入龟肉烫透去腥，捞出待用。

③将枸杞子、高丽参用温水洗净备用。

④将龟肉连同其他原料、葱、姜放入锅内，加入适量清水烧沸，再转文火熬煮2小时至龟肉烂熟，加入精盐、香油调味即可。

清炖甲鱼汤

主料 甲鱼1只，酒1大匙，火腿2片。

调料 八角1粒，上汤1份，生姜、葱各少许，精盐适量。

做法 ①用热水浇淋甲鱼使它排尽屎尿和污物后，砍断头，然后从甲与腹之间剖开，除去内脏，尾巴及四脚用刷子洗净，肉切成小块。

②将生姜洗净；葱切段，待用。

③将甲鱼放入大炖盅里，加姜、葱等调料，加清水适量，用旺火隔水炖半小时，加入上汤、酒、火腿等，再隔水炖1小时，然后改用慢火炖半小时，用精盐调味即可。

养生甲鱼汤

主料 甲鱼1只，生地25克，知母10克，百部10克，地骨皮15克。

调料 葱姜各25克，料酒4小匙，精盐1大匙，白糖1小匙，植物油3大匙，鸡汤8杯。

做法 ①将甲鱼背朝下，头伸出时，抓住颈拉出，齐颈切断，出尽血，然后用刀由颈根处至尾部剖腹，取出内脏，斩去脚爪、尾，放入热水中浸泡，撕去白黏膜，刮尽黑衣，揭去背壳，将甲鱼切成块，放入清水锅中，烧开捞出洗净。

②烧锅中放甲鱼肉，加入鸡汤，放入料酒、精盐、糖、葱、姜，用旺火烧沸后，改用文火炖至六成熟，加入装有百部、地骨皮、生地、知母(均洗净)的纱布袋，继续炖至鳖肉熟烂，拣去葱、姜、药袋，淋上猪化油即成。

人参甲鱼汤

主料 甲鱼1只，人参1棵。

调料 葱花、姜片、枸杞子各少许，精盐1小匙，味精1/2小匙，鸡汤2碗。

做法 ①将甲鱼宰杀，去内脏，洗净，剁成块，入沸水锅中焯水，捞出沥水备用。

②锅内加入鸡汤，放入甲鱼、人参煮8分钟，再加入精盐、味精煮沸，撇去浮沫，撒上葱花即成。

虫草人参甲鱼汤

主料 甲鱼1只，虫草、枸杞子、黄芪各10克，人参1棵，陈皮1块。

调料 葱段、姜片各少许，精盐适量，料酒1大匙。

做法 ①将甲鱼宰杀，去头、爪、内脏，用开水烫2分钟，刮去外皮，斩成备用块。

②锅中加入适量清水、料酒、葱、姜烧滚，放入甲鱼焯烫透去腥味，捞出待用。

③将虫草、人参、枸杞子、黄芪用温水洗净备用。

④煲内加入清水烧沸，下入甲鱼、葱、姜及其他原料，用小火熬煮2小时，再加入精盐调味即可。

虫草圆肉炖甲鱼

主料 甲鱼1只(250克)，冬虫夏草、桂圆肉、巴戟各10克。

调料 精盐适量。

做法 ①将甲鱼宰杀，用清水洗净，取肉剁成小块备用。

②将冬虫夏草、桂圆肉、巴戟洗净待用。

③将全部原料放入炖盅内，再加入适量开水，盖严盅盖，入锅用文火隔水炖3小时，放入精盐调味即成。

红枣甲鱼汤

主料 红枣12枚，甲鱼1/2只，百合20克，麦冬15克，瘦猪肉160克。

调料 姜2片，精盐、料酒各1小匙。

做法 ①将甲鱼洗净，切成块；瘦肉洗净，切成丁，入沸水锅中焯烫，捞出沥水备用。

②将红枣、百合、麦冬洗净。

③炖锅内放入甲鱼、瘦肉块、红枣、百合、麦冬、姜片，再加入料酒、适量沸水，盖上盖，然后隔水炖约3小时，加入精盐调味即可。

清炖甲鱼

主料　甲鱼1只，水发香菇、火腿肉、冬笋各50克。

调料　葱段、姜片、精盐、鸡精、胡椒粉、绍酒、鸡汤各适量。

做法　①将甲鱼宰杀后洗净，先用沸水焯至外层变色起皱，捞出，再用小刀刮净甲鱼身上的黑质及老皮，去掉爪尖、尾巴，除净内脏、黄油，洗净后剁成小块。②将香菇洗净，撕成大块；冬笋、火腿切片备用。③取一汤碗，放入甲鱼肉、绍酒、葱段、姜片、鸡汤，上蒸锅蒸50分钟取出，再将甲鱼肉放入炖盅内，上面放上火腿片、冬笋片、香菇块、葱段、姜片，加鸡精、绍酒、精盐、胡椒粉，倒入过滤后的原汤，用油纸封好，放入蒸锅中续蒸15分钟，取出后打开油纸，拣出葱、姜，即可。

人参枸杞甲鱼汤

主料　甲鱼1只（约650克），人参1棵，红枣10粒，枸杞子20克。

调料　姜片、葱段各10克，料酒1大匙，猪化油25克，精盐、味精、鸡精、胡椒粉各2小匙。

做法　①将甲鱼宰杀后放净血，入开水锅中烫约3分钟捞出，刮去表面黑膜，沿盖划开，揭盖，除去内脏，剁去爪尖，洗净血污，剁成块，再入沸水锅中余一下，捞出，冲漂去污沫，控尽水分；人参切段，枸杞子洗净，备用。②高压锅置中火上，放入甲鱼块、姜片、葱段、料酒、猪化油，注入5杯清水，调入精盐、胡椒粉，盖上盖，待阀门旋转后压8分钟离火。③将高压锅内的甲鱼块和汤汁倒在一净炒锅内，拣去葱段、姜片，放入枸杞子、人参和味精，炖约10分钟，起锅盛汤盆内，即可。

辣味甲鱼煲

主料　甲鱼1只（约500克），冬笋尖75克，熟瘦火腿25克，泡辣椒5个。

调料　姜片、葱结、蒜仁各10克，精盐、味精、鸡精、胡椒粉、料酒各1大匙，鲜汤5杯，香菜10克，猪化油5大匙，香油1小匙。

做法　①将甲鱼宰杀放血，放沸水锅中烫约3分钟，捞出过凉，刮去表面黑衣和腹部白膜，揭盖，除净内脏，剁成块；冬笋尖切薄片；熟瘦火腿切菱形小片；泡辣椒切马耳形；香菜切段。②锅内放清水烧沸，下甲鱼块和冬笋片焯透，捞出控净水。③将炒锅放猪化油烧热，炸香姜片、葱结、蒜仁，入泡辣椒炒出香味，倒甲鱼块和笋片，翻炒至水分干时，烹料酒，掺鲜汤，沸后打去浮沫，调入精盐、胡椒粉，炖约30分钟至甲鱼块熟，倒入沙煲内，加味精、鸡精调味，淋香油，撒香菜段和火腿片即可。

甲鱼煲仔鸡

主料　活甲鱼1只（约400克），净肥鸡半只，豌豆苗50克。

调料　葱结、姜片适量，料酒2小匙，精盐、味精各1大匙，鸡精2小匙，胡椒粉5小匙。

做法　①将活甲鱼放净血，投到沸水锅中烫约2分钟，捞出，先刮去表面黑衣和腹部白膜，再用小刀沿锯齿形划开，揭盖，除去内脏，洗净；净肥鸡剁成2厘米见方的块。②锅内放适量清水、料酒，分别投入甲鱼和鸡块焯透捞出，然后用清水洗去污沫，控干水分。③将甲鱼整只放在汤盆中间，盖上甲鱼壳，鸡块放在甲鱼周围，葱结、姜片放在甲鱼壳上，然后注入用精盐、味精、鸡精、胡椒粉、料酒等调好味的汤汁，用双层牛皮纸封口，上笼蒸约3小时，取出，揭纸，撒豌豆苗，上桌即可。

枸杞淮山炖甲鱼

主料　甲鱼1只（800克），枸杞子30克，淮山药30克，女贞子15克，熟地15克。

调料　葱、姜各30克，料酒1大匙，精盐2小匙，猪化油3大匙，鸡汤8杯。

做法　①将甲鱼宰杀，去内脏，放入热水中浸泡去皮膜，去背壳，斩为6块，下沸水锅内焯去血水，捞出洗净。
②将枸杞子、淮山药、女贞子、熟地分别去杂洗净。
③锅中注入鸡汤，加甲鱼块、药物、料酒、精盐、葱、姜，煮至甲鱼肉熟烂，拣去葱、姜，淋上猪化油即成。

鳕鱼酱汤

主料　鳕鱼300克，豆腐1块，干白菜、牛肉各80克，蚬子50克，尖椒2个。

调料　葱、蒜末、胡椒粉各少许，味精1/2小匙，辣酱1大匙，猪油2大匙。

做法　①将鳕鱼去内脏、洗净，顶刀切成片；干白菜用冷水泡开，洗净，切成段；牛肉洗净，切成片；豆腐切块；尖椒去蒂、洗净，切斜刀片备用。
②锅中加入猪油烧热，下入葱、蒜末、辣酱炒香，再放入干白菜煸炒，然后加入清汤烧沸，下入鳕鱼、豆腐、牛肉片煮沸，再加入尖椒圈、味精、胡椒粉稍煮片刻即可。

银鳕鱼木瓜汤

主料　银鳕鱼肉300克，木瓜1/2个，西蓝花50克，香菇2朵，洋葱末少许。

调料　姜末少许，精盐适量，鸡精1/2小匙，料酒1大匙，高汤8杯，黄油2大匙。

做法　①将银鳕鱼肉洗净，撕去外皮，切成块；木瓜去皮、去子，洗净，切成块；西蓝花洗净，切小朵；香菇去蒂、洗净，切成丁备用。
②锅置火上，加入黄油烧热，下入洋葱末、姜末炒香，再放入香菇、木瓜煸炒，倒入高汤烧沸，然后放入银鳕鱼肉、西蓝花，加入调料煮至入味即可。

冬菜煲银鳕鱼

主料　银鳕鱼肉300克，冬菜100克，水发粉丝100克，熟瘦火腿片25克。

调料　葱结、姜片各5克，料酒、精盐、味精、鸡精、白胡椒粉各2小匙，猪化油3大匙。

做法　①将银鳕肉洗净，切成厚约0.5厘米的长方片（共10片），入沸水锅中烫一下捞出；咸菜切成大片，也入沸水中余一下，捞出控干水分。
②炒锅上火，放猪化油烧热，下葱结、姜片炸香，烹入料酒，掺入适量清水，放入冬菜和银鳕鱼肉，调入精盐、味精、鸡精、胡椒粉，用中火炖至鱼肉熟时，加入粉丝略炖，倒在沙锅内，淋入香油，撒上火腿片，上桌即可。

清炖鲫鱼汤

主料 玉兰片2片，鲫鱼1000克，香菜适量。

调料 葱、姜、精盐、味精、胡椒粉、绍酒、米醋、香油、熟猪油各适量。

做法 ①将鲫鱼去鳞、去鳃、除内脏，洗净，入沸水锅中焯一下，取出在鱼身一侧划数刀备用。

②锅置旺火上，放入熟猪油烧热，下入胡椒粉、葱花、姜末炒香，再烹入绍酒，加入清汤、精盐、味精，然后放入鲫鱼，在鱼身淋上少许白酒烧沸，再浇上白醋，加入玉兰片，转文火炖30分钟，最后撒上葱丝、香菜，淋入香油即成。

奶汤蛋鲫鱼

主料 鲜鲫鱼1条（约500克），鸡蛋6个，枸杞子数粒。

调料 姜片、葱结各10克，香菜段25克，料酒4小匙，精盐2小匙，味精1大匙，胡椒粉2小匙，香油1大匙。

做法 ①将鲜鲫鱼宰杀洗净，在其两侧剞上一字花刀，投入到沸水锅中烫一下，捞出放冷水盆中，洗去表面黏膜，用干净毛巾揩尽水分；枸杞子用热水泡软；鸡蛋逐个磕入微沸的水锅中，煮成荷包蛋，待用。②净锅上火，放猪化油烧热，下鲫鱼煎至两面金黄时，烹料酒，入姜片、葱结，添加适量清水烧滚，打去浮沫，改中火炖至汤色乳白时，下入余好的荷包蛋和枸杞子，调入精盐、味精、胡椒粉，续炖约3分钟，盛汤盆内，淋香油，撒香菜段即成。

肉苁蓉虫草煲鲫鱼

主料 鲫鱼2条，肉苁蓉6克，冬虫夏草9克，枸杞子12克，川芎3克。

调料 姜4片，精盐适量，米酒1小匙。

做法 ①将鲫鱼去鳞、去鳃、除内脏，洗净；肉苁蓉、冬虫夏草、枸杞子、川芎洗净备用。

②将所有药材放入沙锅中，加入6杯清水烧沸，再转小火炖1小时，然后加入鲫鱼、姜片、料酒、精盐炖至鱼熟即可。

鲫鱼煮豆腐

主料 鲫鱼2条，豆腐泡200克，火腿10克，冬笋、雪里红各50克，青蒜、豆芽各20克。

调料 精盐、料酒各1小匙，鸡精1/2小匙。

做法 ①将鲫鱼去鳞、去鳃、去内脏，洗净，切成块；火腿切成片；冬笋切片；雪里红切末备用。

②将鲫鱼块放入平锅中稍煎一下，使表面上色，再烹入料酒，加入少许清汤烧沸，然后放入豆腐泡、火腿、冬笋、雪里红、青蒜、豆芽，加入精盐、鸡精烧10分钟，至汤白味醇时即可。

枸杞炖鲫鱼

主料　枸杞子20克,鲫鱼1000克,香菜末少许。

调料　葱、姜、精盐、味精、胡椒粉、绍酒、白醋、香油、熟猪油各适量。

做法　①将鲫鱼去鳞、去腮、除内脏,洗净,入沸水锅中焯烫一下,捞出在鱼身一侧划数刀备用。

②锅中放入熟猪油烧热,下入胡椒粉、葱花、姜末炒香,烹入绍酒,加入清汤、精盐、味精,再放入鲫鱼烧沸,然后淋上白醋,放入枸杞子,转文火炖30分钟,最后撒入葱丝、香菜末,淋入香油即成。

黄芪鲫鱼汤

主料　鲫鱼1条(约200克),黄芪30克。

调料　生姜2片,精盐适量,玉米油少许。

做法　①将黄芪洗净;鲫鱼去鳞、鳃及内脏,洗净备用。

②将黄芪放入锅内,加入3碗清水煮剩约半碗,再加水重复煮2次,把3次黄芪汤混合约2碗待用。

③将黄芪汤、鲫鱼、姜片放入炖盅内,隔水炖1小时,再加入精盐调味,淋入玉米油即成。

枣杞双雪煲鲫鱼

主料　鲫鱼1条,排骨100克,瘦猪肉50克,姜、枸杞子、蜜枣、玉竹、沙参各10克,银耳、陈皮各5克,雪梨20克。

调料　精盐1/2匙,鸡精1小匙。

做法　①鲫鱼去鳞、内脏洗净。

②所有药材洗净。

③锅中加少许植物油烧热放入鱼两面煎香后,取出放入沙锅中,加入所有原料,添适量水烧开,煲40分钟后转小火再煲40分钟即可,出锅前加入精盐、鸡精调味即可。

萝卜丝氽鲫鱼

主料　鲜活鲫鱼1尾(约500克),萝卜丝100克。

调料　葱丝、姜丝、姜末共12克,精盐1小匙,料酒2小匙,醋1小匙,味精1/5小匙,白汤500克,猪化油25克,姜末适量。

做法　①鲫鱼初加工后,在鱼身两面各剖一长刀,入沸水锅略烫;萝卜丝用沸水焯水。

②炒锅内加少许油,下鲫鱼略煎盛出,再放葱丝、姜丝炝锅,加白汤、料酒、鱼,旺火氽至断生,加精盐、味精调味后将鱼装入品锅,原汤中放萝卜丝,烧沸后盛在鱼上。

③外带姜末、醋碟,食用时将鱼汤盛入小碗中,食者可随意加入姜末、醋调味。

节瓜鲫鱼汤

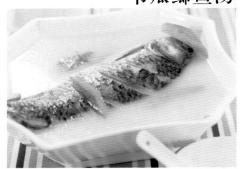

主料　节瓜500克，鲫鱼400克。

调料　大蒜、生姜各5克，精盐、鸡精、香油各1/2小匙，花生油2大匙。

做法　①将鲫鱼去鳞、去鳃、除内脏，洗净；节瓜去皮、去瓤，洗净，切成片；大蒜、生姜去皮、洗净，切成丝备用。
②锅置火上，放入花生油烧热，放入鲫鱼将两面略煎一下，推至一边，再下入蒜丝、姜丝爆锅，然后加入适量清水烧沸，再放入节瓜片煮至鲫鱼熟烂，加入精盐、鸡精、香油调味即成。

鲫鱼炖萝卜丝汤

主料　鲫鱼2条（约500克），象牙白萝卜400克，香菇8朵。

调料　大葱3段，老姜3片，精盐、味精各1小匙。

做法　①鲫鱼洗净，从中间劈开，用纸巾吸干表面的水分；萝卜洗净去皮切丝；香菇用温水浸泡5分钟后切丝，去蒂洗净。
②煎锅中倒入油，待七成热时，放入鲫鱼用中火双面煎黄（每面约3分钟），将鲫鱼摆在锅的一边，用锅中的油爆香大葱段和姜片后，倒入足量开水没过鲫鱼，萝卜丝用水焯一下，沥净水加入。
③再放入香菇，盖上盖子，大火炖煮50分钟。
④调入盐、味精，继续煮3分钟即可。

鲫鱼野菌汤

主料　白鲫鱼1条，鸡腿菇1朵，金针菇、红萝卜15克。

调料　生姜10克，香菜叶少许，植物油1大匙，精盐、味精各2小匙，胡椒粉少许，料酒2小匙。

做法　①白鲫鱼清洗干净，鸡腿菇切片，红萝卜切片，生姜去皮切丝，香菜叶洗净。
②烧锅下油，待油热时放入白鲫鱼，用小火稍煎鱼的两面，下姜丝，掺入料酒，注入清水，用中火炖。
③待炖至汤汁变白时，加入鸡腿菇、金针菇、红萝卜，调入精盐、味精、胡椒粉，炖透至入味，倒入汤锅内，撒上香菜叶即成。

双耳炖鲫鱼

主料　鲜鲫鱼2条，水发木耳、银耳各100克。

调料　葱段、姜片各10克，猪化油、味精各5小匙，精盐、料酒各1大匙。

做法　①将鲫鱼刮鳞、抠鳃，剖腹掏去内脏，洗净血污，揩干水分，在其两侧剞上一字刀口；水发木耳、银耳拣去杂质，个大的撕开，入开水中余一下，捞出，控干水分。
②炒锅上火烧热，用姜片擦拭锅底后，放猪化油烧至六成热时，下鲫鱼煎至两面金黄，烹料酒，加葱段、姜片、木耳银耳和适量清水，大火烧开，撇去浮沫，改小火炖至汤汁呈乳白色时，放精盐、味精调好味，续炖约3分钟，出锅倒入汤盆内，即可食用。

主料 鲫鱼1条,豆腐1块,猪肉馅50克,韭菜少许。

调料 葱花、姜末、蒜片、精盐、高汤、味精、韭菜、绍酒、植物油各少许。

做法 ①将豆腐切成骨牌块,用沸水烫一下;鲫鱼整理干净,两面均剞上花刀;将猪肉馅、葱花、姜末、精盐、绍酒拌匀,酿入鱼腹内。

②锅中加入底油烧热,用葱、姜、蒜炝锅,再加入高汤,汤开后放入鱼和豆腐,然后加适量精盐,用旺火炖至鱼肉熟烂,再放入韭菜、味精调味即可。

鲫鱼豆腐汤

主料 鲫鱼2条(约400克),首乌15克,黄芪、白术各5克,水发香菇、豆腐各50克。

调料 姜片、葱段各5克,料酒、精盐、味精各2小匙,鸡精1大匙,胡椒粉5小匙,猪化油2大匙。

做法 ①将鲫鱼宰杀洗净,焯一下,捞在盛有冷水的盆中,洗去表面黑膜和黏液,用干净毛巾揩干水分;首乌、大枣、白术、黄芪同清水2杯放沙锅内,煎煮约30分钟,留取汁液1杯;水发香菇、豆腐分别切成小块,焯水。②净锅上旺火,添入5杯清水烧滚,放鲫鱼、香菇块、豆腐块、猪化油、姜片、葱结、料酒,烧沸后撇去浮沫,加入药汁,用精盐、味精、鸡精、胡椒粉调好口味,改中小火炖约20分钟,出锅盛汤盆内即成。

首乌大枣炖鲫鱼

主料 鲫鱼2条,泡酸菜100克,泡辣椒50克。

调料 姜片5克,葱结10克,花椒10粒,精盐、味精、鸡精、酱油各1大匙,鲜汤6杯,香油1小匙,香菜2小匙,植物油5大匙。

做法 ①将鲫鱼刮鳞、去鳃,剖腹除去内脏,洗净血污;泡酸菜用热水洗几遍,挤干水分,切成小段;泡辣椒去蒂,切成马耳形;香菜洗净,切碎。

②净炒锅上火,放植物油烧热,放入鲫鱼煎至两面紧皮后,铲出;再下泡酸菜、泡辣椒、姜片、葱结、花椒煸炒出香时,烹料酒,随即掺鲜汤,下入鲫鱼,调入精盐、味精、鸡精、胡椒粉、酱油等,待炖至鱼熟入味时,加香醋调成酸辣味,起锅盛汤盆内,淋香油,撒香菜即成。

酸菜炖鲫鱼

主料 白鳗1条(约650克),优质啤酒1瓶。

调料 料酒1大匙,精盐2小匙,味精、鸡精各1大匙,葱花1小匙,香菜段30克,白糖、胡椒粉各4小匙,植物油3大匙。

做法 ①鳗鱼宰杀,剖腹,除去内脏,洗净血污,剁成块状,放入加有料酒、胡椒粉的沸水锅中焯至六成熟,捞起控干水分,放中号沙锅内。

②炒锅上火,放猪化油烧热,下姜片、葱段炸香,注入啤酒和适量清水,加精盐、味精、鸡精、胡椒粉、白糖等调好口味,倒在盛有鳗鱼块的沙锅内。

③将沙锅置旺火上烧开,改小火炖约8分钟至熟透入味,离火,端于盘子上,撒上葱花、香菜段,淋上烧热的熟花生油即成。

啤酒鳗鱼煲

蔬菜球鱿鱼汤

主料 鱿鱼2条,莴笋、胡萝卜各50克,法香少许。

调料 精盐适量,鸡精1/2小匙,海鲜酱油2大匙,料酒1大匙,柴鱼高汤8杯。

做法 ①将鱿鱼洗净,铺平,在一面以1厘米间距切出刀纹,放热水中余至定型,捞出控水,放容器内刷上海鲜酱油,再放入烤箱中烤10分钟,取出顶刀切段备用。②莴笋、胡萝卜去皮、洗净,用挖球器挖成球待用。③锅中加入柴鱼高汤、莴笋球、胡萝卜球、精盐煮开,淋入料酒,下入鱿鱼卷、鸡精煮10分钟入味,放入法香即可。

鱿鱼芦笋汤

主料 芦笋200克,猪精肉200克,鱿鱼板200克。

调料 植物油30克,清汤2000克,精盐适量,鸡精1/2小匙,胡椒粉少许,料酒1大匙,姜丝少许。

做法 ①芦笋先剥壳,削去外表皮,除去老根,洗净,切片。②猪精肉洗净切成片;鱿鱼洗净,除筋膜及黏液,切花刀,放入沸水中锅烫1分钟捞出。③锅内加入植物油烧热,下入姜丝、猪肉片翻炒,烹入料酒,倒入清汤煮沸,再下入芦笋片、鱿鱼和精盐、胡椒粉等调好口味,煮至入味即可。

鱿鱼山药汤

主料 鱿鱼板300克,山药100克,面粉、素菜条(自选)各少许,鸡蛋清1个。

调料 精盐适量,味精1/3小匙,柠檬汁1小匙,鱼露、料酒各1大匙,淡口酱油1/2小匙,柴鱼高汤8杯。

做法 ①将鱿鱼板洗净,切成长条,入沸水锅中焯烫1分钟,捞出沥水;山药切块,放清水中浸泡备用。②蛋清中加面粉搅匀成糊,将素菜条裹匀蛋清糊,入七成热油中炸熟,捞出沥油待用。③净锅置火上,倒入柴鱼高汤,加山药及调料煮至熟烂,再放入鱿鱼烫熟,离火,盛入汤碗中,然后放入炸素菜。

香辣鱿鱼汤

主料 鱿鱼300克,西蓝花80克,百合30克,洋葱50克。

调料 白糖1小匙,鸡粉1/2小匙,香辣酱2大匙,料酒1大匙,高汤8杯,色拉油适量。

做法 ①将鱿鱼去头、去内脏、黑膜,洗净,切成圈,放入沸水锅中烫一下,捞出备用。
②将西蓝花切小朵;百合、洋葱去皮、洗净,均切成块待用。
③锅中加入色拉油烧至四成热,下入香辣酱、洋葱炒香,再烹入料酒,倒入8杯高汤煮沸,然后放入所有原料及调料煮至入味即可。

清笋鱿鱼

主料 嫩笋1条,鲜鱿鱼1条,麻菇6只,香菌4只。

调料 酱油3大匙,麻油1/2小匙,料酒1大匙。

做法 ①先将麻菇、香菌用精盐擦过洗净,入锅,加清水煮汤;鱿鱼改刀焯水。
②将香菌、鱿鱼、麻菇、笋片装入碗内,下放酱油、黄酒,再冲入麻菇汤,上蒸笼蒸至熟透,加数滴麻油即成。

三鲜鱿鱼汤

主料 干鱿鱼1条,里脊肉50克,春笋90克,菜心100克。

调料 葱10克,生姜5克,鸡汤4杯,料酒1/2小匙,胡椒粉少许,精盐2小匙,味精少许,植物油3大匙,碱1大匙。

做法 ①将鱿鱼加碱泡发3小时,洗净后切成片;春笋去笋衣切片,开水煮透后待用;菜心洗净,里脊肉切片,葱姜洗净。
②炒锅置旺火上加油,放入葱姜,煸炒至味出,加鸡汤、鱿鱼、笋片、肉片、料酒、精盐,烧开后撇去浮沫,加菜心、味精、胡椒粉,再次烧开后,即可起锅。

萝卜鲍鱼汤

主料 干鲍鱼2个，鲜萝卜100克。

调料 姜25克，精盐、味精各2小匙，料酒5小匙，鸡油4小匙，猪化油2大匙，高汤6杯。

做法 ①将干鲍鱼洗净，再用热水浸泡，发开后去净泥沙杂物，放锅内，注入适量清水，上笼蒸1小时取出；萝卜洗净切条。
②烧热锅加猪化油，将姜片煸香，烹入料酒，注入高汤，加入精盐、味精，将鲍鱼和汤一同倒入锅中，烧煮一段时间，再加萝卜条，烧煮上味，淋入鸡油即成。

清汤鲍鱼丸

主料 罐头鲍鱼6个，虾肉300克，火腿蓉25克，肥肉丁50克，芹菜茎75克，蛋清2只。

调料 胡椒粉、酱油各少许，上汤10杯。

做法 ①把鲍鱼切成丝状，用白毛巾吸干水，用碟盛起备用。②将虾肉洗净，吸干水，把虾肉剁细，用碗盛起。加精盐、味精适量、蛋清搅匀打成虾胶，再加肥肉丁，搅匀再加鲍鱼丝，再搅匀，将馅料做成24粒圆形鲍鱼丸，每粒约5克重，放于抹上一层薄油的碟内。③芹菜茎焯水，过冷水，吸干水后剁蓉，与火腿蓉分别酿在鲍鱼丸上面，上笼蒸5分钟。④炒锅加上汤、味精、精盐、酱油，调味后去净浮沫，下胡椒粉。鲍鱼丸从蒸笼取出，放在大汤碗中，加上汤即可。

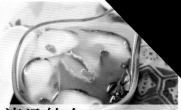

清汤鲍鱼

主料 罐头鲍鱼半听，熟金华火腿15克，鲜蘑15克，豌豆苗15克。

调料 料酒、精盐各1大匙，味精2小匙，鸡清汤1杯。

做法 ①将罐头鲍鱼取出，斜刀切成薄片；熟火腿切成小片；鲜蘑斜刀切成片；豌豆苗掐根留嫩尖，择洗干净。
②置锅中，倒入鸡清汤，汤开后分别将熟火腿片、鲜蘑片、鲍鱼片、豌豆苗下锅烫透，捞出，倒入汤碗中。
③炒锅上火，倒入鸡清汤，加入料酒、精盐、味精，调好味后，见开，撇去浮沫，盛入汤碗中即可。

竹荪淮杞鲍鱼煲

主料 鲍鱼3个，竹荪、淮山药、枸杞子各40克。

调料 精盐适量，料酒2大匙。

做法 ①将鲍鱼洗净；竹荪用温水泡软、洗净，切成段；淮山药、枸杞子泡水、洗净备用。
②将沙锅中倒入6杯水，置旺火上煮沸，再加入所有材料及料酒，然后移入蒸锅中蒸炖2小时，再加入精盐调味即可。

圆肉杞子炖鲍鱼

主料 干鲍鱼60克，桂圆肉10克，枸杞子15克。

调料 精盐适量。

做法 ①将鲍鱼用开水泡发4小时，洗净，切成片；枸杞子洗净备用。
②把全部原料放入炖盅内，再加入适量开水，盖严盖，入锅用文火隔水炖2～3小时，取出加入精盐调味即成。

酸菜炖梅鱼

主料 梅鱼1条（约750克左右），酸菜心50克，水发香菇1个。

调料 葱白5克，蒜瓣4瓣，姜1片，绍酒3大匙，白酱油4小匙，味精1小匙，鲜汤2杯。

做法 ①将梅鱼鳃边和背上的骨翅剁掉，剖腹去内脏洗净切块，入锅中氽一下，再入清水中漂清；酸菜心切粗末，入沸水锅中氽一下捞起；葱白切段。②炒锅烧热，将梅鱼、酸菜末、蒜瓣、姜片同时下锅，加白酱油、味精、鲜汤炖熟，然后拣去姜片，加绍酒调匀，先将酸菜末捞起盛在碗中，再捞起梅鱼排在酸菜末上面，锅中汤加香菇、葱段稍煮，倒在梅鱼上即成。

裙带煮鲈鱼

主料 鲈鱼1条，山药100克，裙带菜50克，枸杞子10粒。

调料 香葱少许，精盐、鸡精各1小匙，白糖、胡椒粉各1/2小匙。

做法 ①将山药去皮、洗净，切成细条；裙带菜洗净；鲈鱼洗净，去头、去尾骨，鱼肉片成双飞片，入沸水锅中焯水，捞出备用。

②坐锅点火，下入鱼头骨炒一下，加入清水用大火烧开，煮至汤成奶白色时，将鱼头骨捞出，再放入山药煮熟，取出放在沙锅中，然后放入裙带菜、鱼片，鱼汤加入精盐、鸡精、白糖、胡椒粉调味，浇在鱼片上，撒入葱花即可。

白术健脾鲈鱼汤

主料 鲜鲈鱼600克，白术120克，橘皮20克。

调料 精盐、胡椒粉各1/2小匙。

做法 ①将鲈鱼刮鳞、去鳃、去内脏，洗净；橘皮、白术洗净备用。

②锅中放入橘皮、白术，加入清水烧沸，再放入鲈鱼用旺火烧开，然后转小火炖至熟烂，再加入精盐、胡椒粉调味即成。

鲈鱼汤

主料 鲈鱼1尾，胡萝卜1/2根，香菜梗15克。

调料 大葱1根，姜片少许，精盐适量，料酒1大匙，高汤8杯。

做法 ①将鲈鱼宰杀，去鳞、去鳃、除内脏，干净，斩掉头，剔骨取肉备用。

②将大葱洗净，切成丝；胡萝卜去皮、洗净，切成丝；香菜梗洗净，切成段，然后放在一起拌匀待用。

③汤锅中加入高汤煮沸，下入鱼肉、姜片、料酒余熟，再加入精盐调味，撒入三丝即可。

浓汤煮鲈鱼

主料 鲈鱼500克，山药150克。

调料 精盐2小匙，鸡精2小匙，胡椒粉1/2小匙，白糖1小匙，枸杞1小匙，葱、姜各10克。

做法 ①将山药洗净去皮切成滚刀块；枸杞子用清水泡好，鲈鱼去头去骨，鱼肉切成片。

②坐锅点火倒入油，放入葱段、姜片、鱼头、鱼骨炒一下，倒入水，放入山药，大火烧开成奶白色，加入精盐、鸡精、胡椒粉、白糖调味，转至小火，将鱼头、骨、山药捞出放入碗中，将枸杞子连同泡的水一起倒入锅中，放入鱼肉片烫熟，连汤一起倒入碗中即成。

牡丹汆鱼片

主料　鲜鲈鱼1条，绿牡丹茶50克。

调料　香菇50克，春笋10克，蛋皮丝50克，香菜50克，葱姜丝50克，盐1/2小匙，鸡精1大匙，白糖1大匙，料酒100克，白醋1小匙，胡椒粉1小匙。

做法　①将鲈鱼洗净，取鱼肉切成片，用盐腌制一下，香菇、春笋切丝备用；

②茶叶用温水泡开成茶汤，锅内加少许植物油，下姜丝爆香，冲入茶汤，放入香菇、春笋煮开5分钟后汆入鱼片，加入盐、鸡精、白糖、料酒、白醋、胡椒粉调味，出锅撒上蛋丝、葱丝、茶叶、香菜即可。

雪菜黄豆炖鲈鱼

主料　鲈鱼1条，雪菜、黄豆各15克，肉末30克，青红椒5克。

调料　姜末5克，精盐、白糖、胡椒粉各1/2小匙，色拉油适量。

做法　①将鲈鱼洗涤整理干净，切斜十字刀，加入精盐腌渍片刻备用。

②将雪菜切末；青红椒去蒂、洗净、切成末待用。

③锅中放入色拉油烧热，下入鲈鱼煎至两面呈金黄色时，捞出沥油备用。

④锅洗净置火上，放入色拉油烧热，下入肉末煸透，再放入姜末、青红椒末炒透，注入清水，然后放入鲈鱼、黄豆炖至汤色乳白，加入精盐、白糖、胡椒粉调味即可。

鲜鱼野菜汤

主料　鲜鲈鱼1尾，山野菜100克，花菇2朵，西芹50克。

调料　葱丝少许，精盐适量，胡椒粉1小匙，味精、白醋各1/2小匙，绍酒2大匙，蘑菇高汤8杯，色拉油3大匙。

做法　①将鲜鲈鱼宰杀，洗涤整理干净，去头、尾，取中段；山野菜洗净；花菇用清水泡软、洗净，剞花刀；西芹洗净，切成段备用。

②锅置火上，倒入色拉油烧热，下入鱼肉两面煎一下，再放入葱丝，烹入绍酒，然后加入蘑菇高汤烧沸，再放入山野菜、花菇、西芹，加入调料煮至入味即可。

番茄鱼汤

主料　鲈鱼1尾，番茄3个，蛤蜊50克，香菜1棵。

调料　姜丝、蒜末各少许，精盐适量，白糖1小匙，鸡精1/4小匙，绍酒1大匙，色拉油2大匙。

做法　①将鲈鱼宰杀，洗涤整理干净，去头、剔骨，切成片，加入绍酒、姜丝、精盐腌渍，去除腥味备用。

②将蛤蜊用清水冲洗干净；番茄洗净，切成小块；香菜洗净，切成小段待用。

③锅中放入色拉油烧至四成热，下入蒜末、番茄炒出汁，再倒入适量清水煮沸，然后放入鲈鱼、蛤蜊及调料煮至汤汁见浓入味即可。

鲢鱼丝瓜汤

主料 鲢鱼1条,丝瓜1根。

调料 葱段、姜片各5克,料酒5小匙,精盐1大匙,植物油3大匙,糖3/5小匙,胡椒粉1大匙。

做法 ①将丝瓜去皮,洗净切成条。

②将鲢鱼去鳞、去鳃、去内脏,洗净,切成几段。放锅中,再放入料酒、精盐、葱、姜、糖、油,注入适量清水,煮至鱼熟,加入丝瓜条,煮至鱼和丝瓜皆熟,拣去葱、姜,用胡椒粉调味即可。

玉米枸杞煲鱼头

主料 花鲢鱼头1个(约650克),玉米粒200克,枸杞子5克。

调料 姜片、葱段各10克,香菜段5克,料酒、精盐各2小匙,味精1小匙,胡椒粉2小匙,鸡精2小匙,葱姜汁、香油各1大匙,猪化油2大匙。

做法 ①花鲢鱼头抠鳃,洗净,剖为两半,用料酒、葱姜汁、精盐腌渍约10分钟,再入沸水锅中烫一下,捞出,洗去黏液和血污,揩干水分;玉米粒用沸水烫一下。

②炒锅上火,放猪化油烧热,下姜片、葱段炸香,添适量清水,加精盐、料酒、胡椒粉,沸后打去浮沫,放入鱼头、玉米,改中火炖至熟透时,拣出葱段、姜片,放味精、鸡精调味,盛汤盆内,淋香油,加枸杞子即成。

麻辣花鲢煲

主料 花鲢鱼头1个(约750克)。

调料 豆瓣酱2大匙,干辣椒节15克,川花椒10克,骨头汤5杯,葱结5段,姜片6片,精盐、味精、鸡精各1大匙,胡椒粉2小匙,酱油1小匙,料酒2大匙,香菜段5克,香油1小匙,植物油3大匙。

做法 ①将花鲢鱼头洗净,剁成4块,放小盆内,用精盐、料酒、酱油拌匀腌渍约10分钟;豆瓣酱剁细;川花椒用刀铡碎成末。②炒锅烧热,放入花生油烧至七成热时,排入鱼头煎至上色时,加豆瓣酱、干辣椒节、川花椒、葱结、姜片等煸炒至色红油亮时,烹料酒,掺骨头汤,沸后撇净浮沫,调入酱油、精盐、味精、鸡精和胡椒粉等,倒在中号沙锅内,加盖,用小火炖约15分钟至入味,淋香油,撒香菜段,即可原锅上桌。

红枣北芪炖鲈鱼

主料 鲈鱼1条,北芪25克,红枣5粒。

调料 姜片少许,精盐、绍酒各1小匙。

做法 ①将鲈鱼去鳞、去鳃、除内脏,洗净抹干;北芪洗净;红枣去核,洗净备用。

②将鲈鱼、北芪、红枣、姜、绍酒一同放入炖盅内,注入开水,入锅隔水炖3小时,再加入精盐调味即可。

沙茶鱼头锅

主料 鲢鱼头半个，金针蘑75克。

调料 鲍鱼菇3朵，生香菇6朵，大白菜1棵，海带结3片，豆腐1块，粉丝1把，鱼板6片，葱1根，姜5片，红辣椒2个，沙茶酱2小匙，料酒1大匙，精盐2小匙。

做法 ①鲢鱼头放炒锅内，煎至两面呈金黄色。
②金针蘑切除根部；鲍鱼菇与生香菇切小块；大白菜用手撕成片状；豆腐切小块，煎至两面金黄；粉丝泡软；姜切片；葱与红辣椒切成马耳状。
③用2匙油爆香姜片、葱段与红辣椒，放入沙茶酱及所有材料(粉丝除外)，加入可覆盖过材料的清水，以小火煮半小时。
④起锅前，加入粉丝及其余调味料即可。

天麻山药鱼头

主料 鲢鱼头1个，山药50克，肥猪肉25克，熟火腿、冬笋、口蘑各20克，天麻5克。

调料 姜片、葱结、香菜各5克，白酒100克，料酒1大匙，精盐、植物油各2小匙，胡椒粉少许。

做法 ①鲢鱼头顺下巴劈开成两半，投到开水锅中烫一下，捞在盛有冷水的盆中，洗去表面黏液和污物，用干净毛巾揾干表面水分；天麻洗净切片，用白酒浸泡后，取天麻酒液25克；肥猪肉、熟火腿、冬笋、口蘑均切小片；香菜洗净，山药去皮洗净切段。②炒锅放植物油烧热，下姜片、葱结炸香，续下肥肉片、冬笋片、口蘑片、火腿片略炒，烹料酒，掺适量清水烧滚，放入鱼头、天麻片及天麻酒液，调入精盐和胡椒粉，倒在中号沙锅内，置小火上炖约20分钟，拣出葱结、姜片，离火，撒香菜段。

清炖豆腐鱼头煲

主料 鲢鱼头1个(约650克)，豆腐1块，大白菜叶150克，粉丝1把。

调料 葱花、姜末各适量，精盐1大匙，味精2大匙，鸡精1大匙，胡椒粉2小匙，干淀粉5小匙，酱油1大匙，鲜汤4杯，香油1小匙，香菜段25克，植物油3大匙。

做法 ①将鱼头剖成两半，用清水洗2遍，拭干水分，加少许精盐拌匀腌渍入味，再在鱼头的剖面抹上干淀粉，投入到烧至六七成热的植物油中炸至紧皮上色，捞出沥油；豆腐切长方片；大白菜叶撕成小块；粉丝用开水泡软；红油豆瓣酱剁细。
②净锅上火，放底油烧热，下葱花、姜末和干辣椒节炸出味，续下豆瓣酱炒香出色，加入鲜汤，放入豆腐片、白菜叶、粉丝和炸好的鱼头，调入精盐、味精、鸡精、酱油、胡椒粉等，烧沸后炖约5分钟至鱼头熟，倒在沙煲内，上火烧5分钟即成。

秋燥去骨大汤

主料 鲮鱼1～2条，鲜粉葛250克。

调料 生姜数片，精盐适量，胡椒粉、料酒各少许。

做法 ①将鲮鱼去鳞、去鳃、除内脏，洗净备用。
②将粉葛去皮、洗净，切片待用。
③锅中加入清水，放入粉葛片、生姜片、鲮鱼、料酒，用文火煲3小时，再加入胡椒粉、精盐调味即可。

泥鳅汤

主料 泥鳅鱼120克。

调料 精盐、色拉油各适量。

做法 ①用热水洗去泥鳅鱼身上的黏液,剖腹去肠脏,洗净沥水备用。

②锅中放入色拉油烧热,下入泥鳅鱼煎至金黄色,再加入一碗清水,用小火煮至汤剩半碗,加入精盐调味即可。

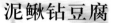

泥鳅虾米汤

主料 泥鳅100克,虾米50克。

调料 姜5片,葱花、精盐、素油各适量。

做法 ①将泥鳅放入清水中,待排尽肠内污物后洗净备用。

②锅中放入素油烧热,下入姜片、泥鳅煎至金黄色,再加入清水,放入虾米、葱花煮至滚沸,然后加入精盐调味即成。

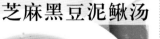

泥鳅钻豆腐

主料 泥鳅5条,豆腐1块。

调料 香葱少许,葱花、姜末、蒜片各少许,猪化油、绍酒、酱油各1大匙,香油1/2大匙,精盐、味精各1/2小匙,胡椒1/3小匙,花椒10粒。

做法 ①将泥鳅放入清水中,加少许精盐,使其吐净腹内污物,捞出沥干备用。

②炒锅上火烧热,加入底油,先用葱、姜、蒜、花椒粒炝锅,再烹入绍酒,加入酱油、精盐,添汤,放入豆腐、泥鳅烧开,撇去浮沫,炖至熟透,再加入味精、胡椒粉,淋入香油,撒上香葱,即可出锅装碗。

芝麻黑豆泥鳅汤

主料 泥鳅500克,黑豆30克,黑芝麻60克。

调料 精盐、味精各适量。

做法 ①将黑豆、黑芝麻洗净备用。

②锅内加入冷水,放入泥鳅,加盖,置火上加热将泥鳅烫死,然后捞出洗净,沥干水分,入油锅中稍煎黄,盛起待用。

③锅置火上,加入适量清水,放入黑豆、黑芝麻、泥鳅,用武火煮沸后,再转文火续炖至黑豆烂熟时,放入精盐、味精调味即成。

主料　泥鳅250克，黄芪、党参、淮山各30克，红枣5粒。

调料　生姜3片，精盐适量，色拉油2大匙。

做法　①将泥鳅用清水加入少许精盐养1～2天，使其吐净泥污，宰杀后除去鳃及内脏，用少许精盐擦去黏液，再入开水中焯一下，捞出沥水备用。

②锅中放入色拉油烧热，下入姜片爆香，再放入泥鳅略炸，盛出沥油待用。

③将黄芪、党参、红枣(去核)、淮山洗净，与泥鳅同入沙锅中，添入清水适量烧沸，再转文火煲2小时，加入精盐调味即成。

参芪泥鳅汤

主料　鲜活泥鳅5条，熟火腿75克。

调料　泡辣椒3个，葱白10克，生姜、香菜各5克，料酒1大匙，细红辣椒面1/2小匙，精盐、味精15克，鸡精、胡椒粉各1大匙，生抽、老抽各2小匙，白糖少许，香油1小匙，猪化油3大匙。

做法　①将泥鳅在清水中静养数小时，以吐净泥物，然后捞出洗净；熟火腿切片；生姜去皮、拍破；葱白切节；泡辣椒去蒂，剁成细蓉；香菜切小段。②炒锅放猪化油烧热，先下姜、葱节炸香，续下泡椒蓉炒香出色，随后放细红辣椒面略炒，掺5杯鲜汤(或清水)，沸后打去浮沫，放泥鳅和火腿片，加精盐、胡椒粉、料酒、生抽、老抽、白糖等调好口味，待泥鳅炖熟时，调入味精、鸡精，起锅盛汤盆内，淋香油，撒香菜段即成。

红炖泥鳅

主料　鲇鱼1条（约650克）。

调料　姜片4片，精盐1/3小匙，绍酒、植物油各1大匙，猪骨汤3杯。

做法　①将鲇鱼去鳃、除内脏，洗涤整理干净，再放入沸水中焯烫一下，去除表面黏液备用。

②坐锅点火，加油烧热，先下入姜片炒香，再放入鲇鱼，然后烹入绍酒，添入猪骨汤，小火炖至熟烂，再加入精盐调味，即可装碗食用。

四喜鲇鱼汤

主料　鲇鱼中段750克，地瓜1个，清水香菇5朵，青蒜苗25克。

调料　精盐4小匙，味精1大匙，料酒4小匙，白胡椒粉2小匙，植物油1大匙。

做法　①将鲇鱼中段顺脊骨一剖为二，再顶刀剁成厚约0.5厘米的块，投入到沸水锅中余一下，捞出投凉，控干水分；香菇去蒂，切块；地瓜切滚刀块。

②净不锈钢锅上火，倒入鲜豆浆，下鱼块、香菇和白菜叶，烧沸后撇去浮沫，加精盐、料酒、白胡椒粉、味精等调好口味，改小火炖至鱼熟时，盛汤盆内，撒入青蒜苗丝即成。

地瓜煲鲇鱼

鲇鱼炖豆腐

主料 鲇鱼600克，豆腐500克，香菜15克，啤酒50克，八角3克，陈皮3克。

调料 盐3克、鸡精3克、味精2克、大葱10克、姜10克。

做法 ①将鲇鱼宰杀去内脏后烫洗净，切成6厘米长的段，入沸水锅中余烫一下捞出。

②豆腐切成4厘米见方、1.5厘米厚的片，入沸水中余一下捞出，与鲇鱼一同放入沙锅中，加入除味精以外的全部调料，旺火烧开后改小火炖1小时左右。

③拣出葱、姜、大料、陈皮不用，加入味精，撒上香菜即可。

酸汤鱼

主料 鲇鱼500克。笋干、豆芽、酸菜丝、青蒜叶各25克。

调料 精盐、姜、胡椒粉、鸡精、葱各少许，酸汤100克。

做法 ①将鲇鱼洗净切成块；豆芽、青蒜叶洗净；葱、姜洗净切成段和片；笋干泡发切丝待用。

②坐锅点火放入酸汤，开锅后倒入笋干丝、姜片、豆芽、酸菜丝、鲇鱼块、葱段、青蒜叶、少许精盐、胡椒粉、鸡精，炖10分钟即可。

大蒜鲇鱼

主料 鲇鱼2条，青椒1个，红椒1个，蒜末1大匙，豆豉3大匙。

调料 辣豆瓣酱2大匙、盐2小匙、糖1小匙、味精1小匙、酱油2小匙、醋3小匙、高汤2碗、淀粉水1大匙、油1大匙。

做法 ①在鲇鱼背上割4～5刀；备好蒜头。

②油入锅烧热，先将蒜头、蒜末炒香，再加入姜末、辣豆瓣酱、盐、糖、味精、酱油，搅匀后，放入鲇鱼、高汤同煮，汤滚起后改用小火焖煮10～15分钟。鱼身要翻面，见熟透夹出。

③在锅中放入葱花、辣油拌炒数下，再用淀粉勾芡，起锅前加点醋，淋浇在鱼身上。

粽叶梭鱼汤

主料 粽叶1张，梭鱼1尾，香菇2朵，大豆芽50克，红椒丝少许。

调料 葱、姜各少许，精盐、胡椒粉、姜汁各适量，味精1/2小匙，绍酒1大匙，清汤8杯。

做法 ①将梭鱼洗涤整理干净，去头、尾，切成段，加入精盐、绍酒、姜汁腌渍20分钟备用。

②将香菇和大豆芽分别洗净，捞出沥干水分待用。

③汤煲中加入清汤煮沸，下入梭鱼、粽叶、香菇、大豆芽，再加入精盐、味精、绍油、姜汁、胡椒粉煲至入味，然后撒入葱、姜、红椒丝即可。

主料 鳙鱼头1个，萝卜丝100克。

调料 香菜末、葱段、姜片、姜丝、绍酒、鸡汤、精盐、味精、香油、胡椒粉、白醋、植物油各适量。

做法 ①将鱼头去鳃，一切两半（中间相连）；放入沸水中焯烫一下，捞出冲净备用。
②炒锅上火烧热，加适量底油，先下入葱段、姜片炒香，再烹入绍酒，添入鸡汤，然后放入鱼头、鱼尾煮开，再转小火烧约20分钟，之后捞出葱、姜，加入萝卜丝、姜丝、精盐、味精，烧至入味，起锅装碗，再淋入香油、白醋，撒上香菜末即可。

鱼头萝卜煲

主料 鳙鱼头1个，党参、黄芪各10克，熟火腿、冬笋、水发香菇各50克。

调料 料酒2小匙，精盐1大匙，味精大匙，胡椒粉1小匙，植物油5大匙，姜片、葱节各少许。

做法 ①将鳙鱼头去鳃，劈成两半，洗净血污，揩干水分；熟火腿、冬笋、水发香菇均切片；党参、黄芪、陈皮用纱布包裹好，用热水泡约15分钟，待用。②炒锅放猪化油，炸香姜片、葱节，放鱼头煎至两面呈黄色时，烹入料酒，掺适量清水，沸后打去浮沫，调入精盐、胡椒粉，起锅倒在沙锅内，再放入纱布包、火腿片、冬笋片和香菇片，用文火炖约30分钟至熟入味时，拣出纱布包、姜片和葱节，放味精，离火，撒青蒜段即可。

参芪鱼头煲

主料 胖头鱼头1个，豆腐250克。

调料 冬笋、冬菇各25克，水发海米25克，精盐1小匙，酱油2大匙，白糖1小匙，植物油2大匙，料酒1小匙，豆瓣酱1大匙，味精2小匙，葱及蒜各20克。

做法 ①将鲜鱼头收拾干净，用酱油浸5分钟。
②把炒锅置旺火上，油烧至八成热时，放入鱼头，煎成两面焦黄，放入豆瓣酱，料酒，白糖，酱油，烧热后加温沸水500克，放入豆腐，旺火烧5分钟。
③把鱼头捞出放入沙锅内，再将豆腐，冬笋，冬菇，海米一起倒入沙锅，放入大蒜，葱，小火烧10分钟，加入味精即可。

沙锅鱼头

主料 鲫鱼1条，西洋菜800克，瘦肉300克，猪蹄1只，南北杏40克，红枣5个。

调料 陈皮1片，老姜40克，精盐1小匙，绍酒2大匙，色拉油2大匙。

做法 ①将西洋菜洗净，切成段；老姜洗净，切成片备用。
②将鲫鱼刮去鳞片，去除内脏，洗净沥干；瘦肉、猪蹄洗净，切成块，入沸水锅中焯烫，捞出待用。
③坐锅点火，倒入色拉油烧热，下入姜片爆香，再放入鲫鱼煎至两面呈金黄色时，烹入绍酒略煮，捞出备用。
④煲锅置火上，加入3000毫升清水煮滚，再放入所有材料烧沸，然后转小火煲煮约3小时，加入精盐调味即可。

西洋菜煲生鱼

奶汤萝卜鳜鱼

主料 鲜活鳜鱼1尾（约700克），胡萝卜100克，鲜牛奶1杯。

调料 姜片、葱段各15克，米酒、精盐、味精、鸡精各1大匙，猪化油4小匙，香菜段20克。

做法 ①将活鳜鱼摔昏，刮鳞、抠鳃，剖腹除去内脏，洗净血污，在其两侧剞上多个十字花刀，投入到沸水锅中烫约半分钟，捞在盛有冷水的盆内，洗去表面黏液和黑膜，用干净毛巾揾干水分；胡萝卜去皮洗净切段。

②不锈钢炒锅置火上，添入适量清水，放姜片、葱段、米酒、猪化油和鳜鱼，待烧沸后打去浮沫，加胡萝卜炖约5分钟后，加鲜牛奶、精盐、味精、鸡精，续炖约5分钟至鱼肉刚熟且入味时，盛在汤盆内，撒香菜段即成。

乳奶鱼卷

主料 鳜鱼1条。

调料 精盐、味精各1小匙，黄酒2大匙，鲜奶2大匙，水淀粉2大匙，高汤600克。

做法 ①将鳜鱼去内脏，去骨、批成片，卷成鱼卷，上浆。

②将鱼卷放入油锅划一下，捞起；锅内加入高汤、调料、鱼卷烧开后，再加入鲜奶，用水淀粉勾芡即成。

糖醋脆皮鱼

主料 鲜鱼1000克。

调料 植物油70克，葱花2小匙，姜米1小匙，蒜泥1大匙，淀粉1大匙，酱油3大匙，料酒4小匙，醋3大匙，胡椒粉1/2小匙，盐1小匙，味精2/5小匙，白糖100克。

做法 ①将鱼去鳞、鳃，净膛洗净，两面打成牡丹花刀，用干淀粉拍好；油烧至七成热时，鱼下锅炸熟，取出，待油热至八成时将鱼炸至酥脆装盘。

②锅留底油，下入除油以外的所有调料，汁开勾芡，将汁浇匀在鱼身上即成。

党参鲜鱼煲

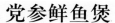

主料 鲜鱼1条，党参15克。

调料 姜1块，小葱2根，精盐1小匙。

做法 ①将鲜鱼初加工，切成2段；党参洗净；姜洗净，切丝；葱洗净，切段备用。

②将党参放入汤锅中，加入6杯清水煮沸，再转小火炖20分钟，然后放入鱼段、姜丝，用中火煮至鱼段嫩熟，再放入葱段、精盐，煮沸即可。

主料 水发鱼翅250克，生鸡肉100克，水发海参2只，虾仁50克。

调料 清汤2杯，熟火腿25克，葱10克，香菜梗25克，精盐、味精各1/2小匙，酱油、香油各2小匙。

做法 ①将鱼翅用开水冲洗干净，去掉异味；将鸡肉、海参、虾仁均切成片；火腿、葱均切成丝；香菜切成段。
②锅置火上，添水烧开，将鸡片、虾仁放入余熟，捞出控净水，海参、火腿放水中余透，捞出控净水，均放大汤碗内，再将鱼翅盖在上面。
③净锅再置火上，添清汤，放入精盐、酱油、味精、料酒烧开，去掉浮沫，加葱丝、香菜段，淋上香油，浇在鱼翅碗内即成。

三鲜鱼翅汤

主料 水发鱼翅200克，鸡胸肉120克。

调料 火腿末20克，蛋清8个，盐1小匙，味精4小匙，牛奶2大匙，料酒1大匙，水淀粉2大匙

做法 ①水发鱼翅放入冷水里用小火慢慢烧开，捞出用冷水漂去腥味，扣入蒸碗加入料酒2匙，葱1/2匙，盐1匙，鸡清汤100克，上笼用旺火蒸软烂后取出沥干水分。②鸡胸肉剁成鸡蓉，取只碗装在内，加入调味料拌匀。③取大碗将蛋清放入搅打成泡末状的糊，再将拌匀鸡蓉调味料倒入稍加搅拌。
④锅烧热，先用清油刷滑过，锅底留两大匙油，再倒入蛋糊及鱼翅，以中火颠翻炒，淋一点鸡油，轻轻拖入盘，把火腿末撒在上面即成。

雪花鱼翅

主料 鱼翅150克。

调料 绍酒1小匙，油菜心2小匙，笋片5片，酱油1小匙，精盐1/2小匙，白糖1/2小匙，味精1/2小匙，湿淀粉50克，植物油1小匙，鸡汤400克，葱、姜片各25克。

做法 ①将水发鱼翅洗净放入碗内，加鸡汤、葱、姜片、绍酒，上笼蒸软取出，再入沸水锅焯过。②油菜心洗净切成寸段，经热油煸炒成熟，炒锅烧热，放油、葱段、姜片、煸出香味，捞出不用，加鸡汤、笋片、油菜心、酱油、精盐、白糖、绍酒烧沸，撇去浮沫后，用漏勺捞出笋片和油菜心放入汤盘内。③将鱼翅入锅在原汤锅内烧沸，加味精少许，稠浓卤汁，下湿淀勾芡，淋上猪油推匀，倒在笋片和菜心上即成。

蟹黄鱼翅

主料 土鸡半只，鱼翅300克，火腿丁少许。

调料 姜4片，精盐适量。

做法 ①将鱼翅用热水浸泡8小时，加入2片姜，入笼蒸4小时，取出；土鸡治净，对半切开，放入沸水中焯烫5分钟，捞出洗净备用。
②沙锅中加入4杯清水煮沸，放入土鸡、2片姜，用小火炖30分钟，捞出土鸡，去骨留肉，鸡汤过滤后放入碗中待用。
③将鱼翅、鸡肉、火腿及精盐放入鸡汤碗中，入蒸锅蒸1小时即可。

鱼翅土鸡煲

杞子天麻炖鱼头

主料 大鱼头半个，枸杞子、天麻各15克。

调料 生姜2片，精盐适量。

做法 ①将鱼头洗净，入锅略煎；枸杞子、天麻洗净备用。

②把全部用料放入炖盅内，加入适量开水，再盖上炖盅盖，入锅用文火隔水炖2小时，然后放入精盐调味即成。

萝卜枸杞鱼头煲

主料 萝卜1根，鲢鱼头1个（约500克），枸杞子15克。

调料 葱段10克，姜片15克，香菜25克，精盐1大匙，味精4小匙，料酒5小匙，香醋2小匙，胡椒粉1大匙，香油1小匙。

做法 ①将萝卜切成条。②鲢鱼头洗净，一劈两半，入加有料酒的开水锅中焯一下，捞出投凉，同萝卜一起放入锅内，加适量清水、葱段、姜片、料酒和胡椒粉，上火炖至汁白且鱼头熟时，拣出葱段、姜片，再用精盐、味精和香醋调成酸辣味，倒在沙锅内，重上火烧沸，淋入香油，撒香菜段，即可上桌。

青豆鱼头汤

主料 鱼头250克，青豆50克。

调料 料酒2小匙，生姜水2匙，葱10克，盐1小匙，鸡精1小匙，蘑菇20克，香菜适量，植物油2大匙。

做法 ①将鱼头洗净，香菜、葱洗净切成末。

②坐锅点火放油，油热放入葱、鱼头翻炒，加入料酒、清水、生姜水、盐，待锅开倒入青豆、蘑菇、鸡精、香菜末即可出锅。

笋粉鱼头豆腐汤

主料 鱼头2个，豆腐100克。

调料 豆瓣10克，香菇、冬笋各50克，葱、姜、蒜末各1小匙，酱油2小匙，精盐1小匙，味精2小匙，胡椒1大匙，料酒1小匙。

做法 ①先将鱼头炸一下。

②炒锅上火，将鱼头放入锅中，再加少许豆瓣、葱姜、蒜末，加汤烧开后捞去渣，放香菇、冬笋片、豆腐、酱油、精盐、味精、胡椒、料酒，鱼头熟后放粉皮，汤开后勾芡，撒青蒜即成。

酸椒鱼头汤

主料 鲜鱼头半个，香菇3朵，酸菜心2片，豆腐半块。

调料 姜1小块，葱1根，花椒10粒，精盐2小匙，鸡精、胡椒粉各少许，米醋1大匙，植物油2大匙。

做法 ①将鱼头洗净，放入油锅中略煎，取出沥油；香菇、姜洗净，切成丝；酸菜洗净，切成片；豆腐切小块备用。

②锅内放入植物油烧热，下入花椒炒香后捞出，再下入葱段炒香出味，然后放入鱼头，注入清水淹过鱼头，再放入香菇、酸菜、豆腐，用小火煮20分钟，最后加入调料调味即可。

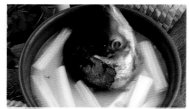

川芎葱白鱼头汤

主料 鱼头半个，川芎12克。

调料 葱白10段，精盐、色拉油各适量。

做法 ①将鱼头洗净；川芎洗净备用。

②锅置火上，放入色拉油烧热，下入鱼头略煎，再加入适量清水，放入川芎，用武火煮沸，然后转文火续煲1～2小时，再放入葱白段，加入精盐调味即成。

大蒜豆腐鱼头汤

主料 鲜鱼头500克，大蒜(鲜)100克，豆腐3块。

调料 精盐1大匙，植物油2大匙。

做法 ①将大蒜去皮、洗净，切成片；豆腐洗净，切片备用。
②将鱼头去鳃、开边，洗净待用。
③锅中放入植物油烧热，分别下入豆腐、鱼头煎香，盛出，放入沸水锅内，加入大蒜片用大火煮沸，再转小火炖30分钟，加入精盐调味即可。

冻豆腐炖鲢鱼

主料 冻豆腐1块，鲢鱼头1个，笋干300克，薏米少许。

调料 鲜姜20克，精盐、白糖、胡椒粉各1/2小匙，料酒1小匙，植物油2大匙。

做法 ①将冻豆腐用水泡开，挤去水分；鱼头洗净；薏米、笋干分别用清水泡开备用。
②锅中放入色拉油烧热，下入鱼头煎至两面呈金黄色时，捞出沥油待用。
③锅中放入清汤烧沸，下入鱼头、冻豆腐、薏米、笋干，再加入调料炖20分钟即可。

花生鱼头汤

主料 大鱼头1个，花生米100克，竹枝1条，红枣10粒。

调料 生姜2片，精盐适量，胡椒粉少许，料酒1大匙。

做法 ①将花生米洗净，用清水浸泡半小时；竹枝洗净、浸软，切小段；红枣(去核)、生姜洗净备用。②将鱼头去鳃，洗净，劈成两半，入油锅中烹入料酒略煎，捞出沥油待用。③将花生米、红枣放入沙锅中，加入适量清水烧沸，再转文火煲1小时，然后放入鱼头、竹枝、生姜再煲1小时，加入精盐、胡椒粉调味即可。

鲜淮山鱼头煲

主料 鱼头1个，鲜淮山50克。

调料 葱1/2大匙，姜1/2大匙。

做法 ①鱼头用油先煎一下。
②加入姜片和水煮至大开，再放入切成片的淮山，用中火煮至全软为止。
③加入盐调味，放点葱段，起锅前淋入几滴麻油即可。

天麻川芎鱼头煲

主料 鱼头1个，天麻20克，川芎15克，茯苓10克，山药150克，菜心50克。

调料 姜丝少许，精盐适量，料酒1大匙，色拉油3大匙。

做法 ①将鱼头去鳃、去鳞，洗净，劈成两半，在鱼头近头脊肉处剖一字刀，放入容器内，加入料酒、姜丝抹匀，码味备用。②将天麻、川芎、茯苓、山药、菜心洗净待用。③锅中放入色拉油烧热，下入鱼头煎黄取出，放入煲内，再加入清水烧沸，然后放入所有原料用大火烧沸，转小火煲1小时，加入精盐调味即可。

豆腐芥菜鱼头汤

主料 鱼头1个，豆腐1块，芥菜230克。

调料 姜2片，精盐适量，料酒2大匙，色拉油4大匙。

做法 ①将豆腐洗净，切长方块；芥菜洗净，切成片备用。
②将鱼头去鳃，洗净沥干，入热油锅中煎至金黄色，盛出待用。
③锅中放入色拉油烧热，爆香姜片，再放入鱼头、豆腐、料酒，加入6杯开水煮沸，然后放芥菜煮15分钟，加入精盐调味即可。

鱼肚奶汤

主料 水发鱼肚300克，熟冬笋、鲜菜心各50克，熟火腿40克。

调料 姜块10克，葱段15克，精盐1小匙，味精、胡椒粉各少许，奶汤1000克，植物油5小匙。

做法 ①将熟火腿、熟冬笋、鱼肚均切成片备用。

②炒锅置旺火上，加入清水适量烧沸，分别放入熟火腿片、冬笋片、鱼肚片煮去腥味，捞出沥水；姜块拍破；葱洗净；鲜菜心择洗干净待用。

③炒锅置旺火上，放入植物油烧至五成热，下入姜块、葱段炒出香味，再加入奶汤烧沸，捞去姜、葱不用，然后放入鱼肚片、冬笋片、火腿片、鲜菜心、精盐、胡椒粉、味精煮沸入味，出锅倒入汤碗中即成。

天门冬玉竹鱼肚汤

主料 天门冬10克，玉竹15克，发泡好的鱼肚、白萝卜各100克，牡蛎50克，猪瘦肉200克，胡萝卜1根。

调料 姜3片，精盐适量。

做法 ①将猪瘦肉洗净，切成块，放入沸水中焯烫一下；白萝卜、胡萝卜去皮、洗净，切圆片；天门冬、玉竹、牡蛎洗净备用。

②将鱼肚去除浮油，用碱水冲洗干净，切成块待用。

③将所有原料放入煲内，加入12杯清水，用大火煲滚，再转小火煲2小时，加入精盐调味即可。

松茸青笋烩鱼肚

主料 净松茸300克，青笋块、鱼肚各100克。

调料 葱花少许，精盐1小匙，胡椒粉1/2小匙，蘑菇清汤、色拉油各适量。

做法 ①将松茸切成片，同青笋块一起入沸水锅中焯水，捞出沥水备用。

②锅置火上，放入色拉油烧热，下入葱花炒香，再加入蘑菇清汤，然后放入松茸、鱼肚、青笋块，加精盐，用小火煮至入味，放入胡椒粉，出锅装碗即可。

香菇青笋鱼肚汤

主料 鲜香菇50克，水发鱼肚150克，青笋100克。

调料 精盐、味精各1/2小匙，清汤2杯，葱花、色拉油各适量。

做法 ①将鱼肚、青笋、香菇分别洗净，均切成片，同入沸水锅中焯水，捞出沥水备用。

②锅中放入色拉油烧热，下入葱花爆香，再加入清汤，放入原料煮6分钟，然后加入调料调味即可。

主料 发好的鱼肚300克，鲜虾4只，瘦肉150克，淮山30克，苦瓜100克。

调料 精盐适量。

做法 ①将鲜虾去除虾须，从背部划开剔除虾线，洗净；苦瓜剖开，去瓤、洗净，切成段备用。

②将瘦肉洗净，切成块，放入沸水锅中焯烫，捞出沥水；鱼肚用碱水洗净，切成段；淮山去皮、洗净，切成块待用。

③锅中加入清水煮沸，放入鱼肚、瘦肉、淮山用大火煮20分钟，再转小火，放入苦瓜煲40分钟，然后放入鲜虾煮5分钟至变色，加入精盐调味即可。

鱼肚鲜虾苦瓜汤

主料 发好的鱼肚400克，鸡腿200克，青菜叶30克，胡萝卜泥少许。

调料 精盐适量，味精、蚝油各1/3小匙，料酒2大匙，姜汁1/2小匙。

做法 ①将发好的鱼肚去除油脂，用碱水洗净，切成段备用。

②将鸡腿洗净，入沸水锅中焯透，捞出沥水；青菜叶洗净，切成细丝待用。

③锅中加入适量清水烧开，放入鸡腿、鱼肚用大火煮沸，再转小火煲40分钟，然后加入调料煮10分钟至入味，出锅盛入碗中，再放入青菜丝、胡萝卜泥即可。

鱼肚鸡汤

主料 水发鱼肚200克，粉皮100克。

调料 精盐1小匙，味精1小匙，红油2大匙，酱油1小匙，白糖1/5小匙，姜10克，胡椒粉2克，葱15克，料酒4小匙，植物油4小匙。

做法 ①将水发鱼肚洗净后，切成3厘米见方的方块。锅中烧油至五成热，下姜、葱炒香出味，掺入鲜汤烧沸，挑去姜、葱不用，放入鱼肚，加入精盐、胡椒粉、料酒略煮，入味后捞起，沥干汤汁晾凉。

②粉皮也切成3厘米见方的块，放入开水锅中焯2分钟，捞起晾凉。

③粉皮装盘垫底，盆中加入精盐、味精、酱油、白糖、红油充分调匀后，放入鱼肚拌匀，盛于粉皮上即成。

红油鱼肚

主料 炸鱼肚100克。

调料 葱条2根，精盐1小匙，熟火腿2片，味精1小匙，姜片2小匙，胡椒粉1/2小匙，姜汁酒2小匙，上汤1500克，绍酒2大匙，淡二汤750克，白醋3大匙，植物油1大匙。

做法 ①鱼肚用清水发好后待用。

②将鱼肚放入沸水锅余约1分钟，捞出沥去水；炒锅用中火烧热，下植物油，放入姜、葱，烹姜汁酒。

③加淡二汤、精盐4克，下鱼肚煮约30秒钟，加菜送煮至熟，捞出，去掉姜、葱，沥水，放入汤窝内，撒上胡椒粉，放火腿条。

④炒锅洗净，放在火上，烹绍酒，加上汤、味精、精盐1克，烧至微沸，撇去汤面浮沫，倒入汤锅即成。

清汤炸肚

鲜菌鱼羊锅

主料 草鱼1条,茶树菇、油菜、切面各100克,羊肉馅、鸡蛋、洋葱末、香菜末各50克。

调料 葱30克,姜20克,精盐、胡椒粉、高汤精各1小匙,白糖、香油各1/2小匙,植物油2大匙。

做法 ①将草鱼去鳞、去鳃、除内脏,洗净;茶树菇、油菜洗净备用。

②将羊肉馅放入碗中,加入洋葱末、葱末、香菜末、鸡蛋搅拌均匀,制成丸子待用。

③锅中放入植物油烧热,下姜片煸香,再放入茶树菇煸软,添入适量开水,然后加入精盐、高汤精、白糖,倒入沙锅中,再放入草鱼,下入切面、油菜煮熟,加胡椒粉、香油调即可。

酸汁冬瓜鱼

主料 草鱼1条,冬瓜100克,西红柿、水晶粉各50克。

调料 姜、蒜各15克,精盐1小匙,白糖1/2小匙,胡椒粉1小匙,植物油30克。

做法 ①草鱼去鳞、鳃、内脏,清洗干净。改成片状,冬瓜去皮切厚片,水晶粉冷水泡开,姜蒜分别切成茸,西红柿切块状。香葱切葱花。

②锅入底油,烧热放入西红柿翻炒至糊状,添入清水烧5分钟捞出。西红柿留汤备用,汤内放入鱼片、水晶粉、冬瓜煮约5分钟至熟,加盐、白糖、胡椒粉调味,倒入碗中撒香葱花即可。

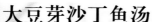

咸鱼木瓜汤

主料 咸鱼头1/2个,草鱼尾1条（约300克）,木瓜1个（约500克）。

调料 姜2片,精盐、胡椒粉各1/2小匙,料酒1小匙,色拉油1大匙。

做法 ①将木瓜去皮、去子,洗净,切成块备用。

②将鱼尾去鳞,洗净,抹干,用精盐略腌;咸鱼头洗净,抹干,撒上少许胡椒粉擦匀待用。

③锅置火上,放入色拉油烧热,爆香姜片,再放入鱼尾和咸鱼头略煎,然后烹入料酒,加入适量清水、木瓜,煲至鱼熟汤浓时,加入调味料调味即可。

大豆芽沙丁鱼汤

主料 大豆芽50克,沙丁鱼罐头500克。

调料 姜丝10克,精盐少许,鸡精1/2小匙,甜料酒2大匙,酱油、高汤各适量。

做法 ①将沙丁鱼罐头开盖,连汤倒出备用。

②将大豆芽洗净,入沸水锅中焯烫一下,捞出待用。

③锅中加入适量高汤、甜料酒、鸡精、酱油、精盐煮开,将沙丁鱼连汤倒入锅中,再加入大豆芽、姜丝焖煮15分钟即可。

主料 鱼肉125克,青椒丝、水发香菇丝、熟火腿丝各20克,银鱼适量。

调料 精盐、味精、胡椒粉、水淀粉、绍酒、清汤、色拉油各适量。

做法 ①将鱼肉洗净,沥干水分,加入绍酒、精盐、味精、胡椒粉拌匀备用。

②炒锅上火,放入清水、绍酒烧沸,放入银鱼焯熟,倒入漏勺沥去水分待用。

③锅刷净置火上,放入色拉油烧热,下入青椒丝、香菇丝煸炒至熟,再烹入绍酒,加入清汤、精盐、味精烧沸,然后放入鱼肉、熟火腿丝推匀,用水淀粉勾薄芡,出锅装入汤碗即可。

三丝鱼汤

主料 鱼肉200克,白萝卜、南瓜、四季豆各50克,木耳20克,紫苏叶2片。

调料 精盐适量,胡椒粉少许,味精1/2小匙,料酒2大匙,柴鱼高汤8杯。

做法 ①将鱼肉洗净,切成块;木耳用清水浸软,去蒂、洗净,撕小朵;白萝卜去皮、洗净,切成块;南瓜去皮、洗净,切成块;四季豆洗净,切成段备用。

②汤锅中加入柴鱼高汤煮沸,放入所有原料用大火烧沸,待蔬菜煮软、鱼肉熟透后,加入调料煮至入味即可。

五色鱼汤

主料 鱼肉200克,蘑菇50克,蕨菜、油菜各30克,胡萝卜20克。

调料 精盐、淀粉各适量,蚝汁1大匙,高汤8杯。

做法 ①将鱼肉洗净,拍上淀粉,入热油锅中炸至金黄色,取出沥油备用。

②将蘑菇、蕨菜、油菜分别择洗干净;胡萝卜去皮、洗净,切车轮圈待用。

③汤锅中加入高汤、调料煮沸,再放入鱼肉,用中火煮30分钟,然后放入其他原料用小火煮5分钟即可。

蚝汁滚鱼汤

主料 鱼肉200克,鸡蛋清50克,豌豆尖少许,番茄片5片。

调料 精盐1小匙,味精、胡椒粉各少许,水淀粉2大匙,姜葱汁3/5小匙,特制清汤1000克,猪化油5小匙。

做法 ①将鱼肉去皮、去骨刺,洗净,用刀背剁成蓉泥,挑去筋,放入盆中,加入清汤调散,再分次加入蛋清,边加边搅和,然后加入水淀粉、猪化油、味精、胡椒粉、姜葱汁、精盐搅成鱼糁;豌豆尖择洗干净备用。

②锅置中火上,加入清水烧沸,将鱼糁挤成小丸子,放入锅中煮至熟透,捞入碗中待用。

③炒锅置旺火上烧热,倒入特制清汤烧沸,再加入豌豆尖,起锅倒入碗中,放上番茄片点缀即成。

鱼丸清汤

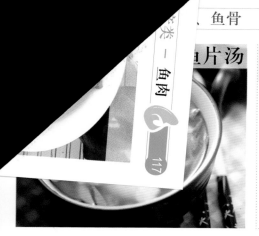

鱼片汤

主料 莼菜1罐，鱼肉300克，猪肥肉馅75克，鸡蛋1个。

调料 精盐1小匙，胡椒粉少许，淀粉适量，高汤1杯。

做法 ①将鱼肉去骨、洗净，剁成细末，再加入猪肥肉馅剁至均匀，然后拌入鸡蛋清、精盐、淀粉，搅拌成鱼浆备用。

②坐锅点火，加入高汤，烧开后关火，将搅匀的鱼浆装入塑料袋内，剪开一角，将鱼浆挤成条状，滑入汤中，全部挤完再开火煮沸，并轻轻搅动使其成小段，然后将莼菜倒入汤内同煮，再加入精盐调好口味，最后淋入水淀粉勾芡，汤汁稍稠时关火，食用时撒入胡椒粉即可。

煲仔鱼丸

主料 搅碎鲮鱼肉200克，腊肠粒50克，虾粒10克，水发粉丝300克，生菜180克。

调料 葱花、香菜末各10克，鸡汤400克，水淀粉15克，香油1小匙，葱姜汁1/2大匙，料酒1小匙，精盐4/5小匙，味精2/5小匙，胡椒粉2/5小匙，植物油20克。

做法 ①将虾粒、腊肠粒、香菜末、葱花和鱼蓉加葱姜汁、料酒、精盐、味精，搅拌上劲，待用。

②鸡汤倒入锅中加热，鱼肉挤成鱼丸下到汤中，余熟后捞出。将粉丝、生菜放入汤锅中，随后放酱油、精盐、味精、香油稍煮，将鱼丸排在上面，用水淀粉勾芡，撒上胡椒粉即可。

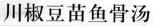

烩酸辣鱼丝

主料 净鱼肉200克，黄瓜丝50克

调料 鸡蛋清1个，香菜叶少许，净鱼肉200克，黄瓜丝50克，鸡蛋清1个，香菜叶少许

做法 ①净鱼肉切丝，加蛋清、淀粉，抓匀，下入四成热油中，滑散滑透，倒入漏勺。

②留底油，葱、姜炝锅，烹醋，添汤，加绍酒、酱油、精盐，烧开，再下鱼丝，黄瓜丝，撇沫，加味精、胡椒粉，勾芡，淋香油，撒香菜叶即可。

川椒豆苗鱼骨汤

主料 净鱼骨250克，豆苗50克，川米椒20克。

调料 精盐1小匙，味精1/2小匙，白糖、葱油各少许，鸡汤1碗，色拉油1大匙。

做法 ①将豆苗、川米椒洗净；鱼骨剁成1厘米长的块，入沸水锅中焯水，捞出沥水备用。

②炒锅置火上，放入色拉油烧热，下入川米椒炝锅，再倒入鸡汤，放入鱼骨煮2分钟，然后加入调料煮沸，放入豆苗，淋入葱油即成。

三色虾球汤

主料　大虾300克，南瓜、胡萝卜、青笋各100克。
调料　精盐1小匙，味精1/2小匙，清汤1杯，葱油适量。

做法　①将大虾去壳，取肉，洗净，剁成蓉泥，再做成丸子；南瓜、青笋、胡萝卜洗净，挖成球形备用。
②锅中放入清汤烧沸，下入大虾丸、南瓜球、胡萝卜球、青笋球，再加入精盐、味精煮8分钟至熟，淋入少许葱油即可。

双虾丝瓜水晶粉

主料　虾仁、丝瓜各100克，海米、水晶粉各50克，小苏打少许。
调料　姜、葱各5克，精盐、白糖、虾酱、生抽各1/2小匙，色拉油适量。

做法　①将丝瓜去皮，切成粗条；水晶粉、海米分别用温水泡软；虾仁用小苏打拌一下，洗净备用。
②锅置火上，入色拉油烧热，下入海米爆香，再放入清水、丝瓜烧沸，然后加入精盐、白糖、虾酱调味，焖至丝瓜软后加入水晶粉煮透，再放入虾肉稍煮即可。

青苹果鲜虾汤

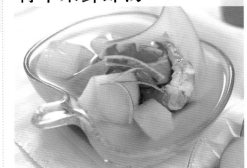

主料　大虾250克，青苹果1个，香菜末10克。
调料　姜片5克，精盐、胡椒粉各1/2小匙，橙汁1小匙，鱼露1大匙，高汤1000毫升。

做法　①将大虾洗净，剥去外壳，剔除虾线；苹果洗净，去皮、切块备用。
②锅中加入高汤煮沸，下入虾壳、姜片煮10分钟，捞去虾壳、姜片，然后放入苹果块，再加入精盐、胡椒粉、橙汁调味，倒入鱼露煮沸，然后放入鲜虾氽煮至变红时，撒入香菜末即可。

河虾时蔬汤

主料　淡水大虾200克，油菜心1棵，水发木耳1朵。
调料　酱油、料酒、精盐各1大匙，味精4小匙，植物油2大匙，鸡油3大匙。

做法　①将大虾洗净，剪去须刺；木耳切两半；油菜心洗净，用开水烫一下，冷水拔透，捞出沥干水分，切成段。
②植物油烧热后，加入大虾，稍炒，再加入酱油、料酒、精盐、油菜心、木耳，炒几下，注入适量清水，烧开后，加上味精，盛入汤碗内，淋鸡油即成。

酸辣虾尾汤

主料 鲜虾100克，香菇50克，杭椒5根，香菜叶、生菜叶各少许。

调料 蒜末、姜片各少许，大葱半根，精盐适量，胡椒粉1/2小匙，辣椒粉、咖喱粉、柠檬汁各1大匙，鱼露2大匙，鸡汤8杯。

做法 ①将虾洗净，去头，壳，留尾，挑去虾线备用。

②将香菇去蒂、洗净，切十字花刀；大葱洗净，斜切成片；杭椒、香菜叶、生菜叶洗净待用。

③锅置火上，加鸡汤，放香菇、鱼露、精盐、柠檬汁、咖喱粉、辣椒粉、杭椒煮沸至蘑菇熟透，再放入虾肉煮至颜色变红时，加香菜叶、生菜叶、胡椒粉即可。

小龙虾汤

主料 小龙虾400克，带子50克，洋葱粒、玉米粒、香菜各少许，面粉适量。

调料 精盐适量，鸡精1/2小匙，雪利酒1大匙，黄油2大匙。

做法 ①将小龙虾剪去虾须，放入蒸箱内蒸至八成熟时，取出剥出虾肉；带子洗净，切厚片备用。

②锅中加入适量清水，放入龙虾壳、头、洋葱粒煮沸，滤出杂质待用。

③另起锅置火上，加入黄油烧至熔化，放入面粉、玉米粒炒匀，再倒入煮好的汤汁烧沸，然后放入龙虾肉、鲜带子肉、雪利酒、精盐、鸡精煮约5分钟，撒入香菜即可。

益肾壮阳汤

主料 大虾60克，泥鳅300克。

调料 姜2片，精盐适量。

做法 ①将大虾去沙线、脚、尾，洗净；泥鳅去肠杂，洗净，切成小段备用。

②将大虾、泥鳅、姜片一起下锅，再注入适量清水，用旺火烧开，煮至虾、泥鳅熟透，加入精盐调味即可。

大虾炖白菜
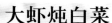

主料 对虾500克，白菜700克。

调料 香菜30克，植物油30克，葱5克，姜5克，精盐2/5小匙，胡椒粉1/5小匙，香油1小匙。

做法 ①挑去大对虾沙袋、沙线，剪去枪、须和腿；大白菜去掉老帮留菜心，用刀拍切劈柴块；香菜切3厘米长的段。

②勺中加植物油，加葱花烹锅，再加入白菜煸炒至软取出。

③勺中加植物油烧热，加入葱段、姜片煸炒出香味，放入大虾两面略煎，用手勺压出虾脑，随即烹入料酒，加入高汤调味，烧开后加入白菜，用慢火烧至软烂虾熟，撒胡椒粉、香菜段，淋香油，盛入餐锅中，边加热边食用。

主料 扇贝肉、大虾各100克，牡蛎、鸡腿菇、红牛肝菌各50克。
调料 精盐1小匙，味精少许，鲜鸡汤1碗，葱油适量。

做法 ①将扇贝肉洗净，切片，牡蛎洗净，一切两半；鸡腿菇洗净，一切两半；红牛肝菌洗净，切成片；大虾去皮、洗净，以上原料分别入沸水锅中焯水，捞出沥水备用。
②锅置火上，添入鸡汤，放扇贝肉、大虾、牡蛎、鸡腿菇、红牛肝菌煮3分钟，撇去浮沫，再加入精盐、味精，淋入葱油即成。

海鲜烩菌

主料 螃蟹2只，发好的鱼肚、猪瘦肉各200克，冬瓜100克。
调料 大葱1/2根，姜片2片，精盐适量，料酒1大匙。

做法 ①将螃蟹洗净，斩下蟹腿，去壳，取肉切块；冬瓜去皮、洗净，切块；大葱洗净，切斜刀段备用。
②将猪瘦肉洗净，切成块，放入沸水中焯烫，捞出待用。
③锅中加入清水烧沸，下入鱼肚、猪瘦肉、蟹壳、蟹腿、料酒、葱段、姜片煮30分钟，再放入冬瓜煮至透明，然后放入螃蟹肉余煮至熟，加入精盐调味即可。

螃蟹鱼肚冬瓜汤

主料 螃蟹200克，猪瘦肉80克，鲜贝、青豆、山药各50克。
调料 精盐适量。

做法 ①将猪瘦肉洗净，切成块，入沸水锅中焯水，捞出备用。
②将螃蟹洗净，去掉蟹壳，斩成大块，入沸水锅中焯烫一下，捞出；山药去皮、洗净，切成块；鲜贝、青豆洗净待用。
③锅中加入清水煮沸，下入所有原料，用大火煲15分钟，再转小火煲1小时，加精盐调味即可。

螃蟹瘦肉汤

主料 螃蟹4只，银耳15克，藕丁20克，香菜、笋、胡萝卜各50克，鸡蛋3个，鸡肉末150克，猪肉末100克。
调料 葱、姜各15克，精盐1小匙，白糖1/2小匙，高汤精、米酒各1大匙，植物油4小匙。

做法 ①将螃蟹洗净，剁成块；胡萝卜、笋去皮、洗净，切成片。②将鸡肉末、猪肉末放入碗中，加入藕丁、香菜、精盐、高汤精、淀粉搅拌均匀待用。③坐锅点火，倒入植物油烧热，下葱、姜煸香，再入胡萝卜片、笋片、螃蟹翻炒，然后烹入米酒，加入精盐、白糖、高汤精、适量开水烧沸，再将调好的肉馅挤成丸子，入锅余至定型后捞出，入蟹锅中，入银耳煮熟即可。

秋日蟹锅

螃蟹瘦肉冬瓜汤

主料　螃蟹2只，西蓝花、鲜贝肉各50克，猪瘦肉200克，冬瓜300克。

调料　精盐适量，鸡精1/2小匙，奶油高汤8杯。

做法　①将螃蟹去壳，洗净，对切两半，再斩断蟹脚；猪瘦肉洗净，切成小块，入沸水锅中焯一下，捞出备用。
②将西蓝花洗净，切小朵；鲜贝肉洗净；冬瓜去皮、洗净，切成块待用。
③汤锅中注入8杯奶油高汤烧沸，下入所有原料，加入精盐、鸡精煮至冬瓜透明时离火即可。

上汤飞蟹

主料　飞蟹1只，蘑菇50克。

调料　葱丝、精盐各适量，鸡精1/2小匙，胡椒粉少许，上汤8杯。

做法　①将飞蟹洗净，揭去背壳，再纵向切开，放入沸水锅中焯烫，捞出备用。
②将蘑菇去蒂、洗净，捞出沥干待用。
③锅中加入上汤烧沸，下入飞蟹，加入精盐、鸡精煮至入味，出锅时撒入胡椒粉、葱丝即可。

河蟹煲冬瓜

主料　河蟹3只，冬瓜250克。

调料　葱末、姜末各少许，精盐、味精各1/2小匙，胡椒粉1/4小匙，鸡粉1小匙，绍酒、植物油各1大匙。

做法　①将河蟹洗涤整理干净，用刀切成两半；南瓜洗净，去皮及瓤，切成滚刀块备用。
②炒锅上火烧热，加入底油，先用葱、姜炝锅，再烹入绍酒，添汤烧开，然后放入河蟹、冬瓜，加入精盐、味精、胡椒粉、鸡粉调好口味，撇净浮沫，用中火炖至南瓜软烂入味，即可出锅装碗。

飞蟹粉丝煲

主料　飞蟹1只，粉丝1束，洋葱、红椒丝各适量。

调料　姜丝、鹰粟粉、黑椒汁、蚝油、鲜露、浓缩鸡汁、绍酒、植物油各少许。

做法　①将飞蟹洗涤整理干净，剁成大块；粉丝用清水泡软，剪断备用。
②将飞蟹拍上鹰粟粉，过油炸透，倒入漏勺待用。
③取用沙锅加入底油，先爆香洋葱、姜丝、红椒丝，再放入粉丝、飞蟹略炒，然后加入黑椒汁、蚝油、鲜露、鸡汁，快速炒匀，再烹入绍酒即可。

蟹黄三丝羹

主料 螃蟹2只，鸡肉丝、笋丝、豆腐各100克，香菜末20克。

调料 姜末10克，精盐、淀粉、绍酒各1小匙，高汤、猪油各1大匙。

做法 ①将螃蟹蒸熟，取出蟹黄、蟹肉备用。

②锅中放入猪油烧热，下入姜末煸香，再放入蟹肉、蟹黄，加入精盐、绍酒炒匀，盛出待用。

③将鸡肉丝中加入淀粉、精盐腌制片刻，入锅炒熟，取出备用。

④坐锅点火，倒入高汤，再放入香菇丝、笋丝、豆腐、蟹肉煮熟，撒入香菜末即成。

蟹羹汤

主料 大肉蟹1000克，熟火腿、熟冬笋、鲜青豆各30克。

调料 姜片8克，葱段12克，精盐1小匙，味精、胡椒粉各少许，水淀粉5小匙，香油1/2小匙，鲜汤1000克，植物油2大匙。

做法 ①将肉蟹洗净，放入沸水锅中煮熟，捞出去壳，取肉和蟹黄，均切成小丁；熟冬笋、熟火腿切成0.5厘米见方的粒；青豆去衣，入锅煮至断生，捞出备用。

②锅置旺火上，放入植物油烧至四成热，下入姜片、葱段炒香，再加入鲜汤烧沸，捞去姜、葱不用，然后放入胡椒粉、精盐、味精、熟火腿、熟冬笋、鲜青豆煮至入味，用水淀粉勾芡收汁，再放入蟹黄、蟹肉、香油推匀，起锅装入碗中即成。

鲜蟹煲

主料 螃蟹2只，葱4棵，姜20克。

调料 干生粉100克，酱油2大匙，沙茶酱、糖各1大匙。

做法 ①螃蟹由尾部剥开蟹壳，去除内脏及沙袋，切块，在切口处抹上干生粉；葱洗净，切段；姜洗净，去皮，切片备用。

②锅中倒2杯油烧热，放入蟹块炸至金黄色，捞出沥干，锅中留1大匙油，爆香葱段及姜片，加1杯水和酱油、沙茶酱、糖烧开，放蟹块炒匀，盛入煲锅中，盖上锅盖，中火焖煮3分钟即可端出。

豆腐笋丝蟹肉汤

主料 净梭子蟹肉100克，豆腐50克，笋肉、蛋清、水发香菇、虾仁各适量，香菜叶少许。

调料 姜丝、精盐、味精、胡椒粉、水淀粉、绍酒、米醋、生油各少许。

做法 ①将笋肉洗净；水发香菇择洗干净；豆腐切成丝；蛋清打匀。

②炒锅上火，放入生油烧热，下入蟹肉、虾仁、绍酒、鲜汤烧沸，再加入精盐、味精、胡椒粉推匀，用水淀粉勾薄芡，然后淋入蛋清、米醋搅匀，撒入香菜叶即成。

海鲜什锦煲

主料 肉蟹2只,水发鱼肚150克,水发蹄筋、水发海参各100克,水发干贝6粒,芋结10个,大白菜叶、粉丝各50克,油菜心5棵。

调料 葱结、姜片各25克,料酒1大匙,精盐1小匙,味精2小匙,鸡精1大匙,胡椒粉4小匙,香油少许,猪化油2大匙。

做法 ①将肉蟹洗净,每只切4块;水发鱼肚、水发蹄筋、水发海参分别切条,用开水余透,沥水;大白菜叶撕成块,用沸水略烫,沥水。②取净锅1个,先放大白菜叶和粉丝垫底,再依次摆入肉蟹块、鱼肚、蹄筋、海参、芋结、水发干贝和油菜心。③炒锅放猪化油烧热,下葱结、姜片炸香,加清水烧开,调入精盐、味精、鸡精、胡椒粉成咸鲜口味,倒在沙锅内,然后置点燃的酒精炉上,加盖,炖约10分钟,淋入香油,即可。

蚕豆烩蟹肉豆腐

主料 蟹肉200克,蚕豆20克,香菇200,豆腐50克鸡蛋1个

调料 葱姜、红辣椒、精盐、白糖、鸡精、料酒、淀粉、胡椒粉、香油

做法 ①将蟹肉拆好去净,鸡蛋加入精盐打散,蚕豆洗净,香菇、豆腐切成块。锅内加水烧开,放入蚕豆和豆腐分别过水焯一下备用。

②锅内加入少许植物油烧热,下鸡蛋炒散后放入蟹肉、姜末、红辣椒翻炒,烹入料酒,加精盐,放入豆腐、蚕豆、香菇、少许开水,焖煮片刻后加入精盐、鸡精、白糖、胡椒粉调味,炖5~8分钟后,用水淀粉勾芡,淋香油出锅即可。

芒果珍珠雪蛤

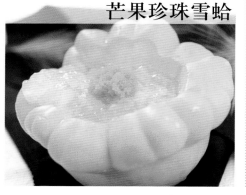

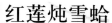

主料 雪蛤30克,芒果、蝶瓜各1个,虾子少许。

调料 珍珠粉1/4小匙,冰糖适量。

做法 ①将雪蛤用清水浸泡至膨胀呈半透明状时,剔净筋膜、黑丝及杂质,用清水浸洗干净备用。

②将芒果去皮、去核,果肉切粒;蝶瓜洗净,刻成瓜盅待用。

③将雪蛤、芒果粒、珍珠粉、冰糖、适量清水放入蝶瓜盅内,入锅隔水炖约30分钟,取出放入虾子搅匀即可。

红莲炖雪蛤

主料 干雪蛤50克,红枣、莲子各6个。

调料 冰糖4小匙。

做法 ①雪蛤清水浸泡至其膨胀呈半透明状时,剔净筋膜、黑丝及杂质,用清水浸洗过滤干净。

②红枣、莲子洗净,莲子去心,备用。

③炖盅中加清水,将雪蛤、红枣、莲子、冰糖倒入,隔水炖约30分钟即可。

主料 干贝100克，百叶75克，香菇6朵，姜、黄花菜少许。
调料 精盐1小匙，鲣鱼调料1大匙，胡椒粉、香油各1/4小匙。

做法 ①将干贝洗净，放入热水中余烫，捞出；黄花菜洗净，打结；百叶、香菇洗净，改刀备用。
②锅中加入高汤，放入香菇、黄花菜、姜片、百叶煮沸，再加入干贝、调料略煮即可。

干贝百叶汤

主料 大干贝150克，鸡胸脯肉150克。
调料 鸡蛋清100克，料酒3大匙，味精1/2小匙，盐1/2小匙，湿淀粉5大匙，鸡汤800克，猪化油100克。

做法 ①将干贝老肉剥去，洗净盛入碗中，加入料酒、葱、姜和适量的水，上屉蒸烂后捣碎；将鸡胸脯肉去筋皮，剁成泥放入碗中，加料酒、鸡蛋清、湿淀粉、盐、味精、适量水搅匀，调成鸡蓉。
②将炒勺烧热，放入鸡汤、料酒、盐、味精、干贝和蒸干贝的汤汁，烧开后用湿淀粉勾芡，然后把调成的鸡蓉倒入勺内搅匀，待鸡蓉见稠时放入猪化油搅匀后，盛入碗中即成。

鸡蓉干贝

主料 海胆3个，鸡蛋黄4个，虾仁50克，豆腐1/2块，香菇1朵，碎芹末少许。
调料 精盐适量，白酱油1小匙，白糖、料酒各1大匙。

做法 ①将海胆用尖刀切开小勺大小的圆口，倒出水和杂质，撕去黑膜，取出海胆肉洗净备用。
②将鸡蛋黄放入碗中搅匀；香菇去柄、洗净，切成粒；豆腐放入盐水中浸泡10分钟，取出切粒待用。
③锅中加入适量高汤烧沸，再放入海胆肉、虾仁、香菇粒，豆腐粒、调料煨至入味，然后倒入搅好的蛋黄液搅匀，起锅盛入海胆壳内，再撒入碎芹末即可。

海胆蛋黄汤

主料 海红200克，西葫芦200克，胡萝卜丁50克，山药100克，红腰豆1/2瓶。
调料 精盐适量，鸡汤6杯。

做法 ①将海红去壳除去杂质；山药去皮洗净切小方块。
②西葫芦洗净表皮，纵向切开，掏净瓜子，切成1厘米见方的小块；取红腰豆罐头将水分沥净。
③锅中6杯鸡汤烧沸，加入西葫芦、胡萝卜、山药、红腰豆、精盐旺火煮开，再将火调弱，煮15分钟，下入海红余烫至熟即可。

海红西葫芦汤

蛤蜊瘦肉海带汤

主料　活蛤蜊250克，瘦猪肉150克，海带100克。

调料　姜片2片，鸡粉1小匙，精盐1/2小匙，胡椒粉1/3小匙，猪骨汤3杯，植物油1大匙。

做法　①将海带泡发，洗净后切成细丝；瘦猪肉切薄片；蛤蜊放入清水中吐净泥沙，洗净备用。②将海带、瘦猪肉分别放入沸水中焯透，捞出沥干。③锅中加油烧至四成热，先下入姜片炒香，再添入猪骨汤烧沸，然后放入海带、瘦猪肉煮约15分钟，再加入蛤蜊，小火续煮5分钟，最后用精盐、鸡粉、胡椒粉调好口味，即可出锅装碗。

花蛤清汤

主料　花蛤200克，茴香少许，柠檬1片。

调料　精盐适量，胡椒粉1/2小匙，清汤8杯。

做法　①将花蛤放入淡盐水中，使其吐净泥沙，捞出洗净备用。②将花蛤放入沸水锅中，煮至壳张开时，捞出冲洗干净待用。③锅中加入清汤烧沸，下入所有原料，再加入精盐、胡椒粉烧煮入味，放入茴香即可。

草菇海鲜汤

主料　鲜虾5只，蛤蜊200克，墨鱼150克，草菇罐头1瓶，小番茄5个，杏仁30克，银耳50克，香菜末少许。

调料　大葱1/2根，精盐适量，鸡精、胡椒粉各1/2小匙，鱼露1小匙，料酒1大匙，高汤8杯。

做法　①将鲜虾剪去虾须，去虾头、虾壳，挑去虾线，洗净备用。②将蛤蜊泡入水中，加入少许精盐，使之吐净泥沙，洗净；墨鱼去头，切开洗净，剞花刀待用。③将草菇洗净，切成片；小番茄洗净，大葱洗净，斜切成段备用。④汤锅中注入高汤煮沸，下入全部原料、调料煮沸5分钟，再撒入香菜末即可。

圆肉莲子蛤肉汤

主料　蛤蜊肉、莲子各15克，干桂圆肉10克。

调料　精盐适量。

做法　①将桂圆肉洗净；莲子(去心)洗净，用清水浸泡1小时；蛤蜊肉洗净备用。

②将桂圆肉、莲子、蛤蜊肉放入锅内，加入适量清水，用武火煮沸，再转文火续煲2小时，然后加入精盐调味即成。

蛤蜊丝瓜汤

主料　蛤蜊250克，丝瓜100克，香菇、裙带菜各50克。

调料　姜15克，精盐、鸡精、白糖、胡椒粉各1/2小匙，料酒1大匙，白酒1小匙。

做法　①将蛤蜊洗净；香菇洗净，切成丝；丝瓜洗净，切成小块；裙带菜洗净备用。

②坐锅点火，放入姜丝、蛤蜊，烹入少许白酒翻炒2分钟，取出待用。

③锅置火上烧热，放入香菇、丝瓜煸炒一下，再加入清汤，放入蛤蜊、裙带菜煮5分钟，加入调料调味，出锅装碗即可。

玉米菠菜蛤蜊汤

主料　玉米粒1罐，菠菜150克，蛤蜊300克。

调料　精盐适量，胡椒粉、料酒各1大匙，高汤8杯。

做法　①将蛤蜊泡入淡盐水中，吐净泥沙，洗净备用。

②将玉米粒罐头打开，倒出玉米粒沥水；菠菜择洗干净，切段待用。

③汤锅置火上，倒入高汤，加入玉米粒烧沸，再放入蛤蜊，加入调料煮至开壳，然后放入菠菜煮沸即可。

牡蛎白菜年糕汤

主料 牡蛎、年糕各200克，白菜叶100克，洋葱丝少许。

调料 精盐1小匙，味精1/2小匙，料酒2大匙，高汤8杯，香油、色拉油各适量。

做法 ①将牡蛎放在清水中洗去泥沙，入沸水锅中焯烫，捞出沥水；白菜叶洗净，切成条备用。

②炒锅置火上，放入色拉油烧热，下入洋葱丝炒香，再放入白菜叶炒匀，然后烹入料酒，倒入高汤烧沸，再放入年糕、牡蛎炖煮约15分钟，加入精盐、味精调味，淋入香油即可。

牡蛎豆腐白菜叶

主料 豆腐1块，牡蛎150克，白菜叶50克。

调料 香菜10克，葱结、姜片各5克，精盐2小匙，味精、鸡精各1小匙，料酒2小匙，胡椒粉1小匙，香油1小匙，植物油2大匙，鲜汤1000克。

做法 ①将豆腐切块，放开水锅中汆透捞出；牡蛎肉烫一下，捞出漂凉，沥尽水分；白菜叶洗净，香菜切段。②炒锅放植物油烧热，下葱结、姜片炸香，掺鲜汤烧沸，白菜叶，放豆腐块、牡蛎，调入精盐、味精、鸡精、胡椒粉、料酒，炖约8分钟至料入味，起锅盛汤盆内，淋香油，撒香菜段即可。

牡蛎萝卜汤

主料 牡蛎肉200克，白萝卜150克。

调料 葱花少许，精盐、胡椒粉各适量，料酒2大匙。

做法 ①将牡蛎洗净；白萝卜去皮、洗净，切成条备用。

②锅中倒入适量高汤烧沸，再下入萝卜条煮至透明，放入牡蛎肉、料酒汆烫2分钟，然后加入精盐、胡椒粉调味，撒入葱花即可。

党参玉竹牡蛎汤

主料 鲜牡蛎肉100克，党参、玉竹各30克。

调料 精盐适量。

做法 ①将党参、玉竹洗净；鲜牡蛎肉洗净，沥干水分备用。

②锅置旺火上，加入适量清水，再放入党参、玉竹、牡蛎肉煮沸后，然后转文火续煲1小时，再放入精盐调味即成。

西蓝花蛏肉汤

主料 蛏子500克，西蓝花200克，火腿丝少许。

调料 精盐、面粉各适量，鸡精少许，清汤8杯，黄油2大匙。

做法 ①将蛏子洗净，放入盐水中浸泡使其吐净泥沙，再放入沸水中烫至开壳，捞出取肉，撕去筋膜，洗净备用。

②将西蓝花洗净，切小朵待用。

③锅置火上，加入黄油烧至熔化，下入面粉炒匀成油面，再倒入清汤，放入蛏肉、西蓝花、精盐、鸡精煮3分钟即可。

田螺汤

主料 田螺300克，甜橙1个，枸杞子10克。

调料 葱花、姜丝、茴香各少许，精盐适量，胡椒粉1/2大匙，料酒1大匙，淡色酱油2大匙。

做法 ①将田螺浸泡在水中，使其吐出淤泥，洗净后沥水；甜橙洗净，剥下外皮切成丝，橙肉切成片备用。

②锅置火上，注入适量清水煮沸，下入所有原料、调料煮沸5分钟，再撒入茴香，出锅装碗即可。

葛菜解暑汤

主料 海带25克，野葛菜250克(通菜250克亦可)，生鱼1条。

调料 生姜2片，精盐少许，料酒2小匙。

做法 ①将生鱼去鳞、去鳃，除内脏，入清水锅中，加入料酒焯烫一下，去血污、腥味，捞出沥水备用。

②将海带洗净，切成段；野葛菜择去老叶，洗净待用。

③锅中放入海带、生鱼、姜片、料酒、清水煮沸，用慢火煲至将熟时，加入葛菜、精盐煮开即成。

豆芽海带豆腐汤

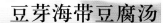

主料 海带120克，豆腐2块，绿豆芽100克，小鱼干60克。

调料 精盐1小匙，胡淑粉2小匙，香油少许。

做法 ①豆腐洗净，切小块；干海带洗净，泡软，捞出切段；绿豆芽洗净，去头尾，备用。

②锅中倒入6杯水烧开，放入小鱼干、豆腐及海带煮熟，加入绿豆芽及调料调匀，最后淋上香油即可盛出。

海带清热汤

主料 海带、绿豆各50克。

调料 红糖50克。

做法 ①将海带用清水冲洗干净，切成段备用。

②将绿豆洗净，用清水浸泡一夜待用。

③锅中放入海带、绿豆，再加入1碗清水，用慢火煲至绿豆熟烂，然后加入红糖搅匀调味，可饮汤食绿豆、海带。

海带芽什蔬汤

主料 海带芽100克(裙带菜)，黄豆芽30克，小西红柿20克，鸡蛋2个，滑子蘑少许。

调料 精盐、鸡精、白糖、胡椒粉、香油各1/2小匙，植物油2大匙。

做法 ①将海带芽洗净，切成小段；西红柿去蒂、洗净，每个切成两半；黄豆芽洗净备用。

②锅中放入植物油烧热，磕入鸡蛋煎成蛋饼(或荷包蛋)，再放入西红柿煎透，然后添入清水，放入黄豆芽、滑子蘑、调料焖煮5分钟，再放入海带芽煮2分钟，加入胡椒粉，淋入香油即可。

降压清热海带汤

主料　海带、海蜇皮各50克，白萝卜1个。

调料　生姜1块，精盐适量。

做法　①将海带洗净，切成段；白萝卜去皮、洗净，切成块备用。
②将海蜇皮洗净，切成丝，加入精盐调味待用。
③将生姜洗净，切成薄片备用。
④将海带、白萝卜、海蜇皮、姜片放入瓦煲内，加入4碗清水煮沸，用慢火煲2小时至萝卜软熟即可。

奶油蘑菇鲜蛤汤

主料　花蛤300克，蘑菇100克，洋葱、西芹、胡萝卜各50克

调料　黄油1大匙，奶油1大匙

做法　①将花蛤洗净。洋葱、蘑菇、西芹、胡萝卜分别切好备用。锅中加水烧开，放入花蛤煮10分钟捞出，留汤备用。
②锅上火放入黄油，下蔬菜炒香，倒入蛤蜊和汤，烧开调味，加入奶油调匀即可。

鲜带子蔬菜汤

主料　鲜带子300克，鲜虾2只，荷兰豆50克，小番茄8个，葱头8个，陈皮少许。

调料　精盐适量，料酒、鱼露各1大匙，高汤8杯。

做法　①将带子洗净，从中间切开，用刀片下带子肉，切成厚片；鲜虾剥去外壳，挑去沙线，洗净备用。
②将荷兰豆、小番茄洗净；葱头去皮，切去两端，洗净；陈皮用清水浸透，洗净待用。
③汤锅中注入高汤，下入葱头、陈皮煮沸，再放入其他原料，加入调料煮至汤汁入味即可。

鲜带子红辣汤

主料　鲜带子300克，菜胆少许。

调料　蒜末15克，白糖1小匙，鸡精1/2小匙，8杯蔬菜高汤，剁椒酱、红糟汁、色拉油各2大匙。

做法　①将鲜带子用尖刀插入两壳之间切开，沿贝壳边缘将肉壳分离，取出净肉，洗净备用。
②将菜胆洗净，从中间切开待用。
③锅置火上，放入色拉油烧热，下入蒜末、红糟汁、剁椒酱、白糖炒香，再倒入蔬菜高汤煮沸，放入鲜带子肉、菜胆煮沸，加入鸡精煮至入味即可。

海米炖冻豆腐

主料　海米50克，冻豆腐1块，小白菜1棵。

调料　姜片、葱结各5克，骨头汤4杯，精盐1小匙，味精、鸡精各2小匙，胡椒粉1小匙，香油2小匙，香菜1大匙，花生油2大匙。

做法　①大白菜洗净，切成大方块，用沸水烫一下；冻豆腐浸泡解冻，切成2.5厘米见方、1厘米厚的块；海米拣净杂质，用热水泡涨，均待用。

②净炒锅上火，放花生油烧热，下姜片、葱结炸香，放白菜叶略炒，掺骨头汤，放冻豆腐和海米，沸后打去浮沫，调入精盐、味精、鸡精、胡椒粉，用中火炖约10分钟至软烂入味，拣出葱结、姜片，盛汤盆内，淋香油，撒香菜段即成。

栗子豆腐

主料　豆腐350克，猪五花肉100克，熟板栗肉150克，腊猪肉50克，熟冬笋50克。

调料　葱末10克，酱油1小匙，白糖1小匙，水淀粉2小匙，植物油25克，精盐3/5小匙，鲜汤适量。

做法　①豆腐切成3厘米见方的丁，用开水余一下，捞出，备用。板栗肉、冬笋都切成3厘米见方的丁。猪五花肉和腊肉切成小方丁，放入炒锅内加鲜汤在中火上煮到九成熟时，捞出肉丁(原汤留用)。

②炒锅烧热，放入原汤，将所有原料下锅，烧沸后加酱油、白糖，用水淀粉勾芡，盛入碗内，撒上葱末即可。

荸荠豆腐紫菜汤

主料　紫菜50克，荸荠10个，豆腐2块，瘦猪肉200克。

调料　生姜1片，精盐少许。

做法　①紫菜浸透发开，淘洗干净，去沙粒；豆腐洗干净后切成粒状；荸荠、瘦猪肉和生姜洗干净。荸荠去蒂、去皮，切成块状；瘦猪肉切成块状；生姜去皮，切片。瓦煲内加入清水，用猛火炖至水滚，加入材料，改用中火继续煲2小时，加精盐少许调味即可。

豆腐丸子汤

主料　豆腐300克，白菜心50克。鸡蛋1个。

调料　精盐、鸡精各1小匙，胡椒粉少许，淀粉45克，清汤500克。

做法　①将白菜心择去老叶，洗净，对剖成4瓣，放入开水锅中煮熟，捞出沥水备用。

②将豆腐洗净，切去四边老皮，用刀剁成蓉泥，包入纱布中，挤去过多水分，放入盆中，加入胡椒粉、精盐、鸡精、淀粉、鸡蛋清搅拌均匀成豆腐糁，再挤成直径2厘米大小的丸子，放入开水锅中煮熟，捞出待用。

③锅洗净置旺火上，加入清汤烧开，再放入白菜心、豆腐丸子煮至熟透，起锅装入汤碗中即成。

主料　豆腐1块，水发香菇50克。胡萝卜少许。
调料　植物油20克，酱油1/2大匙，精盐1/3小匙，鸡精1/4小匙、葱、姜末、花椒面各少许，香油适量。

做法　①水发香菇择洗净，切成小块；豆腐切成小块；胡萝卜洗净，切成象眼片备用。
②上述原料分别下入沸水锅中烫3分钟，捞出沥净水分。
③炒锅上火烧热，加底油，用葱、姜末、花椒面炸锅，添汤，加入豆腐、香菇、胡萝卜片、酱油、精盐，用旺火烧开，移小火慢炖至入味，加入鸡精，淋上香油即可。

蘑菇炖豆腐

主料　取泥鳅150克，豆腐1盒。
调料　酱油、香菜各25克，白糖6克，胡椒粉2克，葱花、生姜末各5克，黄酒20克，精制植物油300克，湿淀粉10克，鲜汤250克。

做法　①先将豆腐切万丁，放入沸水锅中，熄火浸3分钟备用。活泥鳅用沸水冲一下去鱼身黏液，洗净，放入碗中，加黄酒、酱油拌一拌待用。起油锅烧至七成热，将泥鳅投入油锅，炒成金黄色，倒入漏勺沥油。
②原锅留少许油，下葱花、生姜末煸香，放入豆腐、泥鳅，喷酒，加鲜汤，滚烧至豆腐起孔。放入白糖、酱油、味精，烧滚，淋湿淀粉勾薄芡，盛入放好香菜的热煲中，撒上胡椒粉，盖上煲盖即可。

泥鳅炖豆腐

主料　咸鱼头1个，豆腐4块。
调料　生姜1片。

做法　①将咸鱼头洗净，剁成块，入锅稍煎，去腥味；豆腐洗净，切成小块备用。
②将咸鱼头、生姜片放入瓦煲内，加入清水，用猛火煲滚半小时，再放入豆腐煲20分钟即成。

豆腐咸鱼汤

主料　豆腐150克，午餐肉15克，香菇、木耳、冬笋各10克。
调料　姜末适量，精盐、味精、胡椒粉、水淀粉各1小匙，米醋3/5小匙，香油4/5小匙，植物油3大匙。

做法　①将豆腐洗净，切见方条，入沸水锅中焯烫约5分钟，捞出沥水；午餐肉、冬笋、香菇、木耳均切片备用。
②锅置旺火上，放入植物油烧至五成热，下入姜末炒香，再加入鲜汤、冬笋、香菇、木耳、豆腐、午餐肉、胡椒粉、精盐、米醋烧至入味，用水淀粉勾薄芡，然后加入葱花、味精、香油推匀，起锅装入大碗中即成。

酸辣豆腐汤

八宝豆腐汤

主料 豆腐150克，蛋清50克。水发海参、水发鱿鱼须、午餐肉、冬笋、水发香菇、青豆各10克。

调料 精盐、味精各1小匙，水淀粉1大匙，鲜汤500克，猪化油2大匙。

做法 ①将海参、冬笋、香菇、鱿鱼须洗净，同午餐肉均切成粒；青豆放锅中煮熟，捞出投凉，剥去外皮备用。②将豆腐切去粗皮，剁成蓉泥，加蛋清、猪化油、精盐、水淀粉顺同一方向搅拌均匀，再倒入抹油的平盘中，入笼用小火加热，蒸至豆腐糁熟烂取出，晾凉后切成豌豆大小的粒待用。③鲜汤入锅烧沸，放入所有的原料粒，再加入精盐、味精烧至入味，用水淀粉勾薄芡，加入猪化油推匀，起锅装入汤碗中即成。

豆豆汤

主料 内酯豆腐1盒，花芸豆50克，毛豆150克。

调料 香葱花适量，精盐适量，鸡精、蚝油各1/2小匙，高汤8杯，色拉油2大匙。

做法 ①将花芸豆洗净，放入清水浸透，再放入锅中煮熟，取出备用。
②将豆腐切大块；毛豆洗净，剥皮待用。
③锅中加入色拉油烧热，下入香葱花炒香，再加入蚝油、毛豆略炒，然后倒入高汤煮沸，再放入花芸豆、豆腐滚沸，加入精盐、鸡精煮至入味即可。

银耳豆腐汤

主料 豆腐1块，银耳、蟹味菇各50克，胡萝卜1根，红椒丝、莴笋丝各少许。

调料 葱花、姜末各少许，精盐、胡椒粉各适量，味精1/2小匙，香油1小匙，色拉油2大匙。

做法 ①将豆腐先用淡盐水浸泡10分钟，再取出切成条状；银耳用冷水泡软，择洗干净，撕小朵备用。
②将胡萝卜去皮，洗净，切花片；蟹味菇去蒂，洗净待用。
③锅中加入色拉油烧热，下入姜末、葱花炒香，再放入胡萝卜片、蟹味菇、红椒丝、莴笋丝翻炒，倒入高汤，然后加入银耳、豆腐、精盐、味精滚沸10分钟，再撒入胡椒粉，淋入香油即可。

八宝豆腐羹

主料 大豆腐200克，虾仁、鸡肉各50克，冬笋、火腿、青豆、香菇、松子各15克。

调料 精盐1小匙，味精2/3小匙，鸡精少许，水淀粉适量，清汤1碗，葱油1大匙。

做法 ①将大豆腐切成丁；虾仁、鸡肉、冬笋、香菇分别洗净，均切成丁；火腿切成丁备用。
②将上述原料分别入沸水锅中焯水，捞出沥水待用。
③锅中加入清汤，放入原料丁、调料烧沸，用水淀粉勾薄芡，再淋入葱油即可。

主料　豆腐2块，鸡蛋1个，海带100克，紫菜50克，海米15克。

调料　葱末、姜末各15克，精盐、鸡精、胡椒粉、香油各1/2小匙。

做法　①坐锅点火，倒入香油烧热，下葱末、姜末炝锅，再加入适量开水，然后放入豆腐块、海带、海米煮几分钟备用。
②汤碗中放入紫菜、葱花、精盐、鸡精、胡椒粉，鸡蛋打散后淋入锅中，起锅倒入碗中即可。

豆腐汤

主料　豆腐400克，水发发菜100克，笋片25克，鲜蘑菇片25克，番茄50克。

调料　植物油2大匙，淀粉2小匙，黄酒2/5小匙，精盐3/5小匙，味精1/5小匙。

做法　①将植物油烧至八成热，下笋片、蘑菇片炒熟，加入发菜。
②烹入黄酒，加适量水，煮沸5分钟，推下豆腐片、番茄片，待汤再沸时调味，用水淀粉勾薄芡即成。

发菜豆腐汤

主料　豆腐1块，鲜松茸蘑3朵。

调料　清汤4杯，精盐1大匙，酱油、味精各2小匙，鸡粉1小匙。

做法　①鲜松茸蘑用刀削去根部泥沙，在淡精盐水内轻轻洗净，在沸水中煮30秒钟后，在冷水器皿内浸凉备用；豆腐用刀从中部横切一刀，然后切成24块小方丁，在沸水内煮1分钟后晾凉备用。
②把清汤注入小锅内，放入精盐和酱油，上火煮沸。
③把煮好的松茸蘑和豆腐分别放在4个小汤碗内，把煮沸的清汤倒入小汤碗内，即成。

豆腐松茸蘑汤

主料　嫩豆腐1块，鲜虾仁50克，鲜贝25克，乌鱼蛋50克，鸡蛋清1个，水发香菇20克，熟瘦火腿各20克。

调料　香菜1棵，姜片、葱花各5克，精盐、味精各1小匙，料酒、鸡精各1大匙，胡椒粉、干淀粉、香油各1小匙，猪化油5小匙，鲜汤5杯。

做法　①嫩豆腐切骨牌片，用沸水焯透；虾仁洗净，挤干水分，同鲜贝放在小碗内，加料酒、葱姜汁、鸡蛋清和干淀粉抓匀上浆；水发香菇、熟瘦火腿分别切小丁；香菜洗净，切小段。
②净锅上火，放猪化油烧热，下姜片、葱花炸香，掺鲜汤烧滚，放豆腐片，加精盐、胡椒粉，炖约8分钟至入味，接着下乌鱼蛋和上浆的虾仁、鲜贝，以及香菇丁、火腿丁，调入味精、鸡精，续炖约3分钟，起锅盛汤盆内，淋香油，撒香菜段即成。

三鲜豆花羹

海鲜酸辣汤

主料 虾米、鲜贝丁各20克，豆腐1块，鸡蛋1个，黑木耳15克。

调料 水淀粉2大匙，胡椒粉少许，醋2大匙，香油1小匙，味精、精盐各2小匙。

做法 ①将黑木耳用水泡发洗干净，豆腐切成3厘米见方的片，虾米和鲜贝丁洗净。

②将豆腐片、黑木耳放在锅内，加入适量水，置炉火上煮开后放入虾米、鲜贝丁，再加入醋、酱油、精盐和胡椒粉，倒入打匀后的鸡蛋液（边倒边搅），然后用水淀粉调成芡，出锅后淋上香油，撒上胡椒粉、味精即可。

酸辣豆花汤

主料 豆花500克，酥黄豆、酥花生仁、馓子各25克，大头菜末10克，芽菜末少许。

调料 植物油30克，葱花10克，精盐、鸡精各1小匙，花椒粉、胡椒粉各少许，酱油5小匙，辣椒油1大匙，水淀粉、香油各适量，米醋30克，鲜汤800克。

做法 ①将芽菜、大头菜、葱花、酱油、鸡精、米醋、香油放入碗内调匀备用。

②炒锅置旺火上，加入鲜汤、精盐、植物油烧沸，用水淀粉勾芡，再放入胡椒粉、豆花烧沸，倒入汤碗内，然后淋入辣椒油，撒入花椒粉，放入馓子、酥黄豆、酥花仁即成。

青蒜豆腐煲

主料 猪绞肉150克，豆腐2块，青蒜2棵。

调料 酱油1/2大匙，豆豉1小匙，精盐、糖各1小匙，高汤2杯。

做法 ①豆腐洗净，切成三角块，放入热油锅中炸至金黄色，捞出沥干；青蒜洗净，切段；猪绞肉放入碗中，加酱油拌匀，腌10分钟备用。

②锅中留1大匙余油，爆香豆豉及猪绞肉，放入豆腐和酱油、精盐、糖等，焖煮入味，捞出备用。

③沙锅烧热，倒1大匙油，爆香青蒜，加入所有材料拌匀，盖上锅盖，焖煮5～6分钟即可。

泡椒咖喱豆腐

主料 鲜豆腐1块，水发香菇100克，鸡蛋液100克，泡辣椒25克。

调料 咖喱油1大匙，咖喱酱2小匙，咖喱粉1小匙，葱花10克，蒜米、姜粒各5克，香菜段10克，精盐2小匙，味精1大匙，鲜汤2杯，面粉3大匙，泡椒油4小匙，植物油750克（约耗75克）。

做法 ①豆腐切片；鸡蛋液加少许精盐打澥；泡辣椒去蒂、子，剁蓉；水发香菇坡刀片厚片，焯水。②炒锅注入植物油，烧五成热，将豆腐片先拍上一层面粉，抖掉余粉，拖匀鸡蛋液，下油锅中，炸至结壳发硬且金黄时，捞出沥油。③炒锅中放蒜米、姜粒和泡辣椒蓉煸香出色，下咖喱粉、咖喱酱略炒，掺鲜汤，放豆腐片、香菇片，加精盐、味精调味，炖约3分钟至入味，出锅盛盘，撒香菜段和葱花，浇烧热的咖喱油和泡椒油即成。

主料　鸡血50克，豆腐1块，鸡蛋2枚。

调料　香菜末5克，花椒油1小匙，水淀粉5小匙，酱油1大匙，醋1大匙，白胡椒8粒，香油1小匙，葱末5克，味精2/5小匙，高汤2杯。

做法　①将豆腐切丝；将浸熟的鸡血切丝；白胡椒拍碎；将熟白肉切丝；菠菜梗切段；水发木耳切丝；玉兰片切丝。
②坐沸水锅，下豆腐丝，鸡血丝后烧开，捞出沥水；原锅，另换沸水，下菠菜段、木耳、玉兰片丝，一起焯过后捞出，沥水。
③坐油锅，打香油，下白胡椒末炸透，葱末炝匀，打汤，盖盖，烧开，把胡椒味熬出来；捞出胡椒粒，将鸡血、豆腐、白肉、菠菜、木耳、玉兰片丝下锅，加味精、酱油烧开，水淀粉勾薄芡，甩鸡蛋液，放醋，淋花椒油，出锅装入海碗，上桌放香菜末。

酸辣汤

主料　豆腐1块，鸭血200克，豌豆尖100克。

调料　姜25克，葱30克，植物油2大匙，精盐1小匙，酱油2大匙，胡椒粉少许，醋5小匙，味精少许，水淀粉4小匙。

做法　①将鸭血在开水锅中煮至断生捞出，与豆腐分别切成约2厘米见方的小薄片；姜切成细末，葱切葱花，豌豆尖洗净。
②炒锅置旺火上，放猪化油烧热，下姜末炒出香味后掺入汤，放精盐、酱油、胡椒粉，汤开即下豆腐片与鸭血片。
③待汤再开时，用水淀粉勾成流汁芡，再加豌豆尖、味精、醋搅匀起锅。

双色豆腐汤

主料　豆腐1块，牛肉30克，嚛菇、洋葱、陈皮各15克，油菜20克。

调料　姜15克，精盐、白糖、酱油各1/2小匙，料酒1小匙。

做法　①将豆腐切成块，入沸水锅中焯烫去豆腥味，捞出沥水备用。
②锅中加入酱油、料酒、精盐、白糖煮开，再放入嚛菇煮5分钟，然后放入豆腐煮3分钟，再放入牛肉煮5～6分钟，然后放入油菜煮开即可。

美味牛肉豆腐

主料　嫩豆腐（盒装）1盒，熟鸡血、鲜蘑、鸡蛋各50克。

调料　姜丝5克，精盐、鸡粉各1小匙，猪骨汤5杯，水淀粉、植物油各1大匙。

做法　①将熟鸡血冲洗干净，切成1厘米见方的小块；鲜蘑去蒂、洗净，切成小丁；嫩豆腐取出，切成小块；鸡蛋磕入碗中打散备用。②将鸡血、鲜蘑、嫩豆腐分别放入沸水中焯烫一下，捞出沥干水分。③锅中加适量油烧热，倒入鸡蛋液摊成蛋皮，取出切丁，待用。④锅再上火，加油烧至五成热，先下入姜丝炒香，再放入猪骨汤、精盐、鸡粉，烧沸后下入鸡血、鲜蘑、嫩豆腐、蛋皮，再次煮沸，用水淀粉勾芡，即可出锅装碗。

三色豆腐羹

煎豆腐氽菠菜

主料 豆腐2块,菠菜250克。
调料 海米1大匙,酱油、葱花、盐各2大匙。

做法 ①将豆腐切成小薄片,菠菜切成小段用开水烫一下。
②锅内放油,油热把豆腐放入,两面煎成金黄色以后,放上葱花、酱油,添上汤,然后放上海米和适量的盐。
③见开锅以后放入菠菜,再见汤开即可出锅。

豆腐山斑肉片汤

主料 白豆腐1大块,净山斑75克,肉片100克。
调料 胡椒粉1/2小匙,淀粉、草粉、汤味料、高汤、色拉油各适量。

做法 ①将肉片用淀粉拌匀备用。
②锅置火上,放入色拉油烧热,下入山斑煎透,再烹入绍酒,注入高汤烧开,然后加入豆腐、汤味料煮熟,再撒入胡椒粉,起锅成入汤碗中即成。

豆腐生菜肉丝汤

主料 豆腐200克,生菜、肉丝各30克。
调料 精盐、味精、水淀粉、绍酒、清汤、香油、植物油各适量。

做法 ①将豆腐去硬皮,切成小块,入开水锅中焯去豆腥味,再捞入冷水中浸泡;生菜洗净,入沸水锅中焯水,捞出切成粗末;肉丝入沸水锅内焯水,捞出备用。
②炒锅置火上,放入植物油烧热,下入肉丝煸炒,再烹入绍酒,加入清汤、豆腐,然后放入生菜末、精盐煮开,加入味精,用水淀粉勾芡,淋入香油即可。

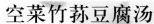

空菜竹荪豆腐汤

主料 冻豆腐1块,空心菜100克,竹荪50克。
调料 精盐适量,鸡精1/2小匙,高汤8杯。

做法 ①将冻豆腐解冻,洗净,切成块;空心菜洗净,切成段备用。
②将竹荪用凉水泡透,择洗干净,切3.3厘米长段待用。
③锅中加入高汤、精盐煮沸,下入豆腐、竹荪、鸡精煮至入味,再放入空心菜煮至翠绿即可。

主料 豆腐1块,生菜150克,芥蓝菜6棵,金针菇12朵,火腿末40克,香菇2朵,黑木耳20克,竹笋半根,银耳适量。

调料 精盐少许,淀粉、面粉各5大匙,蚝油2大匙,高汤1/2杯,白糖、香油各1/2小匙,水淀粉1大匙,色拉油适量。

做法 ①将老豆腐压成泥,加入香菇末、火腿末、精盐、白糖、淀粉、面粉拌匀,挤成椭圆形后入油锅中炸至金黄色,捞出沥油备用。
②锅留底油烧热,放入金针菇、黑木耳、银耳、竹笋、老豆腐及蚝油、高汤、香油、水淀粉煮开,倒入汤锅中,再加入焯烫过的芥蓝菜,用水淀粉勾芡即可。

豆腐什锦煲

主料 豆腐干200克,荷兰豆100克,胡萝卜30克。

调料 精盐适量,鱼露1大匙,姜汁、米醋各1/2小匙,鸡汤8杯。

做法 ①将荷兰豆择洗干净,切去两端;胡萝卜去皮、洗净,切花刀备用。
②将豆腐干切成块待用。
③将鸡汤倒入汤锅中,再放入所有原料及调料,用中火煮沸,转小火焖煮20分钟即可。

荷兰豆煮豆腐干

主料 鸡蛋2个,油炸豆腐皮1张,木耳2朵,黄花菜35克,葱、姜各10克。

调料 酱油1小匙,精盐2小匙,香油1小匙,鲜汤2杯。

做法 ①鸡蛋打入碗内,用筷子打散呈泡沫状;木耳、黄花菜用温水泡好洗净。
②锅置火上,放入鲜汤、油炸豆腐皮、木耳、黄花菜、姜末、酱油、精盐,烧开后勾芡,将鸡蛋液淋入锅内,起锅盛在汤碗内,淋入香油即可。

豆腐皮鸡蛋汤

主料 水豆腐1块,水发香菇片15克,水发干贝100克,蛋清6个,牛奶150克,青豆15克,熟火腿15克。

调料 料酒5小匙,精盐、味精各1大匙,水淀粉3大匙,猪化油5小匙,肉汤1杯。

做法 ①蛋清打入大碗内,放入水豆腐、牛奶、精盐、味精,搅均匀,装入汤盘内,上笼用文火蒸20分钟左右取出,用小刀划成菱形方块。
②干贝用温水洗净放入碗内,加入肉汤、料酒,上笼蒸烂后,倒入炒锅内,加入精盐、味精、火腿片、香菇片、青豆,烧开后,用水淀粉勾芡,淋入少许香油,浇在豆腐上即成。

干贝豆腐汤

乌豆腐竹汤

主料 乌豆、腐竹（豆腐皮）各50克。

调料 精盐、胡椒粉各少许，白糖1小匙，黄豆酱、绍酒各1大匙。

做法 ①将乌豆、豆腐皮用清水浸泡片刻，洗净，豆腐皮切成段备用。
②将乌豆、豆腐皮放入沙锅中，加入适量清水、黄豆酱、绍酒、白糖，先用武火煮沸，再转文火煲2小时，加入精盐、胡椒粉调味即可。

青瓜腐竹素汤

主料 青瓜1根，白果100克，鲜腐竹100克。

调料 陈皮2个，鸡精、盐、味精各1大匙，胡椒粉2大匙。

做法 ①白果去壳，去衣和心，清洗干净；洗干净鲜腐竹；青瓜去皮切段。
②烧滚适量水，放白果、腐竹、青瓜，水滚后改用慢火煲1.5小时，调味即成。

腐竹蛤蜊汤

主料 腐竹150克，蛤蜊300克，芹菜80克。

调料 精盐2小匙，高汤6杯，香油1/2小匙。

做法 ①将蛤蜊洗净，泡水吐沙，再用盐水浸泡3小时，备用。
②将腐竹洗净，以冷水泡软，切成小段；芹菜洗净，择去叶片，切末待用。
③锅中加入高汤烧开，先放入腐竹煮滚，再加入蛤蜊煮至壳开，然后放入精盐、香油及芹菜末，拌匀盛入碗中即成。

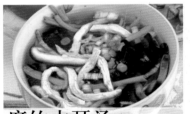

腐竹木耳汤

主料 腐竹150克，水发黑木耳100克。

调料 姜末、葱末各10克，精盐1小匙，味精、水淀粉、香油各1/2小匙，清汤1杯，植物油2大匙。

做法 ①将腐竹放入盆内，加入开水泡至无硬心时捞出，切成小段；黑木耳洗净，撕成小朵备用。
②锅中放入植物油烧热，下入葱末、姜末略炒，再放入腐竹、黑木耳煸炒几下，然后倒入清汤烧沸，转小火炖3分钟，再加入精盐、味精调味，转大火收汁，用水淀粉勾芡，淋入香油即成。

酸辣腐竹汤

主料 腐竹5小段，西红柿1/2个，酸菜1片，黄瓜1/2条，芹菜1棵。

调料 精盐、胡椒粉各1小匙，高汤3碗。

做法 ①将腐竹用清水泡软；西红柿洗净，切成块；黄瓜洗净，切长薄片；酸菜冲水，切小片；芹菜择叶，去根，洗净，切小段备用。
②锅中加入高汤煮沸，再放入腐竹、西红柿块及酸菜片煮至酸菜出味，加入精盐、胡椒粉调味，然后放入芹菜段、黄瓜片略煮即成。

十香大煮干丝

主料 干豆腐200克，火腿50克，香菇30克，芹菜30克，姜丝、葱花各少许。

调料 精盐1小匙，味精1/2小匙，糖少许，鸡汤1碗，葱油少许。

做法 ①干豆腐、火腿、香菇、芹菜切丝，备用。
②净锅注入鸡汤，放入调料，加入干豆腐丝、香菇丝、芹菜、火腿丝同煮3分钟后，淋少许葱油，撒上葱花即可食用。

五豆汤

主料　红腰豆、黑豆、青豆、芸豆、黄豆各20克，生甘草10克。

调料　白糖适量。

做法　①将红腰豆、黑豆、芸豆、黄豆分别用清水泡涨；青豆、甘草洗净备用。

②锅置火上，加入适量清水煮滚，再放入所有原料，加入白糖，用大火煮开，然后转小火煮40分钟即可。

肉丝黄豆汤

主料　黄豆500克，猪腿肉250克，肉骨头500克。

调料　猪化油3大匙，酱油1大匙，精盐2小匙，黄酒5小匙，味精少许，鲜汤8杯。

做法　①黄豆放在凉水中浸泡半天后，放入铁锅里，加上肉骨头和水，用小火煨酥；猪肉切成3.3厘米长的丝。

②将锅烧热，用油滑锅后将肉丝放入爆炒一下，烹入黄酒，加入味精、精盐、酱油，再加黄豆、鲜汤烧沸后，淋上猪化油，撒上葱花即成。

绿豆老鸭汤

主料　绿豆120克，土茯苓24克，老鸭1只。

调料　生姜数片，精盐适量，料酒2小匙。

做法　①将老鸭洗涤整理干净，入沸水锅中，加入料酒焯烫去腥味，捞出洗净备用。

②将绿豆用清水泡软，冲洗干净；土茯苓洗净待用。

③煲内放入绿豆、老鸭、土茯苓，再加入5碗清水、姜片烧沸，煲约4小时，加入精盐调味即可。

绿豆芹菜汤

主料　绿豆、芹菜各60克，鸡蛋清1个。

调料　精盐适量。

做法　①将绿豆洗净，用清水浸2小时，拣去浸不发的死豆；芹菜择去叶，洗净，切成段备用。

②将绿豆、芹菜放入搅拌机内，加入适量清水搅成泥状待用。

③锅中放入2碗清水煮沸，再倒入绿豆芹菜泥搅匀煮沸，然后淋入蛋清推匀，加入精盐调味即成。

绿豆马蹄爽

主料　绿豆、马蹄各100克。

调料　冰糖100克，糖桂花1/2小匙。

做法　①将绿豆洗净，用清水泡2个小时；马蹄洗净，放入盐水中泡一下，捞出备用。

②锅中加入清水、绿豆煮至绿豆开花，再放入马蹄煮20分钟，然后加入冰糖、糖桂花煮至溶化，晾凉即可。

银芽香芒青瓜汤

主料　银芽200克，芒果、青瓜各1个。

调料　生姜1块，精盐少许。

做法　①将银芽洗净，捞出沥水；芒果去皮、去核，切成条备用。

②将青瓜洗净，切开去瓜瓤，再切成片待用。

③将生姜刮去姜皮，洗净，切成片备用。

④瓦煲内加入适量清水烧开，再放入银芽、青瓜和生姜煮沸片刻，然后放入芒果肉稍煮，加入精盐调味即可。

金针云耳鸡汤

主料　金针25克，云耳25克，节瓜2根，老鸡1只，瘦肉300克，红枣4粒。

调料　姜2片，精盐1大匙，味精2小匙，胡椒粉2大匙。

做法　①金针和云耳用水浸片刻，清洗干净；节瓜去皮，洗干净后切成厚块；红枣去核后洗干净。

②洗干净老鸡和瘦肉，过水后再冲干净。

③烧滚适量水，下金针、云耳、节瓜、老鸡、瘦肉、红枣和姜片，水滚后改用慢火煲2.5小时，下精盐调味即成。

牛蒡红枣煲土鸡

主料　牛蒡1根，土鸡半只，红枣8颗，枸杞子20颗，姜1块。

调料　精盐1小匙。

做法　①将土鸡洗净，牛蒡去皮切成块，泡入水中。

②锅中倒入水，大火煮沸后，放入鸡焯烫至变色后捞出，锅中的水倒掉不要。姜切成片，或用刀拍散。

③将焯好的鸡放入沙锅中，一次性倒入足量冷水，大火煮开后，改成中小火，放入姜片、牛蒡、红枣和枸杞子，盖上盖子煲2小时，调入精盐即可。

芥菜鸡汤

主料　鸡1/2只（或鸡腿2只），芥菜心1个。

调料　姜2片，精盐1小匙，料酒1大匙。

做法　①将鸡洗净，剁成块，入沸水锅中焯烫除血水，捞出冲净备用。

②将芥菜心一片片剥下，洗净，切小段，放入沸水中焯烫，捞出冲凉待用。

③锅中加入清水烧开，放入鸡块，再加入姜片、料酒烧开，然后转小火煮15分钟，再放入芥菜烧15分钟，加入精盐调味即可。

红汤什锦

主料　熟鸡肉50克，熟无骨凤爪50克，黄凉粉50克，熟白肉50克，熟肚50克，面条50克。

调料　味精、香油各1/3小匙，葱油、酱油各1小匙，鲜汤、熟芝麻各1大匙，红油2大匙，黄瓜1根（约200克），橙子1个（约250克），香葱15克。

做法　①将熟鸡肉片薄片，熟无骨凤爪切成4瓣，黄凉粉切成指宽薄片，熟白肉片成片，熟肚切薄片，面条切成长短均匀的段，香葱洗净切节待用，黄瓜洗净切成半圆片，橙子洗净切片待用。②面条段放入沸水锅中煮熟捞出，投凉待用；取一盘，将香葱节垫底，面条铺在中间，将上述原料依次摆放入盘中成风车形，用黄瓜片和橙片围边。③用酱油、味精、香油、葱油、红油、鲜汤调匀成味汁，淋入盘中，撒上熟芝麻即成。

党参红枣陈皮鸡

主料　公鸡1只，党参18克，红枣10个，桂皮、陈皮、草果各25克。

调料　葱段、姜片、胡椒粉各25克，精盐1小匙，酱油1大匙。

做法　①将鸡宰杀，去毛、内脏、脚爪，洗净，放沸水锅内余一下，捞出；将党参、红枣、草果、陈皮、姜等分别洗净，装入纱布袋，扎口。
②锅中放入鸡、药袋、葱、姜、精盐、酱油、胡椒粉，注入适量清水，大火烧开，文火炖至肉熟烂，盛入汤盆中，拣出药袋、葱段即成。

核桃炖鸡

主料　红枣5个，核桃仁各20克，公鸡1只。

调料　姜、葱各15克，料酒2大匙，精盐4小匙，酱油2小匙，味精1大匙，白糖2小匙，植物油2大匙。

做法　①鸡宰杀后去毛、内脏，洗净，切成3厘米见方的块；姜切丝，葱切段。
②锅中加入植物油，烧至六成热，放入鸡块煸炒，加入料酒、姜丝、葱段、白糖、酱油，煸炒至上色后，再加适量水、核桃仁、红枣烧沸，移至文火上加盖炖1小时左右即可。

干贝香瓜鸡肉锅

主料　鸡1/2只，香瓜1/2个。

调料　干贝5粒，草菇5朵，姜数片，盐2小匙。

做法　①鸡洗净，剁成小块，放入滚水中余烫1分钟，捞起，以清水洗净备用。
②干贝洗净，放入汤锅中，加入姜片和适量的水以大火滚煮10分钟，再加入鸡肉以小火煮20分钟。
③香瓜去皮，挖子，切成块状；草菇洗净，与香瓜一起放入鸡汤内滚煮3分钟，加盐调味即可。

鸡肉丸子汤

主料　鸡肉末200克，鲜香菇4个，香菜15克，干海带5克。

调料　姜15克，淀粉3大匙，大酱4大匙，辣椒粉1大匙，精盐1小匙。

做法　①姜用刀削去外皮，放在纱布内挤出汁，放在小碗内备用。②淀粉用适量水调稀；把鸡肉末放在器皿内，调成肉糊状。③鲜香菇用刀削去根部泥沙，轻轻用水洗净，每个切成4瓣；干海带用水浸泡，待体软后洗净泥沙，用剪子剪成佛手形备用；大酱放在器皿内，用150克水调稀；香菜用水洗净，切去根部，再切成3厘米长的段备用。④锅内放入水1000克，放入佛手形海带，上火煮沸，捞出海带（不用），把鸡肉糊搓成24个丸子放入锅内，煮熟后，放入大酱、香菇、香菜，煮2分钟即可，撒入适量辣椒面，盛入汤碗内，即可食用。

醉糟鸡

主料 净母鸡1只，白萝卜400克，辣椒1个，红糟75克。

调料 精盐、味精、五香粉、料酒、白糖、香醋、高粱酒、鸡清汤各适量。

做法 ①将鸡在膝部用刀稍拍一下，放入冷水锅中用微火煮10分钟，将鸡翻身再煮10分钟。②将鸡块切成4块，留下鸡脚、鸡头劈片、翅膀切成2段，加味精、精盐、高粱酒调匀，密封腌1小时翻一翻，再腌1小时后，将调料倒入再腌1小时，去红糟，轻轻取出鸡肉放在砧板上，切成片，排在盘中，拼成鸡形。③将白萝卜洗净、切条，每条相对两面剞十字花刀成蓑衣萝卜，在盐水中浸30分钟。辣椒切丝放在碗中，加白糖、香醋调匀，再放蓑衣萝卜浸渍20分钟，取出沥干，放在鸡肉两边。

红葱头沙姜焗鸡

主料 光鸡1只（约1000克）。

调料 淡汤20克，红葱头30克，沙姜30克，花雕酒1大匙，生抽2大匙，白糖1大匙，生粉1/2大匙，生粉2小匙。

做法 ①将光鸡砍块洗净，放少许生抽，生粉拌匀。
②将拌匀的鸡件拉油或煎香。
③爆香红葱头，沙姜后，再放煎好的鸡件，一同炒香即可。

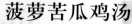

菜胆炖鸡

主料 净鸡半只，菜胆适量，金华火腿25克，红萝卜100克。

调料 姜2片，精盐适量。

做法 ①将鸡洗净，剁成大块，入沸水锅中焯水，捞出冲净，沥水。
②将菜胆洗净，放入沸水锅内焯烫至软，取出用凉水冲凉，沥干水分；火腿切片；红萝卜去皮、洗净，切成厚片待用。
③将菜胆放入炖盅内，再放入鸡块、红萝卜、火腿、姜片，入锅用猛火隔水炖半小时，再转慢火炖2小时，加入精盐调味即成。

菠萝苦瓜鸡汤

主料 土鸡半只（约500克），苦瓜1条，菠萝罐头1罐。

调料 葱2根，姜4片，胡椒粉、料酒各1大匙。

做法 ①将鸡剁成小块，入沸水锅中焯烫一下，捞出洗净；苦瓜剖开，去子、洗净，切成块备用。
②汤锅置火上，加入8杯清水烧沸，下入鸡块和葱、姜、料酒煮滚，转小火炖煮约20分钟，然后加入菠萝罐头、苦瓜煮30～40分钟至熟烂，加入精盐、胡椒粉调味即可。

百果鸡煲

主料　肥母鸡1只，白果、红枣、桂圆、荔枝各10个，枸杞子20个。

调料　葱结、姜片各10克，精盐2大匙，味精1大匙，鸡精2小匙，胡椒粉2大匙。

做法　①将肥母鸡宰杀放血后，用85℃热水烫一遍，拔毛洗净，从背部切开，取出内脏，洗净血污，剁去爪尖，同冷水入锅，沸后煮约10分钟，捞出再用清水漂洗净污沫，控干水分。

②取一大号汤锅，放入肥鸡(腹朝上)、白果、红枣、桂圆、荔枝、枸杞子、葱结、姜片和胡椒粉，添入适量清水，旺火烧沸后，改小火炖约1.5小时至鸡肉软烂时，调入精盐、味精、鸡精，续炖约10分钟至入味，离火，即可原锅上桌食用。

鸡汤煮云丝

主料　云丝100克，鸡肉200克，香菇50克，火腿粒、玉米粒各少许，香菜适量。

调料　精盐适量，酱油1小匙，料酒1大匙，鸡汤6杯。

做法　①将云丝用温水泡软，鸡肉洗净，切成条；香菇洗净；香菜择洗干净，切段备用。

②汤锅中加入鸡汤煮沸，下入云丝、鸡条、香菇、玉米粒、酱油、料酒、精盐，用旺火煮沸，待汤汁味浓时，放入火腿粒、香菜即可。

桂圆炖鸡肉

主料　鸡肉300克，桂圆肉、鲜笋各50克，娃娃菜100克，枸杞子10克，鸡蛋清1个。

调料　葱、姜各15克，精盐、白糖各1小匙，料酒、高汤精、水淀粉各1大匙，植物油3大匙。

做法　①将鸡肉洗净，切成块，加入精盐、料酒、鸡蛋清腌制片刻备用。

②将鲜笋洗净，切成小块；娃娃菜洗净，切成4瓣待用。

③坐锅上火，倒入植物油烧热，下入鸡肉煸炒，再放入葱、姜、笋块爆香，然后加入料酒、精盐、白糖、高汤精、适量清水，放入桂圆肉、枸杞子烧沸，再倒入电沙锅中煲10分钟，最后放入娃娃菜再煮5分钟即可。

清汤把心鱼翅

主料　熟鸡肉300克，鱼翅、熟火腿、鸡脯蓉、笋尖各200克，海带丝(20厘米长，30根)约50克，鸡蛋2个。

调料　精盐1小匙，味精1/2小匙，胡椒粉少许，料酒100克，鸡汤750克，清汤适量。

做法　①将鱼翅洗净，用水发涨，入沸水锅煮一下，再入清水内漂洗；鸡蛋2个摊成蛋皮，与火腿、鸡肉、笋尖分别切成粗丝各300根，每种分成30份，每份10根和一根鱼翅用海带丝扎成把，共30把，用热汤漂起。

②锅内倒鸡汤，置旺火上烧至微开，用少许清水将鸡蓉澥散倒入锅内，打尽浮沫，再加入味精、精盐、胡椒粉、料酒烧开，然后将鱼翅捞入大碗内摆成万字形，浇入汤汁即成。

桂圆红枣鸡煲

主料 鸡1只，桂圆肉50克，红枣15粒。
调料 精盐2小匙。

做法 ①将鸡洗涤整理干净，剁成块，入沸水锅中焯烫，捞出沥水；桂圆肉、红枣洗净备用。
②将所有原料放入沙锅中，加入清水没过材料，用大火煮沸，再转小火炖约50分钟，加入精盐调味即可。

田七木瓜子鸡汤

主料 田七6克，木瓜1个，净子鸡1只，小番茄5个。
调料 姜3片，精盐适量。

做法 ①将子鸡去头、洗净，剁成块，入沸水锅中焯透，捞出沥水备用。
②将木瓜去皮、子，切成块；小番茄洗净，切成两半待用。
③坐锅点火，加入清水烧开，再下入子鸡块、田七、木瓜、姜片烧沸，然后转小火续煲2小时，再放入小番茄稍煮，最后加入精盐调味即可。

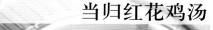

当归红花鸡汤

主料 母鸡1只，当归15克，红花3克，甜橙1个，无花果2个。
调料 精盐适量。

做法 ①将母鸡宰杀，洗涤整理干净，斩去鸡腿、鸡头，剁成块，放入沸水锅中焯烫去血污，捞出备用。
②将甜橙去皮，切瓣；无花果切开；当归、红花分别洗净待用。
③煲内加入清水烧沸，放入所有原料用旺火烧开，转小火煲2小时，再加入精盐调味即可。

人参田七炖鸡肉

主料 鸡肉200克，高丽参10克，田七5克。
调料 生姜2片，精盐适量。

做法 ①将鸡肉、生姜洗净备用。
②将高丽参洗净，切成片；田七洗净，切成小粒待用。
③将全部原料放入炖盅内，再加入适量开水，盖严盖，入锅用文火隔水炖3小时，放入精盐调味即可。

归圆鸡肉汤

主料　鸡肉150克，当归30克，桂圆肉100克。
调料　精盐适量，胡椒粉少许，料酒1大匙。
做法　①将当归、桂圆肉分别洗净备用。
②将鸡肉洗净，切成片，入沸水锅中焯烫一下，捞出待用。
③将全部用料放入煲内，加入料酒、12杯清水，用文火煲2小时，再加入精盐、胡椒粉调味即可。

冬菇栗子鸡肉汤

主料　光鸡半只，鲜栗子肉500克，冬菇30克。
调料　生姜2片，精盐、料酒各适量。
做法　①将栗子肉用开水烫一下，稍浸后捞出，剥去衣；冬菇用水浸软，去蒂、洗净备用。
②光鸡洗净，剁成块，入沸水锅中，加入料酒焯烫，捞出沥水。
③汤锅中加入适量清水，放入鸡块、栗子、姜片，先用武火煮沸，再转文火煲1小时，然后放入冬菇煲20分钟，加入精盐调味即成。

栗子参鸡汤

主料　童子鸡1只，人参30克，栗子50克，大米、糯米各25克，大枣5粒，枸杞子10克，姜片、橙皮丝各少许。
调料　胡椒粉少许，绍酒1大匙。
做法　①1.将童子鸡切去鸡爪、鸡头，洗净；大枣、栗子洗净；大米、糯米淘洗干净，放入容器内拌匀，填入鸡腹内，用竹扦封好填充口备用。
②锅中加清水，放入童子鸡用大火烧开，再加姜片、人参、枸杞子、大枣、栗子，转小火煲2小时，然后加入精盐、胡椒粉、橙皮丝续煲5分钟入味即可。

咖喱鸡汤玉米笋

主料　嫩鸡肉300克，玉米笋1瓶。
调料　白、绿葱丝、姜末各少许，精盐适量，咖喱粉、鸡汁各1大匙，酱油3小匙，鸡汤8杯。
做法　①将鸡肉洗净，切成厚片，再顶刀切成条备用。
②将玉米笋开瓶，倒出控水，从中间切开待用。
③汤锅中加入鸡汤烧沸，下入鸡肉、玉米笋，再放入咖喱粉、姜末、酱油、精盐煮至原料熟透时，撒入葱丝出锅即可。

番茄汤丸

主料 鸡肉200克,虾仁100克,猪肥膘肉50克,番茄1个,胡萝卜1根,碎芹末、洋葱粒、青豆各少许。

调料 精盐适量,鸡精1/2小匙,料酒、姜汁各1大匙,鸡汤6杯,香油少许,色拉油2大匙。

做法 ①将鸡肉、猪肥膘肉、虾仁分别洗净,放入搅肉机中搅打成泥,再放入容器中,加入少许精盐、料酒、姜汁搅拌上劲备用。②锅中加清水烧沸,转小火,将肉馅制成肉丸,入锅余熟待用。③将番茄用热水烫去外皮,切丁;胡萝卜去皮、切丁备用。④锅中加色拉油烧热,下洋葱粒、番茄丁炒软,再加鸡汤,放入其他原料、调料煮至入味,然后撒入碎芹末,滴入香油即可。

芦笋南瓜乌鸡汤

主料 乌鸡400克,猪瘦肉、芦笋各100克,南瓜150克。

调料 葱花、姜片、花椒粒各少许,月桂叶2片,精盐适量,鸡精1/2小匙,料酒1大匙,色拉油2大匙。

做法 ①将乌鸡洗净,剁成大块,放入沸水中焯烫,捞出洗净备用。
②将猪瘦肉洗净,切成片;芦笋洗净,切成段;南瓜去皮、去瓤,洗净,切成块待用。
③锅中加入色拉油烧热,下入葱花、姜片炒香,再放入猪瘦肉、南瓜翻炒片刻,然后烹入料酒,倒入适量清水煮沸,再放入乌鸡、芦笋、调料炖至熟烂时,拣出月桂叶即可。

竹荪甜角乌鸡汤

主料 发好的竹荪、净乌鸡肉各150克,云南甜角100克,枸杞子少许。

调料 精盐、米酒各1小匙,胡椒粉少许,鸡汤适量。

做法 ①将竹荪洗净,切成段;云南甜角去皮,留肉,洗净;乌鸡肉洗净,入滚水中焯透备用。
②锅中注入鸡汤,放入竹荪、甜角、乌鸡肉、枸杞子,用大火烧沸,打去浮沫,再加入精盐、米酒、胡椒粉,然后转小火炖至入味,出锅即可。

天麻老鸡汤

主料 净老鸡600克,天麻、枸杞子各少许。

调料 姜片25克,精盐1小匙,味精1/3小匙,鸡汤2碗,色拉油2大匙。

做法 ①将老鸡洗净,剁成块,入沸水锅中焯水;天麻用温水泡开备用,枸杞子洗净。
②锅中加入鸡汤烧开,放入鸡块、天麻、枸杞子和姜片同煮,待鸡块煮熟后,加入调料调味即可。

家鸡香芋豆腐

主料	净家鸡400克，芋头150克，素鸡豆腐200克。

调料 葱花少许，精盐1小匙，味精1/2小匙，白糖、老抽各适量，老汤3碗，色拉油2大匙。

做法 ①将家鸡洗净，剁成块，入沸水锅中焯水；芋头去皮、洗净，切成块；素鸡豆腐切成块备用。
②锅中放入色拉油烧热，下入葱花炝锅，再添入老汤，放入家鸡、芋头、素鸡豆腐，然后加入调料煮25分钟即可。

天麻煨鸡汤

主料 天麻片30克，老母鸡1只。
调料 精盐适量。

做法 ①将老母鸡宰杀，去毛、除内脏，用温水冲洗干净备用。
②将天麻片择洗干净，放入鸡腹中待用。
③将整鸡放入沙锅中，加入清水淹过鸡背2厘米，再用文火煨至鸡肉熟烂，加入精盐调味即可。

枣杞鸡汤

主料 红枣10粒，枸杞子30克，仔鸡1只（500克）。
调料 生姜1块，精盐适量，料酒1大匙。

做法 ①将仔鸡用热水去毛、除内脏，洗净备用。
②将红枣洗净，去核；枸杞子用清水浸软；生姜去皮、洗净，切成丝待用。
③锅中放入仔鸡、红枣、枸杞子、姜丝，再加入清水煮沸，然后加入料酒，用小火炖1小时至仔鸡烂熟，加入精盐调味即可。

绍菜粉丝汤

主料 光鸡半只，绍菜500克，粉丝200克。
调料 姜2片，料酒1大匙，精盐适量。

做法 ①将光鸡半只，去头斩块，洗净待用。
②将鸡块在沸水中焯透，捞出备用；绍菜、粉丝、姜分别洗净，待用。
③绍菜切粗块，与鸡块和姜齐入煲内，加料酒煮沸，再用慢火煲煮1小时；将好时加粉丝，精盐调味即可。

三莲鸡肉汤

主料　光鸡半只，莲花2朵，莲子60克，莲藕500克，红枣10粒。

调料　生姜2片，精盐适量，胡椒粉少许，料酒1大匙。

做法　①将莲花去梗、莲子去心、莲藕去节、红枣去核。将光鸡除去肥油和鸡皮，斩块。用半大匙植物油起锅，放鸡块和姜片稍爆。

②把鸡块、莲子、莲藕、红枣一起入锅，加料酒、清水适量。先武火煮沸后，再文火慢煲1.5小时。最后放入莲花续煲10分钟，用精盐、胡椒粉调味即可。

黑豆参竹母鸡汤

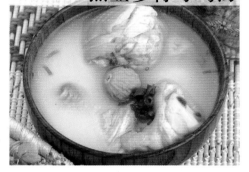

主料　母鸡肉750克，黑豆50克，沙参、玉竹各25克，无花果8粒。

调料　精盐适量，香油少许。

做法　①将母鸡肉洗净，斩成大块，入沸水锅中焯煮一下，捞除备用。

②将黑豆用清水浸泡一夜，淘洗干净待用。

③将沙参、玉竹、无花果用温水稍浸，洗净备用。

④汤锅中加入3000克清水烧开，放入鸡肉、黑豆、沙参、玉竹、无花果烧沸，再转小火煲3小时，加入精盐，淋入香油即可。

滋补鸡汤

主料　白条老母鸡1只（约1500克），猪排骨2根。

调料　葱、姜各5克，精盐、料酒各1小匙，鸡精2小匙。

做法　①将猪排骨洗净，剁成段；母鸡去内脏、洗净备用。

②锅中加入适量清水烧沸，放入猪排骨、母鸡、葱、姜、料酒、精盐，用小火焖煮（以水不沸腾为宜，使鸡肉和排骨中的蛋白质、脂肪等营养物质充分溶于汤中）约3小时，至鸡肉脱骨时，加入鸡精即可。

猴头菇炖竹丝鸡

主料　鲜猴头菇180克，竹丝鸡1只（约700克），红枣5粒。

调料　生姜1块，陈皮1块，精盐适量，料酒少许。

做法　①将猴头菇洗净，切厚片；红枣去核，洗净备用。

②将竹丝鸡洗涤整理干净，剁成大块，入沸水锅中焯烫去血污，捞出沥水待用。

③将猴头菇、竹丝鸡、红枣、陈皮、生姜放入炖盅内，加入适量开水、料酒，炖盅加盖，入锅用文火隔水炖2～3小时，加入精盐调味即成。

糯米炖鸡

主料 光鸡1只，糯米250克，瑶柱2粒。
调料 姜1片，精盐适量，料酒1/2大匙。

做法 ①将糯米洗净，捞出沥水，入锅干炒至微黄色，取出备用；将糯米放入锅中，加入适量清水煲成粥，盛出5杯粥水待用。
②将瑶柱用清水浸软，洗净备用。
③将光鸡放入沸水锅中煮10分钟，取出洗净，剁成大块待用。
④将鸡块、粥水、瑶柱、姜片、料酒放入炖盅内，入锅隔水炖3小时，加入精盐调味即成。

栗子炖鸡

主料 公鸡1只，栗子200克，胡桃仁20克，甜杏仁10克，红枣5粒。
调料 葱段、姜丝、精盐、味精、白糖、绍酒、酱油、熟猪油各适量。

做法 ①甜杏仁、胡桃仁用沸水浸泡去皮，捞出沥水，放入温油锅内炸至金黄色，捞出将甜杏仁碾成末。
②将栗子切成两半，入沸水中煮片刻，捞出去壳衣；鸡洗净，剁成块待用。
③锅中放入猪油烧至七成热，下入鸡块翻炒，加入绍酒、姜丝、葱段、白糖、酱油炒至鸡肉上色，再加入清水、胡桃仁、红枣煮沸，加盖转文火炖1小时，然后放入栗子焖至鸡肉熟烂，加入精盐、味精调好味，再撒上杏仁末即成。

百合土鸡汤

主料 小土鸡1只，百合2个，枸杞子15克。
调料 精盐1小匙，鸡精少许。

做法 ①将土鸡洗涤整理干净，剁成块，入沸水锅内焯烫，捞出沥水；百合洗净，切成小块备用。
②将土鸡放入大汤碗内，加入清水淹过土鸡，入笼用大火蒸1小时，再加入百合、枸杞子继续蒸约20分钟，最后加入精盐、鸡精调味即可。

鲜山药土鸡汤

主料 土鸡1只，鲜山药500克，红枣20粒，香菇10片。
调料 精盐1小匙、白糖、胡椒粉各1/2小匙。

做法 ①将土鸡宰杀，褪毛、除内脏，洗净，剁成块，入沸水锅中焯烫，捞出洗净；红枣用清水浸泡备用。
②将鲜山药去皮、洗净，切成块；香菇去蒂、洗净待用。
③锅中放入土鸡、山药、红枣、香菇，加入适量清水烧沸，炖至土鸡熟烂、山药松软时，加入精盐、白糖、胡椒粉调味即可。

玉竹杞子汤

主料 老母鸡1只，玉竹、淮山各30克，枸杞1大匙，红枣10枚。

调料 老姜3片，精盐适量。

做法 ①所有材料洗净。鸡去皮斩为4块。锅内加水烧开，放入鸡块焯透捞出。

②煲内加适量水，下所有材料，煲滚后改小火煲1小时，下精盐调味即可。

薏米冬瓜炖土鸡

主料 净土鸡1只，冬瓜100克，薏米50克。

调料 陈皮、葱、姜各15克，精盐、胡椒粉、酱油各1大匙，高汤精1/2大匙，植物油2大匙。

做法 ①将土鸡洗净，剁成块；冬瓜洗净，切成块；薏米淘洗干净备用。

②坐锅点火，倒入植物油烧热，下入鸡肉块煸炒，再加入酱油、葱、姜、精盐、高汤精、胡椒粉调味，然后放入冬瓜，加入适量清水烧焖片刻，再倒入电压力锅中，放入薏米压8分钟即可。

虫草鸡

主料 虫草8～10根，嫩母鸡1只（重约1500克）。

调料 葱白10克，味精1大匙，姜3片，精盐1小匙，料酒1大匙，胡椒粉2大匙，鸡清汤8杯。

做法 ①鸡宰杀后处理干洗净，在沸水锅内略焯片刻去掉血水，捞出洗净；虫草洗净；姜切片、葱切段。②将鸡头顺颈劈开，取3～5根虫草放入鸡头和颈内，用棉线缠紧，余下虫草同姜、葱一起装鸡腹内，放罐子中，注入清汤，加精盐、料酒、胡椒粉，用绵纸封口上笼蒸烂。③出笼后，揭去绵纸，拣去葱段、姜片，加味精调味即成。

香油鸡汤

主料 鸡半只（约500克）。

调料 老姜10片，精盐1小匙，味精少许，白糖2小匙，绍酒500克，清水5杯，香油4大匙。

做法 ①将鸡洗净，去除肥油，切成块备用。

②锅中倒入香油烧热，下入姜片爆香，放入鸡块爆炒1分钟，再倒入绍酒烧开，然后加入清水、白糖、精盐、味精烧沸，转小火煮约20分钟，出锅装碗即可。

八宝老鸡煲精肉

主料 党参10克，茯苓10克，炒白术10克，炙甘草6克，熟地15克，白芍10克，当归15克，川芎7克，肥母鸡肉2500克，猪肉1000克。

调料 葱段1段，生姜3片，精盐1大匙，味精1小匙，肉汤适量。

做法 ①以上药物按量配齐后，用纱布袋装好扎口。

②将猪肉、鸡肉和药袋放入锅中，加肉汤适量，用水烧开，撇去浮沫，加葱、姜，用中小炖3小时至鸡肉熟烂，待汤汁浓白时将药袋、姜、葱捞出不用。装入碗中，汤调味鸡肉、猪肉一同食用即可。

菊花老鸡汤

主料 老鸡半只，菊花5朵，枸杞子10颗，冬虫夏草5根，西洋参5～6片。

调料 姜5克。

做法 ①先把菊花、枸杞子用水浸泡。

②再把去皮的老鸡，以及冬虫夏草和西洋参放在沙锅里炖煮，炖到六七分熟时，倒入泡发的菊花和枸杞子续煮至鸡肉熟烂，调味后即可食用。

平菇煨鸡汤

主料　鲜平菇5朵，母鸡1只（约1250克）。

调料　葱段、姜片各5克，料酒1小匙，酱油1大匙，绵白糖1小匙，八角3粒，植物油1大匙。

做法　①将鸡初加工后洗净，剁成小方块，将内脏中的肫肝整理干净；平菇洗净，切成块。②炒锅置旺火上，放入油烧热，下葱段、姜片炸香，倒入鸡块、肫、肝煸透，盛起装入沙锅，加入精盐、酱油、绵白糖、八角、料酒及适量清水（以淹没鸡块为准），烧沸，盖上盖，用小火煨至八成烂时，倒入平菇块，再煨上15分钟即可。

杏仁煲鸡

主料　母鸡1只（约重1300克），甜杏仁15个。

调料　料酒2大匙，精盐1大匙，白糖2小匙，胡椒粉2小匙，葱段4段，姜10片，鸡清汤2杯。

做法　①鸡去掉头颈，背脊开膛，去内脏，洗净；葱切段，姜切片；杏仁用开水稍泡，剥去红衣。
②把鸡、杏仁、葱、姜放入大汤钵内，加入鸡清汤、料酒、精盐、白糖、胡椒粉，隔水蒸，蒸烂后取出，拣去姜、葱，撇去浮油，调好口味即成。

香菇滑鸡煲

主料　香菇3朵，当归20克，嫩母鸡1只（约1500克）。

调料　葱、姜各35克，料酒1大匙，味精2小匙，胡椒粉2大匙，精盐1小匙，清汤8杯。

做法　①鸡宰杀后去毛，去内脏，剁去爪洗净，用沸水焯去血水，捞在凉水内冲洗干净；当归洗净，视其大小切成片；姜切片，葱切段。
②将当归、香菇装入鸡腹，放入罐子内，腹部向上，摆上葱、姜，注入清汤，加入精盐、料酒、胡椒粉，用绵纸封口，上笼蒸约2小时至鸡熟烂。③揭去绵纸，拣去葱、姜，加入味精调好口味即成。

蒜头鸡汤

主料　鸡半只（约300克）。

调料　姜5片，大蒜20粒，精盐1小匙，味精1/2小匙，胡椒粉2小匙。

做法　①鸡洗净、切块，姜去皮、切片，一起放入滚水中余烫，捞出沥干；大蒜去皮备用。
②压力锅中放入鸡块、大蒜、姜片及10杯水，盖紧锅盖以大火煮开，改小火再煮10分钟，打开锅盖，加调味料调匀即可。

五珍养生鸡

主料　黄雌鸡1只（约1500克），黄精、枸杞子、女贞子、首乌各20克，旱莲草15克。

调料　生姜、葱白各10克，料酒1大匙，精盐4小匙，味精2小匙。

做法　①将黄精、枸杞子、女贞子、首乌、旱莲草洗净切碎，装纱布袋中扎口，放碗内，加温水浸泡；黄雌鸡洗净，剁成块，焯去血水，漂净；生姜切片；葱白切段。
②汤锅中放鸡块、姜片、葱结和纱布袋，加适量清水和料酒，旺火煮沸，小火炖约2小时至鸡肉软烂时，放精盐、味精调味，续炖约20分钟，拣出纱包和葱结、姜片即可。

四川鸡汤

主料　鸡半只（约300克）。

调料　老姜150克，香油1小匙、米酒1/2小匙，精盐适量。

做法　①鸡洗净，切块；老姜洗净，切片。
②锅加热，放入鸡块，用大火炒至水分收干，捞起。
③锅中倒入调料加热，放入姜片炒香，再加鸡块翻炒至肉色变白，倒入调料和2杯水煮开，盖上锅盖，改用小火焖20分钟，最后加精盐调匀即可。

柚子炖公鸡

主料 小公鸡1只（约600克），柚子1个（约250克）。

调料 葱结、姜片各5克，精盐1大匙，味精2小匙，植物油3大匙，料酒1大匙。

做法 ①将小公鸡宰杀放血，放在大盆内，注入85℃的热水烫遍全身，褪净毛，剖腹去内脏，洗净血污，剁成2厘米见方的块；柚子去皮、子，剥成小瓣，待用。②炒锅上火，注入适量清水，放鸡块，加料酒，沸后煮约5分钟捞出，再用清水冲漂净浮沫，控尽水分，同柚子瓣装在炖盅内。③炒锅重上火，放入植物油烧热，下葱结、姜片炸香，掺适量清水烧开，撇净浮沫，加精盐、味精调好口味，倒在炖盅内，用双层绵纸封口，上笼用中火蒸约2小时至鸡肉软烂时，取出即可。

竹荪煲鸡

主料 竹荪6根，柴鸡半只，小菜心6棵，胡萝卜半根。

调料 大葱4段，老姜4片，精盐2小匙。

做法 ①将柴鸡半只洗净斩成块；竹荪用冷水浸泡10分钟，只要竹荪回软发脆即可。②将鸡块放入开水中焯烫一下，捞出，冲净表面上的杂质，将鸡块放入沙锅中，一次性倒入足量清水，放入大葱、姜片，待汤沸腾后，转小火煲1小时。③趁着煲汤的时间，将浸泡回软的竹荪切去头和尾部的网，放入温水中焯烫20秒钟，去除竹荪的生涩味，捞出后，用冷水洗净，放入汤锅中，继续煲30分钟。④最后，放小菜心和胡萝卜片在汤中，煮2分钟后即可，根据自己的口味，放盐调味即可。

竹笋香菇鸡汤

主料 鸡半只，竹笋2根，干香菇5朵。

调料 精盐18克。

做法 ①土鸡洗净，切块；竹笋去皮，洗净，切块；干香菇泡软，去蒂。

②压力锅中放入鸡块、笋块、香菇以及10杯水，盖紧锅盖煮开，再焖煮10分钟，打开锅盖，加入精盐调匀即可。

金针鸡肉汤

主料 鸡肉150克，金针菜60克。

调料 冬菇3个，木耳30克，大葱1根，食盐、味精各1小匙。

做法 ①金针菜、木耳、冬菇用清水泡发，择洗干净；冬菇切成丝；鸡肉洗净，切丝，用食盐拌匀；葱洗净，切花。

②金针菜、冬菇丝、木耳放入开水锅内，用文火煮沸几分钟，再放入鸡丝煮至熟，放葱花、食盐、味精调味即可。

生熟地煲竹丝鸡

主料 竹丝鸡半只，熟地15克，大骨100克，红枣10个。

调料 生姜10克，精盐2小匙，味精1小匙，白糖1/2小匙，料酒2小匙。

做法 ①竹丝鸡切成大块，熟地洗干净，大骨切成块，生姜去皮，切成厚片，红枣泡洗干净。

②锅内加水，待水开时下入竹丝鸡、大骨，煮去其中血水，捞起待用。

③在瓦煲里加入竹丝鸡、大骨、生姜、熟地、红枣，注入清水，用大火煲5分钟，改小火煲约1.5小时后，调入精盐、味精、白糖、料酒，煲透即可。

凉粉三黄鸡

主料 熟三黄鸡肉200克，酥花生仁20克，熟芝麻10克，香菜10克，黄凉粉150克，郫县豆瓣30克。

调料 精盐、味精1/2小匙，豆豉、香油、花椒粉、白糖各1小匙，酱油1大匙，辣椒油、冷鸡汤、植物油各3大匙，葱花5克。

做法 ①鸡肉用刀片成片；凉粉切成长5厘米、宽2厘米、厚0.2厘米的片；豆豉捣成蓉。②炒锅置火上，放入油烧至三成油温时，下豆瓣炒香出色，下豆豉蓉炒香，起锅盛入碗内晾凉，花生仁剁成粗0.3厘米的颗粒。③将黄凉粉放入盘内垫底，鸡片摆成"三叠水"盖面，再将炒香的豆瓣加入精盐、味精、冷鸡汤、香油、葱花、辣椒红油、白糖、花椒粉，调成麻辣味汁，淋入盘内鸡片上，再撒上花生仁、熟芝麻、香菜即成。

爽口鸡片

主料 仔公鸡肉400克，小米辣椒50克，野山椒50克，芹菜30克。

调料 味精、香油各1小匙，香菜2小匙，白醋1大匙，葱、姜、蒜各5克，料酒、精盐各2大匙，纯净水500克。

做法 ①将仔公鸡肉用清水冲洗去血水，放入清水锅中，加入料酒、姜、葱、精盐，煮至鸡肉刚熟后捞出，快速放入冷开水中漂凉；野山椒、小米辣椒去蒂后切成0.3厘米厚的片；芹菜择洗干净后切节拍破。②将纯净水倒入一不锈钢盆内，下入野山椒、小米辣椒、野山椒水、姜片、蒜片、芹菜节、精盐、味精、白醋调匀，放入凉透的鸡肉，用保鲜膜密封，浸泡约24小时。③将浸泡入味的鸡肉片成薄片，装入盘中，再淋入用小米辣椒、味精、泡鸡汁水、香油对成的味汁，撒上香菜即成。

麻油鸡

主料 蒸烂的鸡1只，兰片50克。

调料 菠菜、水发木耳各15克，葱花、蒜片2克，水淀粉3大匙，酱油3大匙，醋2大匙，料酒2大匙，精盐1小匙，味精1小匙，白糖2大匙，香油1小匙，植物油1500克。

做法 ①兰片切片用开水焯一下，菠菜切段。

②用碗把酱油、醋、白糖、精盐、水淀粉、味精、葱、蒜、料酒及兰片、菠菜、木耳调成汁。

③勺内放油，等油七成热，鸡下油炸透捞出，去大骨撕成条，码放盘里。

④坐勺倒上汁炒熟淋香油，浇在鸡肉上即成。

鸡蓉奶油羹

主料 鸡肉300克，烤面包2片。

调料 奶油100毫升左右。

做法 ①鸡肉去皮蒸熟，并切成碎末，以精盐、植物油、白糖、生粉和生抽各适量拌匀腌制片刻。

②烤面包切丁粒状。

③先在铁锅中加入清水1 000毫升（约4碗水量），滚沸后加入奶油，拌匀，再加入鸡肉粒，稍滚，再撒下烤面包丁，稍滚便可盛起。

茄汤焗香鸡

主料 鸡1只，元葱2个。

调料 蒜2瓣，西芹1棵，番茄汤1罐，橄榄油3大匙，香草1/2大匙，香叶2片，白酒1大匙。

做法 ①鸡洗净，切大块。

②烧滚油，放入鸡块炸至金黄色。

③取出鸡块，爆香元葱2分钟，加蒜蓉再爆2分钟，放入鸡件，加入番茄汤及配料，拌匀，盛入大碗中盖好。

④将大碗放入微波炉内，以180℃加热20分钟即成。

阿胶黄芪子鸡煲

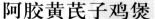

主料 子鸡1只，阿胶40克，黄芪25克，红枣4粒。

调料 精盐适量。

做法 ①将子鸡治净，去鸡皮，用精盐擦匀腹腔，洗净，入沸水锅中焯烫，捞出冲净备用。

②黄芪洗净；红枣洗净，拍松、去核待用。

③沙锅中加入适量清水煮沸，再放入所有原料炖3小时，加入精盐调味即可。

上汤炖鸡

主料 鲜鸡500克，熟火腿片150克，猪肺1副。

调料 嫩姜丝10克，上汤750克，味精1/2小匙，熟猪油2小匙。

做法 ①把鸡菌洗干净，放沸水锅里焯熟捞出，用清水洗净，切成大小均匀的片，备用。

②将猪肺在自来水龙头上灌满清水数次，灌至水沫呈白色，放沸水锅里煮至缩紧，撕去外膜后，再放汤锅里煮熟捞出，冷却后，切去肺管，将肺叶切成食指粗的条。

③选用小盖盅10只，每盅先放1条肺条和熟火腿片、鸡片、嫩姜丝各放少许，将上汤烧沸，淋熟油，注入水盅里（八成满），放蒸笼里用旺火蒸10分钟左右取出，原盅上桌。

主料 鸡1只，高丽参9克，香菇5朵，糯米1/2杯，远志3克，龟板6克。

调料 精盐适量。

做法 ①将鸡治净，剁成块；香菇泡软，去蒂、洗净；糯米用清水浸泡6小时，捞出沥干；高丽参、远志、龟板洗净，填入鸡腹内，再填入糯米。

②将鸡放入沙锅中，加入6杯清水，用小火炖1小时，再加入精盐调味，取出远志、龟板即可。

高丽参炖鸡

主料 净土鸡1只，金华火腿160克，大白菜心300克。

调料 姜40克，精盐适量，料酒2大匙。

做法 ①将土鸡治净，入沸水锅中焯烫5分钟，捞出洗净备用。

②将白菜心、火腿洗净，均切成块待用。

③沙锅中倒入8杯水煮沸，加入除白菜心外的所有材料，用中火炖1.5小时，再放入白菜心继续炖40分钟，加入精盐调味即可。

火腿白菜土鸡煲

主料 子鸡2只，海龙、海马各2条。

调料 茴香、花椒、桂皮、葱、精盐、料酒、老抽各适量。

做法 ①将子鸡治净，剁成小块，放入开水中焯烫3分钟，捞起备用。

②将海龙、海马用清水洗净后泡软待用。

③沙锅中放入所有原料及调料，加入清水没过原料煮沸，用小火炖至鸡肉熟烂，加入精盐调味即可。

龙马全子鸡

主料 鸡半只，鲜奶2杯，燕窝10克。

调料 精盐适量。

做法 ①将鸡治净，去皮，入沸水锅中焯烫，捞起沥干备用。

②将燕窝用水浸泡30分钟，拣去杂质，洗净，捞出撕成丝，放入沙锅中，加入少量清水炖30分钟，盛出待用。

③将鸡放入沙锅中，加入3杯清水炖2小时，再加入鲜奶、燕窝丝炖30分钟，放入精盐调味即可。

鲜奶燕窝鸡煲

人参鲍鱼炖土鸡

主料 土鸡1/2只，鲍鱼6粒，鲜人参2棵。
调料 姜2片，精盐适量。

做法 ①将土鸡治净，切成块；鲍鱼、鲜人参分别洗净备用。
②将土鸡放入沸水锅中焯烫5分钟，捞出洗净，沥水待用。
③沙锅中倒入5杯清水煮沸，再加入所有原料、姜片、精盐，然后移入蒸锅中蒸炖2小时即可。

黄芪灵芝鸡肉汤

主料 鸡肉200克，黄芪40克，灵芝30克。
调料 生姜2片，精盐适量。

做法 ①将鸡肉洗净，去掉油脂、鸡皮，剁成块备用。
②将黄芪、灵芝洗净，掰成碎块待用。
③锅置火上，加入全部原料，再加入适量清水，然后用武火煮沸，转文火续煲3小时，最后加入精盐调味即可。

金针鸡丝汤

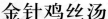

主料 鸡肉150克，金针菜60克，冬菇3个，黑木耳30克。
调料 葱1根，精盐、味精、淀粉、料酒、酱油各适量。

做法 ①将金针菜、木耳、冬菇用清水浸软，洗净；冬菇切成丝；葱洗净，切成葱花备用。
②将鸡肉洗净，切成丝，加入料酒、酱油、淀粉码味上浆待用。
③锅置火上，加入清水烧沸，下入金针菜、冬菇、木耳，用文火煲沸几分钟，再放入鸡肉丝煲至熟，然后加入葱花、精盐、味精调味即成。

归参炖母鸡

主料 净母鸡500克，当归15克，党参30克。
调料 生姜4片，精盐适量，烧酒少许。

做法 ①将母鸡洗净，切成块；当归、党参、生姜洗净备用。
②将当归、党参、生姜、鸡块放入炖盅内，再加入适量开水、少许烧酒，加盖，然后入锅隔水炖3～4小时，开盖放入精盐调味即成。

主料 熟白煮鸡、土豆、蘑菇，数量自定。

调料 植物油、精盐、酱油、花椒、大料、葱姜块、味精各适量。

做法 ①将熟鸡剁成3.3厘米见方的方块，用沸水把肉氽一下，捞出沥干水。

②将土豆去皮洗净，切成滚刀块浸于清水中；将蘑菇择洗净，切成小块。

③洗净沙锅，擦干水分，放入蘑菇、土豆、鸡块、葱姜块、花椒、大料、酱油、精盐、植物油，添汤没过主料，旺火烧开，撇去浮沫，小火炖30分钟左右即熟，拣出葱姜块、花椒、大料，点味精，即可上桌食用。

沙锅鸡块

主料 稠粥1碗，三文治火腿适量，鸡丝75克，葱花少许，莼菜（瓶装）适量。

调料 （A）精盐、绍酒、水淀粉各少许；（B）鸡汤1杯，精盐1/3小匙。

做法 ①鸡丝加入调料（A）拌匀，腌渍5分钟，下入开水中焯烫透，捞出，沥水分；三文治火腿切丝。

②锅中倒入稠粥，上火烧滚，加入鸡丝、莼菜、火腿丝及调料（B），搅拌均匀，见粥黏稠，撒上葱花，出锅装碗即可。

鸡丝莼菜粥

主料 小鸡1只（约1000克重），干香菇10朵，干贝5个。

调料 姜2片，味精、精盐各1大匙，料酒2大匙，鲜奶1小匙，鸡汤半杯，火腿汁1大匙。

做法 ①将鸡开背取内脏洗净，下沸水锅焯一会儿捞起，用清水洗净，鸡腹向上，放入干贝。

②香菇放在鸡上，加入鸡汤、火腿汁、味精、精盐、料酒、姜片，上笼蒸2小时去掉姜片，加入鲜奶，再蒸15分钟即成。

干香菇煲鸡

主料 枸杞子10克，三七10克，母鸡1只。

调料 料酒2大匙，味精、胡椒粉各1小匙，姜3片，葱白2段，精盐2小匙。

做法 ①将鸡宰杀去毛去内脏，剁去爪后洗净；枸杞子洗净；三七润软后切成薄片；葱切段，姜切片。

②将鸡入沸水锅焯一下，捞出用凉水冲净。把枸杞子、三七片、姜片、葱段塞入鸡腹内，把鸡放罐子内，注入清汤，下入胡椒粉、料酒、精盐。用湿绵纸封严罐子口，上笼蒸约2小时。

③待鸡熟出笼，揭去纸，加入味精、精盐调味即成。

枸杞三七鸡汤

桂圆童子鸡

主料 童子鸡1只，桂圆肉30克。

调料 葱段、姜片各10克，绍酒1大匙，精盐1/2小匙，清汤适量。

做法 ①将童子鸡宰杀后去毛、除内脏，洗涤整理干净，剁成大块，再放入沸水中焯烫一下，捞出沥干；桂圆肉洗净备用。
②坐锅点火，加入适量清水，将鸡块、桂圆肉、葱段、姜片、绍酒、精盐、清汤放入碗中，入锅蒸约2小时，取出后拣去葱段、姜片，即可上桌食用。

桂圆煲子鸡

主料 童子鸡1只（约1000克），干桂圆肉150克。

调料 葱结、姜片各适量，料酒1大匙，精盐4小匙，味精2小匙。

做法 ①将童子鸡宰杀、去毛，剖腹去内脏，洗净血水，剁成2厘米见方的块，然后放入水锅中煮10分钟捞出，再用清水冲漂净污沫，沥尽水分。
②取一净沙锅，放入鸡块、干桂圆肉、葱结、姜片和料酒，加入适量清水，用旺火烧开后，撇净浮沫，改小火炖约1小时，调入精盐，续炖约30分钟至鸡肉软烂时，离火，拣出葱结、姜片，即可食用。

淮山莲子炖鸡

主料 土鸡1只（约1000克），淮山药片25克，白莲子10个，银耳2朵，红枣10粒，火腿片5片。

调料 姜3片，精盐1大匙，味精2大匙，料酒1大匙。

做法 ①将土鸡宰杀放血，放在大盆内，注入85℃的热水烫一下，褪净毛，剖腹除净内脏，洗净血污，剁成块，同冷水入锅，沸后煮5分钟，捞出，冲净浮沫，控干水分，放在炖盅内。
②莲子用清水浸泡2小时，去莲心；小红枣去核；淮山药片洗净；银耳泡涨，去根蒂，撕成小朵。③净锅上旺火，注入适量清水，放入莲子、淮山药片、红枣、银耳、姜片和火腿片，加精盐调好口味，待烧沸后倒在盛有鸡块的炖盅内，加盖，用保鲜膜封口，上笼用中火蒸2小时左右至鸡肉软烂，出笼即可。

淮山党参煲土鸡

主料 鲜土鸡1只，淮山25克，党参25克，大骨100克，生姜15克。

调料 精盐、味精各2小匙，白糖1小匙，料酒2小匙，胡椒粉1大匙。

做法 ①土鸡清洗干净切成大块，淮山、党参用水泡洗干净，大骨切成块，生姜去皮切片。
②烧锅加清水，待水开时放入鸡块、大骨，把鸡块、大骨内的血水煮净，捞起用清水冲净。
③将瓦煲放在火炉上，加入清水、鸡块、大骨、淮山、党参、生姜片、料酒，用大火烧开，再改用小火煲40分钟，调入精盐、味精、白糖、胡椒粉煲至熟透，盛入汤碗即可。

主料 净乌鸡1只，干血蛤40克，红枣8粒。

调料 姜2片，精盐适量。

做法 ①将乌鸡洗净，入开水中焯烫5分钟，捞出洗净备用。
②将干血蛤用清水泡3小时，变软后除杂质，清洗干净；红枣洗净待用。
③沙锅中倒入6杯清水煮沸，再加入所有材料和精盐煮沸，然后入蒸锅中用小火蒸炖2小时即可。

血蛤乌鸡煲

主料 乌鸡半只，银杏20克，大枣4粒，银耳30克，香菜末5克。

调料 姜片5克，精盐1小匙。

做法 ①将乌鸡洗净，切成块。放入沸水锅中焯水去血污，捞出冲净，沥净水；银耳用清水浸透，撕成小朵；大枣、银杏分别洗净备用。
②汤锅内加入适量清水烧开，放入乌鸡、姜片用小火煲2小时，再放入银杏、银耳、大枣煲40分钟，然后加入精盐调味，撒入香菜末即可。

银耳银杏乌鸡汤

主料 乌骨鸡肉250克，高丽参10克，阿胶12克。

调料 精盐适量。

做法 ①将乌骨鸡肉洗净，切成小块备用。
②将高丽参洗净，切成片；阿胶捣碎待用。
③把全部原料放入炖盅内，再加入适量开水，盖上炖盅盖，然后入锅用文火隔水炖约3小时，放入精盐调味即成。

人参阿胶炖乌骨鸡

主料 乌鸡1只，山药100克，莲子50克，枸杞子10克，苋菜20克。

调料 姜、蒜各15克，精盐、高汤精、料酒各1大匙，白糖、米醋、香油各1/2小匙。

做法 ①将电沙锅中注入清水，放入姜片、乌鸡、莲子、山药煲1小时，出锅前加入枸杞子煮熟即可。
②将苋菜切成段，过水焯熟后加入蒜末、精盐、醋、白糖、高汤精、香油，再次下入沙锅中拌匀即可。

山药莲子煲乌鸡

黄芪乌鸡汤

主料　乌骨鸡1只，炙黄芪30克。

调料　葱段20克，姜块15克，精盐1小匙，绍酒2小匙。

做法　①将乌骨鸡宰杀，放尽血，用80℃的热水去毛，剖腹除内脏，剁去尾翅、爪尖、嘴尖，洗净；炙黄芪去净灰渣，烘干，研成粉末备用。
②锅置火上，加入适量清水烧沸，放入乌骨鸡煮1分钟捞出，将黄芪粉抹入鸡腹内外，放入蒸碗内，加入鲜汤(50克)、姜块、葱段、精盐、绍酒，用湿绵纸封住碗口待用。
③将碗置蒸锅内，用旺火沸水蒸至熟透，取出上桌即成。

醪糟乌鸡汤

主料　鸡（切块）1只，木耳（浸软）20克，熟花生米150克。

调料　香油1大匙，老姜（切丝）100克、醪糟、精盐各适量，植物油30克。

做法　①锅内加少许植物油，将鸡、木耳、花生米炒香，加入香油、老姜，倒入2杯水煮滚。
②再用小火煮30分钟。
③加入醪糟、精盐，煮滚后即可食用。

红豆莲藕炖乌鸡

主料　乌骨鸡1只（约750克），鲜嫩藕1根，红豆50克，大红枣10枚，枸杞子15克，姜片、葱段各5克。

调料　精盐4小匙，味精、鸡精各2小匙，胡椒粉、料酒各1大匙。

做法　①将乌骨鸡宰杀洗净，剁成2厘米见方的块，同冷水入锅，沸后煮约5分钟，捞出用清水洗去污沫；鲜嫩藕刮洗干净，先纵剖成两半，用刀拍松，再切成块状。
②将乌鸡块、藕块共放砂锅内，上放大红枣、红豆、姜片、葱段，注入适量清水和料酒，旺火烧沸，撇去浮沫，改小火炖至乌鸡肉软烂时，放入枸杞子、大红枣，调入精盐、味精、鸡精、胡椒粉，续炖至入味，起锅盛汤盆内，即可食用。

乌鸡白凤汤

主料　鹿角胶25克，牡蛎12克，桑螵蛸10克，人参1根，黄芪10克，当归30克，白芍25克，香附25克，天冬12克，甘草6克，鳖甲50克，生地黄50克，熟地黄50克，川芎12克，银柴胡5克，丹参25克，山药25克，芡实12克，鹿角霜10克，乌贼2条，乌鸡1只。

调料　料酒2大匙，精盐1大匙，味精2小匙。

做法　①人参润软，切片，烘脆碾成细末备用；其余药物用纱布袋装好；乌贼用温水洗净，同鸡爪、翅膀和药一起下锅，注入清水烧沸后煮1小时备用。②乌鸡肉焯后再洗净，切条块，摆在碗内，加上葱段、姜块、精盐、料酒、药汁各适量，上笼蒸烂。③乌鸡出笼后，拣去葱姜，鸡肉扣碗中，原汤倒锅中，再加适量汤，调料酒、精盐、味精烧开，撇去浮沫，浇鸡碗中即成。

主料 乌鸡1只，牛肝菌50克。

调料 葱段、姜片各50克，料酒1小匙，精盐1大匙，味精、胡椒粉各2小匙。

做法 ①将乌鸡宰杀，去毛、内脏、脚爪，放入沸水中，焯去血水，捞出洗净，切成块。
②锅中放入料酒、精盐、葱段、姜片、胡椒粉、牛肝菌、乌鸡块，注入适量清水，煮至鸡块熟烂，拣出葱、姜，撒上味精，装汤盆中即成。

野菌乌鸡汤

主料 乌鸡腿2只，熟地25克，当归、肉桂各15克，红枣8粒，桑寄生、枸杞子、肉苁蓉各10克。

调料 精盐适量。

做法 ①将乌鸡腿洗净，切成块；所有药材洗净备用。
②将所有原料放入沙锅中，加入清水没过原料，用大火煮沸，然后转小火炖30分钟，加入精盐调味即可。

大补药膳乌鸡煲

主料 乌鸡1只（500克），党参15克，茯苓6克，九节菖蒲3克，枸杞子12克。

调料 精盐适量。

做法 ①将乌鸡治净，切小块，放入沸水锅中焯烫，捞出冲净，沥水备用。
②将党参、茯苓、九节菖蒲、枸杞子洗净待用。
③沙锅中加入6杯清水，再放入所有原料煮沸，然后转小火炖50分钟，加入精盐调味即可。

党参乌鸡煲

主料 乌鸡1只，十全大补贴1贴（当归、桂枝、川芎、甘草各4克，党参、熟地、炒白芍、白术、茯苓、黄芪各8克），人参4克。

调料 精盐适量，米酒2大匙。

做法 ①将乌鸡治净，对半切开，放入沸水锅中焯烫，捞出沥水备用。
②将所有原料放入沙锅中，加入5杯清水烧沸，再加入米酒、精盐，转小火炖1小时即可。

十全大补乌鸡煲

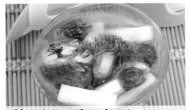

节瓜豆乌鸡汤

主料 乌鸡肉500克，江珧柱、淮山各50克，节瓜1000克，赤小豆100克，枸杞子25克，桂圆肉15克。

调料 精盐适量，香油少许。

做法 ①将乌鸡肉(竹丝鸡)洗净，剁成大块，入沸水锅中焯水，捞出备用。

②将节瓜去皮、洗净，切成中段；淮山去皮、洗净，切成段；江珧柱、赤小豆、枸杞子、桂圆肉分别用温水稍浸，淘洗干净待用。

③锅中注入3000克清水烧开，放入全部原料，用大火煲半小时，再转中火煲1小时，然后转小火煲1.5小时，加入精盐，淋入香油即可。

蜜枣菜干乌鸡汤

主料 乌鸡肉750克，花生仁100克，白菜干、莲子各50克，蜜枣5粒。

调料 陈皮1块，精盐适量，香油少许。

做法 ①将乌鸡去头、爪、内脏，洗净，剁成大块，入沸水锅中焯烫，捞出漂净备用。

②将白菜干用温水浸泡，洗净，撕成数条；莲子去心，陈皮刮去内瓤待用。

③锅中加入清水3000克烧开，放入全部原料，先用大火煲半小时，再用中火煲1小时，然后用小火煲1.5小时，加入精盐、香油调味即可。

乌骨鸡莼菜汤

主料 乌鸡1只，莼菜100克，党参20克，黄芪15克，枸杞子10粒。

调料 葱、姜各少许，精盐适量，黑胡椒1/2小匙，料酒1小匙。

做法 ①将乌鸡宰杀，去毛、除内脏，斩去头、脚，洗净，剁成大块，放入沸水锅中，加入料酒焯烫，捞出沥水备用。

②将莼菜用温水浸洗干净，捞出沥水；党参、枸杞子、黄芪洗净待用。

③锅中加入清水烧沸，放入乌鸡、葱、姜片、党参、枸杞子、黄芪煲40分钟，再放入莼菜煮沸3分钟，然后加精盐、黑胡椒调味即可。

参归乌鸡汤

主料 乌骨鸡500克，当归、枸杞子各30克，人参、橘皮各10克。

调料 精盐适量。

做法 ①将乌鸡宰杀，去毛、除内脏，洗净，剁去头、爪，入沸水锅中焯烫去血污，捞出沥水备用。

②将当归、人参分别洗净，切成片；枸杞子、橘皮洗净；用干净纱布包裹，装入鸡腹中待用。

③将鸡放入炖盅内，加入适量清水，入锅先用武火煮滚，再转文火隔水炖2～3小时，然后加入精盐调味即可。

淮山板栗乌鸡汤

主料 乌鸡1只，淮山药30克，板栗50克，山楂10克，虫草15克，橙皮丝少许。

调料 姜片少许，精盐适量。

做法 ①将乌鸡宰杀，洗涤整理干净，斩掉头、脚，从中间切开，剁成大块，入沸水锅中焯去血污，捞出沥水备用。

②将淮山药、山楂、虫草、板栗洗净待用。

③锅中加入清水烧沸，放入所有原料用大火煮滚，再转小火煲2小时，加入精盐即可。

红枣杞子乌鸡汤

主料 净乌鸡400克，红枣50克，枸杞子10克。

调料 姜片、葱花各少许，精盐1小匙，味精1/3小匙，老汤2碗，色拉油2大匙。

做法 ①将乌鸡洗净，剁成块，入沸水锅中焯水，捞出沥水；红枣、枸杞子洗净备用。

②锅中放入色拉油烧热，下入葱花、姜片炝锅，再加入老汤，放入乌鸡、红枣、枸杞子煮25分钟，加入精盐、味精调味即可。

高丽参炖乌鸡

主料 高丽参6克（参须亦可），乌鸡1只。

调料 老姜、葱、红米各5克，精盐1小匙，高粱酒1/2小匙。

做法 ①将乌鸡宰杀，洗涤整理干净，如沸水锅中煮烫1分钟，取出洗净；红米洗净，与高丽参、葱、姜一起放入鸡腹内备用。
②汤锅置火上，加入清水，放入乌鸡，盖上盖，用大火煮滚，然后转小火煮至熟烂，再加入精盐、高粱酒调味即可。

冬菇腐竹马蹄煲乌鸡

主料 冬菇6朵，马蹄、蜜枣各3个，乌鸡300克，腐竹3根。

调料 陈皮1片，精盐1小匙。

做法 ①将冬菇泡软、洗净；腐竹用热水浸泡约1小时至软；乌鸡洗净，剁成块，入沸水锅中焯烫，捞出洗净，沥水备用。
②煲锅中加入1200毫升清水煮滚，再放入腐竹之外的所有材料，用大火煮滚，然后转小火续煲约90分钟，再加入腐竹煲约15分钟，最后加入精盐调味即可。

玉竹杞子乌鸡汤

主料 乌鸡1只，玉竹、淮山各30克，枸杞子1大匙，红枣10枚。

调料 老姜3片，精盐适量。

做法 ①将乌鸡洗涤整理干净，剁成4大块；入沸水锅中焯水，捞出沥水；玉竹、淮山、枸杞子、红枣洗净备用。
②锅中加入适量清水，放入乌鸡、玉竹、淮山、枸杞子、红枣、姜片用武火煲滚，再转文火煲4小时，加入精盐调味即可。

黑豆乌鸡汤

主料 乌鸡1只，黑豆50克，大枣10枚。

调料 葱段、姜片、葱花各10克，精盐、味精各1小匙，绍酒、植物油各1大匙。

做法 ①将乌鸡宰杀，洗涤整理干净，再放入沸水中焯烫一下，捞出沥干；黑豆、大枣分别洗净，置于乌鸡腹内。
②坐锅点火，加油烧热，先下入葱段、姜片炒香，再添入适量清水，放入乌鸡、绍酒，大火烧沸后转小火煨至鸡肉熟烂，然后用精盐、味精调好口味，撒上葱花，即可装碗食用。

大枣乌鸡煲

主料 乌鸡1只，长寿草20克，大枣10枚，枸杞子20克。

调料 生姜15克，葱白30克，绍酒2大匙，精盐4小匙，味精2小匙，胡椒粉5小匙。

做法 ①乌鸡宰杀后洗净，剁去爪；长寿草洗净，切成段；大枣洗净去核；枸杞子洗净；生姜拍破；葱白切段。②将乌鸡腹朝上置炖锅内，再放大枣、长寿草、枸杞子、生姜、葱条、绍酒等，掺入适量清水，旺火烧沸后，撇去浮沫，转小火炖约1小时至鸡肉酥烂，拣去葱结、姜不用，调入味精、胡椒粉，最后舀入煲仔内，即成。

党参黑豆煲乌鸡

主料 乌鸡1只（500克），党参1支，黑豆10克，红枣8粒，枸杞子12克，桂肉10克。

调料 精盐、味精各1小匙，料酒1大匙，鲜牛奶2大匙。

做法 ①乌鸡洗净，切块；党参、枸杞子、红枣、黑豆、桂圆肉冲净。
②将乌鸡放开水中余烫，捞起，冲净，沥干。
③将所有材料放入沙锅中，加入8杯水，煮沸，转小火炖50分钟，加入调料调味即可食用。

榴莲红枣乌鸡汤

主料 鲜光乌鸡1只，榴莲肉250～300克，红枣10枚。

调料 姜2片，精盐1大匙，味精2小匙。

做法 ①将乌鸡剖开洗净，去皮，一剖为二，放滚水中略烫过捞起，用清水洗净，抹干，待用；红枣洗净。

②烧滚大半锅清水，放入乌鸡和姜片，滚后改中小火煲约1小时，加入榴莲肉、大枣，再煲20分钟至料熟、汤浓，加味精、精盐调味，即可盛出，趁热食用。

罗汉果炖乌鸡

主料 乌鸡1只，罗汉果3个，枸杞子15克，大枣8枚。

调料 绍酒4小匙，生姜10克，葱白25克，精盐5小匙，味精2小匙，料酒2大匙。

做法 ①乌鸡宰杀后洗净，剁去爪；罗汉果洗净，拍破；枸杞子除净杂质，洗净；大枣洗净去核；生姜洗净拍破，切块；葱白切成段。

②将乌鸡、罗汉果、枸杞子、大枣一起放入煲内，掺入适量滑水，加入葱结、姜块，调入精盐、绍酒，用旺火烧沸后撇去浮沫，改小火煲约1小时，至乌鸡酥烂后离火，调入味精，原煲上桌即可。

人参乌鸡汤

主料 乌鸡1只，鲜人参1根。

调料 姜片3片，精盐、味精各少许。

做法 ①将鲜人参刷净泥沙（不要把参须弄断）；乌鸡宰杀，洗涤整理干净，下入沸水中焯烫5分钟，捞出冲净，沥干切大块备用。

②坐锅点火，添入适量清水，先下入姜块、乌鸡、人参，用中火煲约1.5小时，再放入精盐、味精，用小火续炖10分钟，待鸡肉熟烂脱骨时，即可出锅装碗。

土豆炖乌鸡

主料 乌鸡1只，土豆2个，鲜人参2根。

调料 葱花、姜片各5克，精盐、胡椒粉各1小匙，味精1/2小匙，绍酒2小匙，清汤4杯，植物油2大匙。

做法 ①将乌鸡宰杀，洗涤整理干净，切成3厘米见方的块，再放入沸水中焯烫一下，捞出沥干；土豆去皮、洗净，切成滚刀块；鲜人参洗净，对半剖开备用。

②坐锅点火，加油烧至七成热，先下入葱花、姜片，炒出香味，再放入鸡块略炒，然后烹入绍酒，添入清汤，放入人参、土豆块、精盐、味精、胡椒粉，烧沸后撇去浮沫，改用小火慢炖50分钟至入味，即可出锅装碗。

主料 乌鸡250克，淮山20克，枸杞子20克。

调料 生姜10克，精盐4小匙，味精2小匙，胡椒粉4小匙，鸡精粉1小匙。

做法 ①1 乌鸡切成块，生姜切片，淮山、枸杞子洗净。

②沙锅注入清水，加入乌鸡、淮山、枸杞子，用小火煲40分钟。

③再调入精盐、味精、鸡精粉、胡椒粉，再煲20分钟即可。

淮杞煲乌鸡

主料 乌鸡1只，莲子10枚，当归12克。

调料 生姜20克，糟汁4小匙，葱白25克，花椒10粒，冰糖25克，精盐、料酒各5小匙，味精1大匙，植物油100克。

做法 ①乌鸡宰杀后洗净，剁去鸡爪、鸡头，将鸡身斩成条；生姜洗净，拍破，切块；葱白洗净，切段；当归用温水泡软后切片，待用；莲子清水洗净，去心。

②净锅上火，入植物油烧热，放花椒、姜块和葱结炸香，再放入乌鸡块，煸炒至无水气时，烹入料酒，掺入适量清水，下入当归、莲子，调入精盐、冰糖、糟汁等，用旺火烧沸后，撇去浮沫，倒入沙煲内，用小火炖至鸡肉酥烂，离火调入味精，即可上桌。

莲子煲乌鸡

主料 乌骨鸡1只（约750克），无花果5个，火腿15克，豌豆苗25克。

调料 生姜15克，葱1棵，料酒2小匙，精盐1大匙，味精1/2小匙，胡椒粉适量。

做法 ①将乌骨鸡宰杀洗净，入冷水锅中，沸后煮15分钟捞出，用清水洗去污沫，待用；火腿切菱形小片；生姜去皮后切厚片；葱洗净后挽结；豌豆苗洗净后沥水。

②乌骨鸡置汤盆内，加入葱结、姜片、料酒、精盐及适量清水，用绵白纸封口，上屉用旺火蒸制至鸡肉六成熟时取出，放入无花果和火腿片，继续蒸至乌鸡酥烂，离火，揭去绵纸，加味精、胡椒粉调味，撒豌豆苗即可原盆上桌。

无花果炖乌鸡

主料 乌鸡半只，笋虾60克。

调料 蒜蓉2匙，姜数片，葱3根切段，番茄1个，水1大匙，酒1/2大匙，生抽1大匙，鸡粉1/2小匙，糖1/2小匙，八角1/3匙，生粉1小匙，精盐1小匙。

做法 ①乌鸡洗净，抹干水，斩块，加老抽一匙捞匀，泡油；笋虾用清水洗数次，抹干水，放入滚水中煮十分钟后捞起，再用清水洗一洗，沥干水，切成适当的长短或大小。

②下油四汤匙，爆葱、蒜、番茄酱，下笋虾炒片刻，加入调味煮滚，慢火焖20分钟；加入乌鸡炒匀，再焖15分钟；试味，勾芡，铲起放入煲内煮滚，放上葱，即可。

番茄鸡煲

鸡丝汤

主料 鸡脯肉、酸菜各150克，冬笋、豌豆各15克，鸡蛋清1个。

调料 葱姜丝、精盐、味精、胡椒粉、绍酒、水淀粉、鸡汤、熟猪油各适量。

做法 ①将鸡脯肉洗净，顺刀切成丝，放入大汤碗内，加入鸡蛋清、水淀粉浆拌均匀，再放入开水锅内余熟，倒入碗内；冬笋洗净，切成丝；酸菜洗净，切成丝，挤出水分备用。

②汤锅置火上，放入猪油烧热，下入葱姜丝炝锅，再加入绍酒、鸡汤、酸菜、冬笋、豌豆、精盐、味精调好口味，待汤开后撇去浮沫，然后放入鸡丝，撒上胡椒粉，淋入香油，起锅盛入汤碗内即成。

肉片油菜汤

主料 鸡脯肉300克，油菜200克，枸杞子少许，蛋清1个。

调料 葱花少许，精盐适量，鸡精1/2小匙，奶油高汤6杯，色拉油2大匙。

做法 ①将鸡脯肉洗净，切成片，放入容器内，加入淀粉、蛋清上浆备用。

②将油菜择洗干净；枸杞子洗净待用。

③坐锅点火，放入色拉油烧热，下入葱花、油菜略炒，再倒入奶油高汤煮沸，然后放入鸡肉片、枸杞子煮熟，加入精盐、鸡精调味即可。

鸡丝发菜汤

主料 鸡脯肉100克，发菜30克，蛋清1个，水发玉兰片15个，水发冬菇3朵。

调料 姜汁2小匙，精盐2小匙，味精1大匙，水淀粉3大匙，酱油4小匙，高汤2杯。

做法 ①将发菜洗净，用开水泡开，捞出，挤干水分后，横切两刀，竖切两刀；鸡脯肉切成细丝；玉兰片切成细丝，冬菇切丝；取碗，放入切好的鸡丝、精盐、蛋清、水淀粉和少许水搅拌均匀。②净锅放水烧开，下入发菜、冬菇丝、玉兰片余一下，捞出，放入汤碗内。③另锅置火上，放水烧开，下入鸡丝，用勺滑散，捞出，用清水冲一下，也放入汤碗内。④锅内放入高汤、姜汁、精盐、味精、酱油、烧开后，浇入汤碗内即可。

开洋香菇汤

主料 开洋50克，鸡脯肉150克，香菇 100克，广东菜心少许。

调料 姜丝少许，精盐适量，味精1/2小匙，蘑菇高汤6杯，料酒、葱油各1大匙。

做法 ①将鸡脯肉洗净，切成丝；香菇去蒂、洗净，剞十字花刀；广东菜心洗净备用。

②锅置火上，加入葱油烧热，下入鸡丝、姜丝、开洋翻炒片刻，再烹入料酒，倒入蘑菇高汤，放入香菇、精盐煮沸，然后转小火煮30分钟，再放入广东菜心、味精煮至入味即可。

蝶瓜鸡肉汤

主料 鸡脯肉300克，蝶瓜200克，西葫芦150克，玉米笋30克，红椒50克。

调料 葱花少许，精盐适量，鸡精、黑胡椒各1/2小匙，海鲜酱油1大匙，高汤8杯，色拉油2大匙。

做法 ①将鸡脯肉洗净，切厚片；蝶瓜去老皮，洗净，切成块；西葫芦洗净，去瓤，切块；红椒去蒂、去子，洗净，切块备用。
②锅置火上，加入色拉油烧热，下入葱花炒香，再放入所有原料翻炒均匀，倒入高汤煮沸，然后加入海鲜酱油、精盐、鸡精煮至入味，撒入黑胡椒调味即可。

鸡汤烩菜青

主料 鸡脯肉50克，鸡汤2杯，胡萝卜、油菜心各50克，粉丝20克，草菇2朵。

调料 精盐1大匙，味精1小匙，胡椒粉2大匙。

做法 ①鸡脯肉切丝；粉丝用温水泡软；胡萝卜洗净，切片；油菜心洗净。
②锅置火上，放入鸡汤烧开，下入鸡丝、粉丝、胡萝卜片、油菜心、草菇、精盐、胡椒粉、味精同煮，至胡萝卜熟烂，盛入汤碗内即可。

茉莉花鸡片汤

主料 鸡脯肉150克，茉莉花10朵，蛋清1个。

调料 葱21克，姜10克，精盐2小匙，味精1大匙，料酒4小匙，胡椒粉1大匙。

做法 ①鸡脯肉洗净，切成小片；茉莉花择去梗，洗净；葱切段，姜拍破，待用。
②锅置火上，放水烧开，与此同时，将鸡片用调料调匀，然后放入开水锅中余透捞出，用凉水冲凉。
③另锅置火上，放入鸡清汤烧开，加入料酒、精盐、味情、胡椒粉调好口味，将鸡片放入锅中烫熟捞出，放入碗内，茉莉花放在鸡片上，冲入鸡汤即可。

鸡蓉豆花汤

主料 鸡脯肉125克，鸡蛋清4个，熟火腿末5克，鲜菜心2个。

调料 湿淀粉2大匙，味精少许，精盐1/2小匙，胡椒粉少许，清汤4杯。

做法 ①将鸡脯肉去筋，切成细蓉，盛入碗内，用清汤50克调散，再加入鸡蛋清，湿淀粉、胡椒粉、少许精盐、100克清汤，搅成鸡糊；鲜菜心放入水中焯一下，用清水漂凉，修整齐。②把炒锅置中火上，放入清汤烧沸，加精盐1克，再将鸡糊均匀倒入，轻轻搅动几下（以免粘锅），烧至微沸，将锅移至小火上煨10分钟，待鸡糊凝聚成豆花状时，将菜心烫一下放入大汤碗内，再将鸡豆花舀在上面，浇入锅内清汤（勿将鸡豆花冲散），加入味精，撒上火腿末即可食用。

鸡脯竹笋汤

主料 鸡脯肉100克，水发竹笋100克，菠菜心1个，鸡蛋清3个。

调料 猪化油2小匙，高汤6杯，味精1小匙，胡椒粉少许，生粉1小匙，精盐1大匙。

做法 ①先将鸡脯肉剔净筋皮，用刀背切蓉后放入碗内，先用少许冷汤和散，加入精盐、蛋清搅匀，放入猪化油拌和，再加入生粉和匀（以鸡蓉放入水内上浮为准）。

②将竹笋切去两头，洗净沙质，切成3厘米长的段，一剖二开，挤干水分。

③随即将高汤下锅，将竹笋逐个淋上鸡蓉下锅。后将菠菜心也淋上鸡蓉（留少许叶子在外）下锅，加入精盐、味精、胡椒粉，烧开后加入鸡油，起锅装入大汤碗内即成。

强身黄芪鸡汤

主料 鸡腿、鸡胸肉各200克，山药半根，花菇5朵，人参须、黄芪各15克，枸杞子8克，黑枣6粒。

调料 精盐1小匙，料酒120克。

做法 ①将鸡腿去骨、切块，用沸水焯烫，捞出；山药去皮、洗净，切厚片；花菇泡水至软；人参须、黄芪、枸杞子、黑枣洗净备用。

②汤锅中放入花菇、人参须、枸杞子、黄芪、黑枣及山药，再加入清水用大火煮滚，然后转小火炖约20分钟，再加入鸡腿肉、鸡胸肉、调料续煮约20分钟即成。

首乌木耳鸡片汤

主料 鸡脯肉250克，笋片25克，黑木耳5克，首乌15克，陈皮丝、红辣椒丝各3克。

调料 精盐、绍酒各1/2小匙，淀粉适量，清汤1杯。

做法 ①将鸡脯肉洗净，切小丁，拍上淀粉，再敲成鸡片备用。

②将首乌洗净，切薄片，放入清水锅中熬煮30分钟，取汁待用。

③锅内加入清水、绍酒、精盐调味，再倒入首乌汁，加入陈皮丝、笋片、红椒丝烧开，然后放入鸡片推散，加入黑木耳烧至鸡片熟透入味，出锅装碗即成。

莼菜鸡丝汤

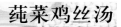

主料 鸡脯肉、莼菜各100克，鸡蛋清1个。

调料 精盐、味精各1/2小匙，绍酒1小匙，淀粉2小匙，鲜汤1000克。

做法 ①将鸡脯肉洗净，切成长丝，放入碗中，加入鸡蛋清、精盐、淀粉码味上浆；莼菜洗净，同鸡丝分别入沸水锅中焯熟，捞出，放入汤碗中备用。

②锅置火上，添入鲜汤，再加入精盐、绍酒、味精烧沸，撇去浮沫，起锅倒入鸡丝、莼菜碗中即成。

主料 水发银耳50克，鸡脯肉蓉150克，茉莉花15朵，西红柿5片。

调料 精盐、胡椒粉各1/2小匙，高汤1杯，香油1小匙。

做法 ①将银耳洗净，撕小朵，入沸水锅中焯一下捞出，加入高汤上蒸锅蒸透，取出备用。

②锅中加入高汤烧开，同时将鸡蓉用凉水泡开抓匀，放入汤中搅匀，待鸡蓉鲜味融入汤中，汤清见底时，将鸡蓉捞出，用小火保持汤的温度，调好口味待用。

③将茉莉花洗净，放入汤碗中，冲入鸡汤，盖盖焖一会儿，待花香味出，捞出茉莉花，再加入蒸好的银耳，点缀上番茄片，淋入香油即成。

花香银耳汤

主料 鸡胸脯50克，袋装玉米羹1袋。

调料 鸡蛋2个，精盐1小匙，白糖1/2小匙，鸡精1/2小匙，淀粉1小匙。

做法 ①把鸡胸脯斩成蓉待用。锅中加水烧开，放入鸡蓉焯一下捞出沥干备用。

②锅中加水烧开，将玉米羹倒入锅中，待锅开后，放入焯过水的鸡蓉，白糖、鸡精、精盐、淀粉勾芡，倒入搅拌好的鸡蛋即可。

鸡蓉凤尾玉米羹

主料 大干贝150克，鸡胸脯肉150克，鸡蛋清100克。

调料 植物油150克，料酒1大匙，味精1小匙，精盐1/2小匙，湿淀粉50克，鸡汤800克。

做法 ①将干贝老肉剥去洗净盛碗，加入料酒、葱、姜和适量的水，上屉蒸烂后捣碎；将鸡胸脯肉去筋皮，剁成泥放入碗中，加料酒、鸡蛋清、湿淀粉、精盐、味精、适量水搅匀，调成鸡蓉。

②将炒勺烧热，放入鸡汤、料酒、精盐、味精、干贝和蒸干贝的汤汁，烧开后用湿淀粉勾芡，然后把调成的鸡蓉倒入勺内搅匀，待鸡茸见稠时放入植物油搅匀后，盛入碗中即成。

鸡茸干贝

主料 鸡脯肉150克，龙井茶叶15克，豌豆苗10克，鸡蛋清1个。

调料 鸡汤3杯，精盐2小匙，味精、料酒各1匙，胡椒粉、生粉各1小匙。

做法 ①先将鸡脯肉切成3厘米长、2厘米宽的薄片，放入碗内，加入料酒、精盐、味精、胡椒粉、蛋清、生粉拌匀。

②再将龙井茶叶放入碗内，先用少许开水泡一下，沥干水分，然后再用开水泡3分钟待用。

③最后将鸡片下开水锅内余一下，盛入汤碗内；烧开锅的投入鸡汤，加入精盐、味精、胡椒粉，放入龙井开水，待烧开后放入豆苗，起锅倒入鸡片碗内即成。

龙井鸡片汤

美味鸡羹

主料　鸡脯肉150克，熟火腿末50克，鲜菜心2个，蛋清1个。

调料　味精、精盐、胡椒粉各2小匙，水淀粉3大匙，鸡清汤2杯。

做法　①将鸡脯肉捶成蓉，放入碗内，用清汤调散，再加入蛋清、水淀粉、胡椒粉、精盐调成鸡糊；鲜菜心放入开水锅中余一下，用清水漂凉，取出用刀切整齐。

②锅置火上，放入鸡清汤烧开，加精盐，再将鸡糊搅匀倒入，轻轻推动几下，烧至微沸，将锅移到小火上煨10分钟，待鸡糊凝聚成豆花形状时，将鲜菜心放入大汤碗内，再将鸡豆花浇在上面，加入味精，撒上火腿末即可。

西葫芦鸡片汤

主料　鸡脯肉、西葫芦各300克，胡萝卜1/2根，鸡蛋1个。

调料　精盐适量，鸡精1/2小匙，胡椒粉、水淀粉各少许，香油1小匙。

做法　①将鸡脯肉洗净，切成厚片，放入容器内，加入蛋液、水淀粉上浆备用。

②将西葫芦洗净，切成两半，去除瓜瓤，切成片；胡萝卜洗净，搅打成泥待用。

③锅置火上，加入适量清水，放入西葫芦、精盐、鸡精煮开，再放入鸡肉片余熟，然后加入胡椒粉、香油调味，出锅盛入碗中，再放上胡萝卜泥即可。

酸菜鸡丝汤

主料　鸡脯肉、泡青菜各100克，鲜菜心25克。

调料　精盐1小匙，味精3/5小匙，胡椒粉2/5小匙，蛋清淀粉5小匙，特制清汤750克。

做法　①将鸡脯肉洗净，切成长8厘米、粗0.2厘米的细丝，用清水漂去血水，再加入蛋清淀粉、精盐腌渍上浆；鲜菜心洗净；泡青菜切成细丝备用。

②锅置火上，加入清水烧沸，将鸡丝抖散入锅，待鸡丝发白时捞出待用。

③锅洗净置火上，放入泡青菜、特制清汤，再加入精盐、胡椒粉、味精调味，然后放入鲜菜心、鸡丝，起锅倒入汤碗中即成。

双虾鸡肉汤

主料　鸡脯肉200克，虾仁200克，鸡蛋2个，小菠菜（或小青菜）3个。

调料　葱、姜各15克，精盐1小匙，料酒3大匙，味精少许，麻油1小匙，高汤2杯。

做法　①将鸡脯肉切成肉泥，放碗内，加高汤半杯、料酒1大匙、精盐少许、蛋清1个搅匀，锅里放高汤1杯（或清水），将鸡泥搓成一个个荔枝大的鸡圆下锅，温水烧至八九成热时捞出，放清水内。②将虾仁切成虾泥，放在碗内加水半杯、料酒1大匙、精盐少许、蛋清1个、高汤（或水）半杯搅匀，将虾泥搓成一个个荔枝大的虾圆，放入下鸡圆的汤锅内，文火煨至七八成开，待虾圆全部漂起；后将小菠菜择去黄叶洗净。③将葱姜洗净拍破，放入下汤圆的锅内，烧沸后将葱姜捞出不要，再下精盐、料酒、鸡圆、小菠菜拌一下，倒汤碗内，淋麻油即成。

主料　鱼100克，鸡脯肉250克，鸡蛋清2个，香菜末5克。

调料　精盐、鸡精、胡椒粉各1/2小匙，淀粉、鸡油各1小匙，高汤1杯。

做法　①将银鱼洗净，捞出沥干；鸡脯肉洗净，切成5厘米长的细丝，加入鸡蛋清、淀粉、精盐码味上浆，再入沸水锅中焯水，捞出沥水备用。

②坐锅点火，加入高汤烧沸，再放入银鱼、鸡丝，加入精盐、鸡精煮熟入味，然后用水淀粉勾芡，撒入香菜末、胡椒粉，再淋入鸡油搅匀，出锅盛入汤碗中即成。

西湖银鱼羹

主料　鸡脯肉150克，莼菜500克，熟火腿10片，熟春笋1只，水发香菇2朵，鸡蛋清半个，虾仁30克。

调料　鸡清汤4杯，料酒2大匙，精盐1大匙，味精2小匙，白胡椒粉1小匙，干淀粉4小匙，熟鸡油2小匙。

做法　①将鸡肉切丝，虾仁放碗中加入精盐少许，和鸡蛋清拌和，再用干淀粉搅匀。

②火腿、笋、香菇均切小片，莼菜取嫩头，洗净后放入沸水锅中烫熟，捞出沥去水，放入汤碗中。

③炒锅置旺火上，舀入鸡汤，放入鸡丝、虾仁，加入精盐、料酒烧沸，撇去浮沫，放入火腿、笋、香菇烧沸后，再倒进莼菜碗中，加入味精，淋上鸡油，撒上白胡椒粉即成。

鸡脯莼菜汤

主料　鸡全翅300克，板栗、菠菜各100克。

调料　蒜3瓣，姜2片，精盐、老抽各少许，味精1/2小匙，烧汁1大匙，料酒、色拉油各适量。

做法　①将鸡全翅改刀、洗净，放入热水中焯烫去血水，捞出；板栗放入沸水中煮熟，取出剥壳；菠菜洗净，放入沸水中烫一下，捞出冲凉备用。

②锅置火上，放入色拉油烧热，下入蒜瓣、姜片炒香，再放入鸡翅、栗子、老抽、烧汁炒至上色，然后烹入料酒，倒入适量清水烧开，转小火焖至熟烂，最后放入菠菜、味精续煮2分钟即可。

菠菜板栗鸡汤

主料　鸡翅300克，鸡蛋2个，黄豆、胡萝卜各30克，罗汉果1个，陈皮5克，香菜少许。

调料　生姜少许，精盐适量。

做法　①将鸡翅洗净，放入沸水锅中焯去多余油脂，捞出沥水；黄豆用清水泡发；胡萝卜去皮、洗净，切厚片备用。

②锅中加入适量清水，放入鸡蛋煮熟，取出剥皮；罗汉果洗净，拍破；陈皮浸透，刮去瓤待用。

③锅中加入清水烧开，放入所有原料煮沸，再转小火煲2小时，然后加入精盐，撒入香菜即可。

罗汉果翅根鸡蛋汤

白梨红枣煲鸡翅

主料 白梨2个，红枣10个，鸡翅膀10只。

调料 生姜2片，精盐、味精各2小匙，料酒1大匙，胡椒粉少许。

做法 ①鸡翅洗净，在上面平行斜切2刀，方便入味；白梨洗净去皮，切成块；红枣洗净，备用。

②将瓦煲放在火炉上，加入鸡翅膀、生姜、红枣、料酒，注入清水，用大火烧开，再改用小火煲2小时。

③然后加入白梨，调入精盐、味精、胡椒粉，再煲40分钟即可。

雪梨鸡翅煲

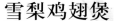

主料 雪梨1个，鸡翅膀5支，红枣10个。

调料 生姜2片，精盐2小匙，味精1大匙，白糖1小匙，清水2杯，料酒1大匙。

做法 ①雪梨去核，留皮切块，鸡翅切段，生姜切片，红枣泡透。

②瓦煲注入清水，下鸡翅膀，用大火烧开，再改用小火煲30分钟。

③然后加入雪梨，调入精盐、味精、白糖、料酒，煲10分钟即可。

白术茯苓鸡汤

主料 鸡翅500克，白术、白茯苓、白芍各5克，甘草3克，枸杞子10克，四季豆50克。

调料 姜3片，精盐适量。

做法 ①将鸡翅洗净，剁成块，入沸水锅中焯烫，捞出沥水备用。

②将白术、白茯苓、白芍、甘草、枸杞子、四季豆分别洗净，捞出沥干待用。

③取沙锅加入清水，置旺火上煮沸，再放入鸡翅、姜片、白术、白茯苓、白芍、甘草、枸杞子、四季豆，用大火煲上20分钟，然后转小火煲2小时，撇去浮油，加入精盐调味即可。

柠檬煲鸡汤

主料 鸡翅250克，柠檬100克。

调料 姜5片，精盐1大匙。

做法 ①将鸡翅洗净，入沸水锅中焯透，捞出沥水；柠檬切片备用。

②将鸡翅放入煲内，倒入清水烧沸，再加入姜片煲至鸡翅软烂，然后放入切好的柠檬片稍煮，加入精盐调味即成。

神农百草山药鸡锅

主料 鸡腿1个，魔芋150克，山药100克，胡萝卜40克，人参1块，红枣6颗，桂枝、白果、黄芪各15克，甘草5片，枸杞子5克，蒜苗少许。

调料 姜3片，精盐1/2匙，白糖2小匙，鲜鸡粉1/3大匙。

做法 ①将鸡腿洗净，剁成块，入沸水锅中焯烫去血水，捞出；山药去皮、洗净，切成块；胡萝卜去皮、洗净，切成片；蒜苗洗净，切丝备用。
②锅中加入清水，放入人参、红枣、桂枝、白果、甘草、枸杞子、黄芪煮至出味，再放入山药片、姜片煮约5分钟，然后加入鸡腿用小火炖约20分钟，最后加入魔芋、胡萝卜片和调料煮匀，撒上蒜苗丝即可。

鸡肉蘑菇毛豆汤

主料 鸡腿150克，香菇、毛豆粒各80克，番茄1个，鲜海带50克，洋葱粒15克。

调料 精盐适量，味精、蚝油各1/2大匙，料酒1大匙，色拉油2大匙。

做法 ①将鸡腿洗净，剁成块，入沸水锅中焯一下，捞出沥水备用。
②将海带洗净表面黏液及杂质，切成块；香菇去蒂、洗净，切成块；番茄去蒂、洗净，切成块待用。
③锅中加入色拉油烧热，下入洋葱、番茄炒软，倒入适量清水，再放入鸡腿煮30分钟，然后加入香菇、毛豆粒、海带、调料煮至入味即可。

椰汁螺头鸡汤

主料 乌鸡腿300克，速冻螺头100克，荸荠150克，芦笋30克，党参15克。

调料 姜片少许，精盐适量，椰汁1杯。

做法 ①将螺头解冻、去内脏，用盐水浸洗干净备用。
②将乌鸡腿洗净，剁成大块，入沸水锅中焯烫捞出；荸荠去皮、洗净；芦笋洗净，切成段，党参洗净待用。
③将清水注入瓦煲烧沸，下入所有原料用大火煲10分钟，转小火，加入1/2的椰奶再煲2小时，然后加入精盐、剩余的椰奶慢慢搅匀即可。

鸡肉西蓝花汤

主料 鸡腿肉300克，西蓝花80克。

调料 葱丝、姜片各少许，精盐适量，料酒2大匙，淡色酱油1大匙。

做法 ①将鸡腿肉洗净，剔去骨，用刀背拍软，切成大块，入沸水锅中焯烫一下，去除多余油脂，捞出洗净备用。
②将西蓝花洗净，切小朵待用。
③锅中加入适量清水煮沸，下入鸡腿肉、姜片、料酒、淡色酱油煮约30分钟，待汤汁浓香时，再加入精盐、西蓝花煮5分钟，撒入葱丝即可。

杜仲栗子鸡汤

主料 鸡腿200克，干栗子12个，杜仲2片，枸杞子3克。

调料 精盐、高汤各适量，米酒1杯。

做法 ①将鸡腿剁成块，放入沸水锅中焯烫一下，捞出洗净；杜仲、枸杞子洗净；栗子泡软，洗净。

②将鸡腿块、杜仲、栗子、枸杞子放入炖盅内，再倒入米酒、高汤密封，入蒸笼隔水蒸炖约1小时取出，加入精盐调味即可。

苦瓜鸡汤

主料 净鸡腿1只，苦瓜干50克，红枣、黑枣、枸杞子各15克。

调料 精盐适量，绍酒250克。

做法 ①将鸡腿洗净、切块，放入沸水中焯烫一下，捞出冲净；红枣、黑枣、枸杞子、苦瓜干分别洗涤整理干净备用。

②将红枣、黑枣、枸杞子、苦瓜干放入锅中，加入5杯水浸泡30分钟，再放入鸡腿，用中小火炖煮15分钟，然后加入绍酒、精盐调匀，再次煮滚即成。

麻辣鸡腿

主料 鸡腿750克。

调料 葱花、姜片、蒜末各30克，豆瓣酱150克，精盐2小匙，味精、鸡精各1大匙，酱油、白糖各1小匙，花椒20克，鲜汤适量，植物油少许。

做法 ①将鸡腿去除残毛，洗净备用。

②坐锅点火，加少许底油烧热，先下入豆瓣酱、葱花、姜片、蒜末、花椒炒香，再添入鲜汤，加入精盐、味精、鸡精、酱油、白糖调匀，然后下入鸡腿，大火烧开后改用小火煨烧20分钟，待汤汁浓稠、鸡腿熟透时，用大火收汁，即可出锅装盘。

大蒜鸡煲

主料 鸡腿1只，大蒜160克。

调料 姜1小块，精盐1小匙，酱油2大匙。

做法 ①将鸡腿洗净，切成块；大蒜剥皮；姜切丝备用。

②将鸡腿、大蒜、姜丝放入沙锅中，加入酱油、精盐、2杯清水，用大火煮沸，然后转小火炖至鸡肉熟透即可。

参枣鸡煲

主料 鸡腿1只，红参15克，红枣10粒。

调料 精盐2小匙。

做法 ①将鸡腿洗净，剁成块，入沸水锅中焯烫，捞出冲净备用。

②将红参、红枣洗净待用。

③将鸡腿、红参、红枣放入沙锅中，加入清水没过原料，用大火煮沸，再转小火炖约40分钟，待鸡肉熟透，加入精盐调味即可。

鸡菇一锅鲜

主料 鸡腿600克，茶树菇50克，面粉90克。

调料 葱段5段，姜片4片，香葱末15克，大料、桂皮各5克，糖色1小匙，植物油150克，精盐1/2小匙，料酒2小匙，味精1小匙。

做法 ①面粉用开水烫一下，揉匀成烫面团，然后卷成卷儿，上蒸锅蒸熟，备用。②鸡腿切块，茶树菇洗净，用温水泡发。③锅内倒油，放入鸡块炸一下，捞出沥油。④另起锅倒水，放入鸡块后加葱段、姜片、桂皮、大料、糖色、精盐搅匀，加入料酒、味精，炖10分钟，然后放入茶树菇、面卷，继续炖35分钟，将汤汁收浓，放香葱末即可。

鸡肉萝卜煲

主料 带骨鸡腿肉300克，白萝卜半根，胡萝卜1根，芋头1个，鲜香菇4个。

调料 红大酱3大匙，白大酱2大匙，青葱粒50克，辣椒粉3小匙，精盐2大匙，味精2小匙。

做法 ①鸡腿用水洗净，用刀剁成3厘米宽的块备用。
②白萝卜和胡萝卜用刀削去外皮，洗净黏液，切成半厘米厚的片。
③锅内注入4杯清水，放入鸡块，上火煮沸，用勺除去浮沫，鸡块烧熟后放入白萝卜块和胡萝卜块、芋头，待素菜熟后放入调稀的大酱，放入鲜香菇和葱段煮2分钟，撒上辣椒粉即可食用。

四补鸡

主料 鸡腿2只，当归、枸杞子各8克，川芎、桂枝各6克。

调料 精盐适量，米酒1/4瓶。

做法 ①将鸡腿洗净，剁成块，放入开水中焯烫，捞出沥水；当归、枸杞子、川芎、桂枝洗净备用。
②沙锅中加入5杯清水，放入当归、枸杞子、川芎、桂枝煮沸，再放入鸡腿炖30分钟，然后加入米酒、精盐调味即可。

红豆鸡肾煲

主料 干红豆100克，鸡肾6个，红枣5个。

调料 姜10克，精盐4小匙，味精2小匙，白糖1小匙，胡椒粉少许。

做法 ①干红豆用清水泡净，鸡肾洗净剁花，姜切片，红枣泡透。
②瓦煲注入清水，加入姜、红豆、鸡爪、红枣，用中火煲40分钟，再加入精盐、味精、白糖，调好口味，再煲5分钟即成。

参芪鸡肾煲

主料 鸡肾400克，鸡肉200克

调料 北芪、党参各30克，花菇2朵，精盐1小匙，胡椒粉少许，柠檬少许，香葱花少许，清水12杯

做法 ①鸡肾洗净，鸡肉切块，一同放入沸水中余烫备用。
②花菇浸软洗净，去蒂，北芪、党参分别洗净待用。
③煲内注入清水烧沸，放入所有原料旺火煮滚，再小火慢煲1小时，下入调料、柠檬续煲，待入味后撒入葱花即可。

西洋菜煲鸡肾

主料 西洋菜半棵，鸡肾3个，红枣5个。

调料 生姜10克，猪化油2小匙，精盐、味精各1大匙，白糖1/2小匙，胡椒粉少许，料酒2小匙。

做法 ①西洋菜去老根洗净，鸡肾解冻用清水反复清洗，然后焯水，生姜去皮切片，红枣泡洗干净。②将瓦煲放在火炉上，烧热下猪化油、姜片、鸡肾，掺入料酒爆烧片刻，注入清水、红枣，用小火煲约30分钟。③然后加入西洋菜，调入精盐、味精、白糖、胡椒粉，用中火再煲10分钟后关火，盛入汤碗内即成。

油泡肾球

主料 净鸡肾400克。

调料 姜末、葱花共15克，胡椒粉1/5小匙，水淀粉1/2大匙，精盐3/5小匙，料酒1/2大匙，鸡汤75克，香油3/5小匙，植物油1000克。

做法 ①将鸡肾用横直刀剖花纹成球状，投入沸水锅中焯一下，倒入漏勺中沥净水。②将精盐、料酒、水淀粉、鸡汤、香油、胡椒粉调成对汁芡，装碗，备用。③取干净炒锅置于旺火上烧热，倒入植物油，待油升温至四成热时，放入肾球油泡至断生，倒出沥油。④锅内留少量植物油，然后放入姜末、葱花、肾球，再倒入对汁芡搅拌均匀，最后淋上香油装盘即成。

党参花生凤爪煲

主料 党参100克，花生15个，凤爪5个。

调料 生姜10克，清水2小匙，精盐4小匙，味精1大匙，白糖1小匙。

做法 ①凤爪切去爪尖；生姜洗净，去皮切片；花生洗净；党参切段。
②瓦煲注入清水，加入凤爪、红枣、生姜、党参煲40分钟。
③调入精盐、味精、白糖，用小火煲5分钟即可。

首乌黑豆煲鸡爪

主料 鸡爪8只，猪瘦肉100克，黑豆20克，红枣(去核)5粒，首乌10克。

调料 精盐适量。

做法 ①将鸡爪斩去趾甲，洗净，入沸水锅中焯水，捞出过冷备用。
②将猪瘦肉洗净，切成块；红枣、首乌洗净待用。
③将黑豆洗净，放入锅中炒至豆壳裂开时，出锅盛入盘中备用。
④将全部原料放入煲内，加入适量清水，用文火煲3小时，再放入精盐调味即成。

番茄土豆凤爪汤

主料 鸡爪400克，鱿鱼干75克，红萝卜250克，番茄、土豆各200克，洋葱头25克。

调料 精盐适量，料酒、香油各少许。

做法 ①将鸡爪用开水焯烫，剥去鸡爪衣，斩去脚甲，洗净；鱿鱼干用清水浸透，洗净，切成中块待用。②将红萝卜去皮、洗净，斜切成三角块；土豆去皮、洗净，切成大块待用。③将番茄用开水烫一下，去皮，剁碎，入油锅中炒熟；洋葱头去皮、洗净，切成片备用。④锅中加入清水12碗烧开，放入全部原料，加入料酒烧沸，用小火煲3小时，再加入精盐、香油调味即可。

黄瓜火腿炖凤爪

主料 肉鸡爪5个，黄瓜1根，油菜心8棵，熟火腿25克。

调料 葱结、姜片各10克，料酒2小匙，花椒8粒，大料2枚，精盐2小匙，味精4小匙，鸡精1大匙，胡椒粉4小匙，香油2大匙，植物油3大匙。

做法 ①鸡爪一切为二；油菜心洗净；黄瓜切块；熟火腿切菱形小片。②净锅加适量清水，放料酒1小匙、葱结5克、姜片5克，煮沸约5分钟，拣出葱结、姜片，投入肉鸡爪和黄瓜焯透，捞出沥水。③炒锅放植物油烧热，下花椒、大料炸煳捞出，入葱结、姜片炸香，掺适量清水，放肉鸡爪、黄瓜，沸后小火炖至肉鸡爪软烂时，放油菜心、火腿片，并加精盐、味精、鸡精、胡椒粉调味，续炖约10分钟至入味，盛汤盆内，淋香油即成。

中

小豆木瓜凤爪汤

主料 凤爪350克,鸡肉250克,木瓜750克,赤小豆、冬菇各50克,桂圆肉15克。

调料 精盐适量,香油少许。

做法 ①将凤爪用开水烫一下,剥去凤爪衣,用刀背敲裂脚骨;鸡肉洗净,切成大块备用。

②将木瓜削皮、去瓤,洗净,切成大块;冬菇去蒂、洗净;赤小豆、桂圆肉洗净待用。

③锅中加入3000克清水烧开,放入所用原料煮沸,先用中火煲1.5小时,再用小火煲1.5小时,加入精盐、香油调味即可。

花生红豆煲鸡爪

主料 鸡爪300克,花生50克,红小豆30克。

调料 姜片20克,精盐、料酒各1小匙,胡椒粉1/2小匙。

做法 ①将鸡爪洗净,入沸水锅中焯水,捞出过凉,去掉爪尖备用。

②将花生、红小豆洗净,用清水浸泡10分钟待用。

③沙锅内加入清水,放入花生、红小豆、姜片、鸡爪煲50分钟,再加入精盐、料酒、胡椒粉调味即可。

清补凉鸡爪排骨汤

主料 清补凉1包,鸡爪12只,排骨450克。

调料 精盐适量。

做法 ①将鸡爪洗净,放入沸水锅中煮5分钟,捞出,剪去爪甲;排骨洗净,剁成段备用。

②将原料放入沙锅中,添入适量开水,用文火煲3小时,再加入精盐调味即可。

鲜松茸凤爪汤

主料 松茸3朵,鸡爪15对。

调料 葱条1段,姜片2片,黄酒适量,精盐1小匙,味精少许。

做法 ①将鸡爪洗净,入沸水中余一下,捞出放在大碗内,铺上火腿片,撒上葱条、姜片。

②在碗内加清水750克,上笼用猛火蒸炖约1小时,出笼拣出葱和姜,加入洗净的鲜松茸片,继续蒸30分钟,取出加入精盐和味精调匀即可上桌。

凤爪冬瓜汤

主料 嫩鸡爪10个，冬瓜200克，红枣6枚，精盐适量。
调料 精盐1大匙，味精2小匙。

做法 ①鸡爪洗净，去掉爪尖壳；红枣洗净，去核；冬瓜洗净，去皮切块。
②锅置火上，放水烧开，下入鸡爪、冬瓜块、红枣，煮至鸡爪熟烂调味即可。

凤爪红萝卜汤

主料 鸡爪8个，红萝卜半根，排骨200克，红枣6枚。
调料 精盐、味精各1大匙。

做法 ①鸡爪洗净，去掉爪尖壳，和排骨一起放入开水锅中余一下，捞出；红萝卜洗净，切块。
②锅置火上，放水烧开，下入鸡爪、萝卜块、排骨、红枣，煮至鸡爪、排骨熟烂，加入精盐、味精调味即可。

牛肝菌煲鸡爪

主料 鸡爪10对，牛肝菌2朵。
调料 葱段、姜片、香葱花、精盐、味精各少许，猪化油4小匙。

做法 ①将鸡爪洗涤整理干净，切成大块；牛肝菌洗净、切片，下入沸水中焯烫一下，捞出沥干备用。
②坐锅点火，加入猪化油烧热，先下入葱段、姜片炒香，再放入鸡块、牛肝菌煸炒5分钟，然后添入适量清水，烧开后转用小火炖煮1.5小时，再加入精盐、味精调好口味，撒上香葱花即可。

核桃花生煲凤爪

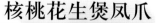

主料 鸡爪12只，核桃仁、花生米各150克。
调料 姜1小块，精盐适量。

做法 ①将鸡爪去趾甲，洗净，放入沸水锅中焯烫2分钟，捞出备用。
②将花生用清水泡3小时；核桃仁洗净待用。
③将所有原料放入沙锅中，再加入适量清水煮沸，然后转中火煲2小时，加入精盐调味即可。

凤爪排骨栗子汤

主料 鸡爪8只，栗子肉、排骨各250克。

调料 陈皮1块，精盐适量。

做法 ①将鸡爪入滚水中烫透，取出去老皮，斩去爪尖，洗净；栗子去壳，去衣，洗净；排骨洗净，剁成小段；陈皮浸透，洗净备用。

②汤锅置火上，添入清水，放入鸡爪、栗子肉、排骨、陈皮，用中火煲3小时，再加入精盐调味即可。

三鲜烩

主料 肉鸡爪8只，猪肥肉50克，净鱼肉100克，日式豆腐1盒。

调料 姜末5克，葱丝10克，香菜15克，精盐2小匙，味精1小匙，酱油1大匙，料酒4小匙，干淀粉、胡椒粉各2小匙，植物油1000克。

做法 ①把鸡爪从中间剁成两块，放碗内，加酱油拌匀；猪肥肉、净鱼肉剁成茸放碗内，磕入鸡蛋清，加干淀粉、姜末及适量精盐、味精，搅打均匀成馅；日式豆腐去外层包装，切片；香菜切段。②锅入油烧至五成热，将鸡爪沥去酱油，蘸些干淀粉，放油锅中炸至表面呈深黄色时，沥油。③锅留底油放葱丝、姜末炸香，添适量清水，调入精盐，放鸡爪、料酒，小火煮至熟烂后，再把肉馅挤成直径约为1厘米的丸子下入锅中，烧沸后撇去浮沫，出锅倒入锅仔内，再放入葱丝、香菜段和胡椒粉，加盖上桌，置于酒精炉上即可。

首乌鸡汤

主料 鸡脖子半个，何首乌30克，淮山9克，乌豆120克。

调料 生姜2片，精盐适量。

做法 ①将鸡脖子洗净，斩成寸段，洗净备用。

②将淮山、乌豆用清水泡软，洗净待用。

③将何首乌洗净；生姜洗净备用。

④将所有原料一起放入煲内，加入6碗清水烧沸，用小火煲煮约4小时，再加入精盐调味即可。

枸杞鸡肝汤

主料 鸡肝4个，枸杞子30粒，鸡骨头100克，枸杞嫩叶1束。

调料 生姜3片，精盐、胡椒粉各适量，料酒1大匙。

做法 ①将枸杞嫩叶择下洗净，枝亦洗净，另放备用。

②将鸡骨头洗净，压碎或剁块，与枸杞枝一起熬煮成浓汤待用。

③将生姜片用榨汁机榨成姜汁。

④将鸡肝洗净，切1厘米大小的块，入沸水锅中焯烫，捞出用清水洗净，再加入生姜拌匀待用。

⑤将浓汤中加入枸杞子，用中火煮半小时，再放入鸡肝、枸杞叶，加入净盐、料酒煮沸，然后撒入胡椒粉调味即可。

茶树菇老鸭煲

主料 净肥鸭半只（约1000克），干茶树菇50克。

调料 高汤4杯，精盐、味精各适量，胡椒粉少许，葱结、姜片各5克，料酒1小匙。

做法 ①干茶树菇放小盆内，加清水浸泡至软，用沸水焯透，沥水切段；净肥鸭剁成2厘米见方的块，同冷水入锅，加料酒，沸后煮约5分钟捞出，用清水冲漂去污沫，控干水分。
②高汤倒入不锈钢锅内，加葱结、姜片、料酒、精盐、味精和胡椒粉，沸后打去浮沫，待用。取一净玻璃碗，先装入鸭肉块，再把干茶树菇段放在鸭肉上，最后注入调味的汤汁，盖上盖，用保鲜膜封口，上笼用中火蒸约2小时即成。

冬瓜煲鸭汤

主料 光鸭1只，冬瓜1/3个，米仁100克。

调料 陈皮1块，姜1块，葱1棵，精盐5小匙，米酒1/2大匙，植物油1小匙。

做法 ①将光鸭洗净，冬瓜去皮切块，葱洗净。
②炒锅内放油烧五成热，将光鸭放进炒锅内，炸透捞出沥油。
③将鸭、冬瓜、陈皮、姜块、葱条、米仁放入汤锅中，加清水5杯，用大火烧开锅后，烹入米酒，精盐3小匙，改用小火炖至酥烂，放入精盐2小匙调味即成。

冬瓜绿豆老鸭煲

主料 净老鸭半只（约1000克），冬瓜1/4个，绿豆100克。

调料 姜片、葱结各5克，料酒2小匙，精盐、味精、鸡精、胡椒粉各1小匙，猪化油3大匙。

做法 ①将老鸭剁成2厘米见方的块，同冷水入锅，沸后煮约10分钟，捞出，用清水漂去污沫；冬瓜去皮除瓤，切成骨牌块；绿豆淘洗干净。
②将鸭块、绿豆、姜片、葱结和料酒放在沙锅内，添入适量清水，加猪化油，置火上烧沸，转小火炖至鸭块熟软且绿豆开花时，下冬瓜块，用精盐、味精、鸡精和胡椒粉调好口味，续炖约20分钟至入味，离火，即可原锅上桌。

淮山老鸭汤

主料 老鸭1只，淮山、枸杞子各15克，桂圆肉10克。

调料 姜片3片，精盐1/2小匙。

做法 ①将老鸭宰杀，去毛、去内脏，洗涤整理干净，再放入沸水中焯去血水，捞出沥干；桂圆肉、淮山、枸杞子分别洗净备用。
②坐锅点火，加入适量清水烧开，先放入老鸭、桂圆肉、淮山、枸杞子、姜片，小火煲约4小时，再加入精盐调好口味，即可装碗食用。

桂花鸭煲

主料 活肥鸭1只（约1500克），毛芋头3个，桂花1克。

调料 精盐1小匙，料酒3大匙，味精1大匙。

做法 ①将活鸭宰杀，用热水烫一下，迅速翻滚，去毛洗净，在翅膀下切开7厘米长的口，取出内脏，洗去血水，放在砧板上，共剁成24块，再用开水烫一下。②取沙锅1只，放水6杯，将鸭块放入烧开，取汤勺将浮面的血沫去掉，继续用文火炖。③再将毛芋头剥去外皮洗净，用开水煮3分钟，捞出（用凉水洗一次，这样芋头吃起来不会出现麻嘴现象）。④待鸭块八成熟时，再放芋头，烧沸，转文火继续炖煨半小时，见鸭块和芋头全部焖烂时，将精盐、料酒、味精、桂花放入，再用旺火烧沸。

陈皮老鸭蘑菇汤

主料 老鸭1只，蟹味菇50克，莴笋200克，鲜橘皮丝少许。

调料 陈皮2片，精盐适量，胡椒粉少许。

做法 ①将老鸭去内脏、洗净，去头、脚，剁成大块，入沸水锅中焯烫，捞出沥水备用。②将蟹味菇洗净；陈皮用清水浸软，刮去内瓤；莴笋去皮、留嫩叶，洗净，切成条待用。③汤锅加入清水煮沸，下入原料用大火烧开，再转小火煲2小时，放入莴笋叶余绿，然后加入精盐、胡椒粉煮至入味后熄火，撒入鲜橘皮丝提味即可。

胡椒炖老鸭

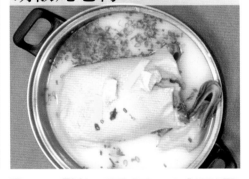

主料 净老鸭1只（约750克），猪肉500克，火腿30克。

调料 胡椒10克，生姜4片，精盐适量，料酒少许。

做法 ①将老鸭洗净，切去鸭尾及肥油；胡椒洗净，放入鸭肚内，用线缝合，入油锅中，加入生姜炸至表面微黄，捞出沥油备用。②将猪肉洗净，切成块待用。③将老鸭、火腿、猪肉、生姜、料酒放入炖盅内，加入适量开水，炖盅加盖，入锅用文火隔水炖4～5小时，再加入精盐调味即成。

蚌肉炖老鸭

主料 蚌肉60克，净老鸭肉150克。

调料 生姜2片，精盐、料酒各适量。

做法 ①将蚌肉洗净，沥水备用。②将老鸭肉洗净，剁成块，入沸水锅中，加入料酒焯烫去血污、腥味，捞出沥水待。③将蚌肉、老鸭肉、姜片放入炖盅内，再加入12杯清水，炖盅加盖，入锅用文火隔水炖2小时，加入精盐调味即成。

田螺火腿煲水鸭

主料 水鸭1只，鲜田螺750克，金华火腿25克，瘦肉200克。

调料 姜3片，陈皮1块，绍酒2大匙，精盐适量。

做法 ①水鸭洗干净，沥干水分，用酒搽匀鸭腔。

②将田螺取肉，除去肠和尾，用盐略擦，冲洗干净，放入沸水内焯水，捞出待用。

③瘦肉焯水冲干净。陈皮浸软刮去瓤待用。

④将上述所有材料全部放入炖盅内，加盅盖，隔水用猛火炖半小时，再改用慢火炖3小时，最后加入精盐调好口味，出锅即成。

鲜笋烤鸭汤

主料 烤鸭半只，竹笋、玉米各100克，木耳50克。

调料 精盐1大匙，胡椒粉、白糖、白醋、料酒各1/2小匙，色拉油2大匙。

做法 ①将烤鸭去油脂，切成块，用温水泡5分钟；竹笋去壳、洗净，切成滚刀块；玉米洗净，切成段备用。

②坐锅点火，放入色拉油烧热，下入姜片煸香，再放入鸭块爆香，然后烹入料酒，加入精盐、竹笋翻炒，添入开水，放入玉米、木耳，倒入电压力锅中炖30分钟待用。

③碗中放入胡椒粉、精盐、白醋、白糖，先舀入鸭汤调匀，再将鸭块及汤盛入碗中即可。

灵芝蜜枣煲老鸭

主料 净老鸭1只，排骨150克，蜜枣50克，灵芝菇100克。

调料 姜15克，精盐1大匙，白糖1小匙，胡椒粉1/2小匙，色拉油适量。

做法 ①将老鸭洗净，切成块；排骨洗净，剁成段；灵芝菇择洗干净；姜洗净，切成片备用。

②坐锅点火，倒入色拉油烧热，下入姜片炒香，再放入鸭块煸炒出油，然后加入排骨，倒入适量清水，放入电沙锅中，再加入灵芝菇、蜜枣煲2小时，放入精盐、白糖、胡椒粉调味即可。

芡实炖老鸭

主料 老鸭1只，芡实200克。

调料 姜片、葱段各5克，精盐、味精、花椒、绍酒各1/2小匙。

做法 ①将老鸭宰杀，洗涤整理干净；芡实洗净，装入鸭腹中，封好口，用漏勺托着入沸水锅中焯水，去净血污，捞出备用。

②坐锅点火，加入清水烧沸，下入鸭子、绍酒、姜片、葱段、花椒，转小火炖2小时至鸭肉熟烂，再加入精盐、味精，拣去姜片、葱段、花椒即可。

当归鸭

主料 鸭半只。

调料 老姜20克，当归药材包1包，精盐、料酒各1小匙。

做法 ①将鸭肉洗净，切成块，放入沸水锅中焯烫，捞出洗净；老姜洗净，切成片备用。

②锅中放入鸭肉块、老姜、当归药材包，再加入清水没过鸭肉，用大火烧沸，然后转小火炖约40分钟，加入精盐、料酒再煮约10分钟即可。

沙参玉竹老鸭汤

主料 老鸭半只，北沙参、玉竹各20克。

调料 姜5片，精盐1小匙。

做法 ①北沙参、玉竹洗净；老鸭洗净，斩件；姜洗净切片。锅中加水烧开，放入鸭肉焯透捞出。

②将上述原料放入锅内，加清水适量，中火煮沸后改文火煲2小时，加适量精盐调味即可。

冬虫夏草煲水鸭

主料 鸭肉600克，冬虫夏草10克。

调料 姜片少许，精盐、料酒各1小匙。

做法 ①将鸭肉洗净，剁成块，放入滚水锅中焯烫约5分钟，捞出洗净，沥干备用。

②将冬虫夏草去除杂质，洗净待用。

③将所有原料放入锅中，加入清水煮滚，再转小火煮约50分钟，然后加入调料调味即可。

酸萝卜老鸭汤

主料 老鸭1只。

调料 酸萝卜100克，口蘑、木耳、黄花各50克，枸杞、沙参各5克，精盐、鸡精、花椒、胡椒粉、葱、姜各1/2小匙

做法 ①将鸭子切成块，锅内加水烧开，放入鸭子焯透捞出，沥干备用。

②沙锅中，冲入适量开水，加入沙参、大枣、葱、姜、花椒炖20分钟左右，再加入酸萝卜、木耳、口蘑、黄花，煮熟加入泡好的枸杞，加精盐、鸡精、胡椒粉调味即成。

鲜山药煲水鸭

主料 水鸭1只。

调料 鲜山药200克，红枣、香菇、竹叶、陈皮各适量，盐1小匙，白糖1/2小匙，胡椒粉1/2小匙。

做法 ①将鸭洗净切块，红枣用水泡着，香菇洗净。鲜山药去皮切块，洗净。锅中加水烧开，放入所有原料，焯一下捞出。
②锅中加适量水，放入鸭子块、山药、红枣、香菇、竹叶、陈皮，大火烧开至上火炖1小时，调味即可。

菊花老鸭汤

主料 老鸭1只（约1200克）。

调料 姜3片，菊花10克，枸杞12克，冬虫夏草5克，西洋参6片。

做法 ①先把10克菊花、12克枸杞用水浸泡，再把1只去皮的老鸭，以及5克冬虫夏草和6片西洋参放在沙锅里炖。
②炖到六七分熟时，倒入泡发的菊花和枸杞，煮至老鸭肉熟烂即成。

口蘑炖鸭

主料 嫩鸭肉500克，水发口蘑100克。

调料 玻璃纸（20厘米左右见方）1张，高汤6杯，料酒、精盐各2小匙，味精1小匙，胡椒粉少许，葱、姜各10克。

做法 ①先将鸭肉除净绒毛，洗净后切成球块；口蘑洗净杂质，一切两半，与鸭球分别下入开水锅中，出水后捞起。
②再将鸭球洗净血水，同口蘑一起放入炖盅内，加入料酒、精盐、味精、胡椒粉。
③另用净锅放入高汤、葱、姜，略熬片刻，将汤倒入炖盅内，用玻璃纸封牢，上笼蒸1个半小时取出即成。

荔芋香鸭煲

主料 芋头1个，香鸭半只，椰汁花奶3大匙。

调料 葱段3段，姜片3片，鲜汤1杯，青蒜段15克，精盐5小匙，味精1大匙，鸡精2小匙，老抽1大匙，植物油1大匙，料酒2大匙，白糖4小匙。

做法 ①将芋头削皮切滚刀块；香鸭斩成块，加少许老抽、精盐、料酒拌匀腌入味。②炒锅放植物油烧热，芋头块炸至金黄，鸭块炸至金红色且刚熟时捞出。③炒锅放底油，炸香葱段、姜片，下鸡块炒香，烹料酒，加鲜汤烧沸，再加椰汁花奶、白糖、精盐、味精、鸡精调味，炖至鸭肉软烂时，再加芋头块，炖约5分钟至鸭肉绵软时离火。④沙锅中注入少量植物油，待烧至冒烟时端上盘上，倒入炖好的芋头、鸡块，撒上青蒜段，加盖即成。

良姜煲鸭汤

主料 老鸭半只,红枣10枚,魔芋丝20克。

调料 良姜20克,清水2杯,料酒、精盐各4小匙,味精2小匙,白糖1小匙。

做法 ①老鸭洗净切成块,良姜去皮切片,红枣洗净。
②沙锅注入清水,加入鸭块、红枣,用小火煲40分钟。
③再放入精盐、料酒、味精、白糖、魔芋丝,同煲20分钟即可。

咸酸菜鸭汤

主料 鸭半只(约650克),咸酸菜1袋。

调料 姜丝15克。

做法 ①将咸酸菜洗净,擦干水分,切片。
②鸭洗净,沥干水分,斩件,盛碟上,包以微波保鲜纸,留一小孔疏气,高火煮约3分钟,取出,倒去血水。
③把鸭块、咸酸菜、姜丝同放在一盛器内,加热水盖过鸭面,盖上盖,放入炉内,用高火煮约15分钟,再用中火煮15分钟,取出,加适量盐调味,即可食用。

酸菜煲肥鸭

主料 净肥鸭半只,酸菜200克。

调料 干辣椒2个,郫县豆瓣酱、白糖各2小匙,葱段3段,姜片4片,料酒4小匙,鲜汤1杯,酱油、精盐、味精、鸡粉各2小匙,香油1小匙,植物油150克,湿淀粉3大匙。

做法 ①将肥鸭剁块,放盆内,加酱油、精油、味精拌匀腌渍片刻,续加湿淀粉抓匀,逐块下六成热的油中炸至深红色捞出;酸菜切丝,炒香,倒漏勺内沥油,。②炒锅留底油上火,下葱段、姜片、干辣椒(切短节)炸香,续下豆瓣酱(剁细)炒至出香、出色,烹料酒,加鲜汤、酱油、鸭块、土豆、精盐等,沸后打去浮沫,倒在沙锅内,加盖置小火上炖30分钟,放味精、鸡精调匀,离火,撒入香菜段,淋入香油,起锅即可上桌。

四珍煲老鸭

主料 净鸭半只(约1000克),莲子、大枣各10枚,白果5枚,人参1根。

调料 葱结、姜片各20克,精盐2小匙,味精、料酒各1大匙,清水6杯。

做法 ①净鸭斩成2厘米见方的块,放在水锅中煮约10分钟捞出,控尽汁水;莲子、大枣和白果用水泡透;人参切大片。
②取一净沙锅,放入鸭块、葱结、姜片、料酒和适量清水,置旺火上烧沸后,打去浮沫,改小火炖至八成熟时,下莲子、大枣、白果和人参片,调入精盐,续炖至熟烂后,加味精调味即成。

老鸭笋干煲

主料 净老鸭半只（约1000克），笋干50克，清水香菇3朵，熟火腿50克，油菜心5棵。

调料 葱结、姜片各10克，料酒1大匙，精盐1小匙，味精、鸡精各2小匙，胡椒粉1大匙，香油1小匙，植物油3大匙。

做法 ①将老鸭剁成块，用清水洗2遍，沥尽水分；笋干切成小指粗的条，用清水洗2遍（以去除部分淀粉，使口感清爽）；清水香菇坡刀片；鞭笋和熟火腿均切条状。②炒锅放熟食用油烧热，炸香葱结、姜片，入鸭块煸炒至干爽时，加料酒和适量清水，调入精盐、胡椒粉，倒在高压锅内压20分钟（若直接用普通锅炖约用1小时），离火。③取一净沙锅，先放笋干、香菇片、火腿条，再倒入压好的鸭块和汤汁，调入味精、鸡精，加盖，小火炖约15分钟，放入油菜心，略炖，淋香油，即可。

清汤柴把鸭

主料 鲜鸭肉1000克，熟火腿75克，水发玉兰片75克，水发大香菇75克，水发青笋50克。

调料 葱段2段，胡椒粉少许，味精少许，精盐1/2小匙，鸡油1小匙，鸡清汤2杯，猪化油2大匙。

做法 ①鲜鸭肉煮熟，剔去粗细骨，切条，水发香菇与熟火腿、玉兰片切成丝，水发青笋切丝。②取鸭条4根，火腿、玉兰片、香菇条各2根，共计10根，用青笋丝从中间缚紧，捆成小柴把形状，共24把，码入瓦钵内，加猪化油，精盐1.5克，鸡清汤250克，再加剔出的鸭骨，入笼蒸40分钟取出，去掉鸭骨，原汤倒入炒锅，鸭子翻扣在碗里。③在盛鸭原汤的炒锅内，加鸡清汤250克烧开，撇去泡沫，放精盐、味精、葱段，倒碗里撒胡椒粉，淋鸡油即成。

神仙鸭

主料 肥鸭1只，水发香菇、水发冬笋、火腿片各50克，油菜心10棵。

调料 葱段、姜块各5克，八角1粒，精盐、酱油各2小匙，绍酒1大匙，味精1小匙，水淀粉、鲜汤、植物油各适量。

做法 ①将肥鸭宰杀，洗涤整理干净，入沸水烫一下，捞出沥干，再趁热抹匀酱油，放入热油中炸至变色，捞出沥油；香菇去蒂、洗净，切成小片；冬笋洗净，切成小段；菜心洗净，下入沸水中焯透，捞出沥干备用。②将肥鸭装入大碗中，加葱段、姜块、八角、绍酒、精盐、鲜汤、香菇、火腿、冬笋，再蒙上保鲜膜，放入蒸锅中蒸2小时，装入盘中，然后将香菇、冬笋、菜心摆在盘边待用。③将原汤放入锅中加热，再加入味精调好口味，用水淀粉勾芡，均匀地浇在鸭子上，即可上桌食用。

四喜鸭子

主料 净雏鸭750克，猪肉50克。

调料 葱1小匙，姜1小匙，花椒1/2小匙，八角1粒，桂皮1/2小匙，白糖2小匙，精盐1/2小匙，味精1/2小匙，绍酒1大匙，湿淀粉2大匙，芝麻油100克，植物油1500克。

做法 ①将净雏鸭由脊背处劈开，鸭脯相连，用刀根把大骨斩断，去掉嘴内鸭舌。②猪肉切成丁，连同鸭子用酱油腌渍10分钟，捞出沥干，放九成热油锅中。③将鸭、猪肉块炸成棕红色捞出沥油，放沙锅内，把猪肉、葱段、姜块、花椒、八角、桂皮放在里面，清汤内加白糖、精盐、味精、绍酒搅匀倒入沙锅内，慢火炖2小时至烂熟取出。④鸭皮朝上摆在大腰盘内，猪肉放在鸭子的四周；余汤倒入锅内烧开，调好口味用湿淀粉勾成浓溜芡，加芝麻油浇在鸭子上即成。

主料 鸭骨500克，海带、冬瓜各100克，四季豆、玉米棒各50克。

调料 陈皮1块，精盐适量。

做法 ①将鸭骨洗净，剁成块，放入沸水中焯烫，捞出备用。
②将冬瓜去皮、洗净，切成块；海带洗净、打结；四季豆择洗干净；玉米棒切成段，陈皮浸软，刮去瓤待用。
③汤锅置火上，加入适量清水烧沸，下入所有原料煮20分钟，再转小火煲2小时，然后加入精盐调味即可。

冬瓜海带鸭骨汤

主料 鸭骨架1具，豆腐1块。

调料 葱段15克，精盐、味精、胡椒粉、精制植物油各适量，鸭油2小匙，鲜汤750克。

做法 ①将鸭架洗净，剁成2厘米见方的块；豆腐切成长条片备用。
②锅置火上，放入精制植物油烧至七成热，下入鸭架块煸炒，再加入鲜汤、葱段烧沸，然后倒入沙锅内，置小火上煮15分钟，再放入豆腐片烧开，加入精盐、味精，淋入鸭油搅匀，起锅盛入汤碗内，撒上胡椒粉即成。

豆腐鸭架汤

主料 鸭架1个，鲜笋100克，玉米300克，木耳30克，香菜10克。

调料 鲜姜20克，精盐、料酒各1小匙，白糖、胡椒粉、米醋、香油各1/2小匙，色拉油2大匙。

做法 ①将鸭架去油脂、洗净，剁开，用温水泡5分钟备用。
②将鲜笋去笋壳、洗净，切滚刀块；玉米切断；鲜姜切片待用。
③锅中放入色拉油烧热，下入姜片、鸭块爆香，添入开水烧沸，撇去浮沫，再放入鲜笋、玉米、木耳、调料煲45分钟，然后淋入米醋，撒入胡椒粉、香菜即可。

鲜笋卤鸭汤

主料 绿豆、赤小豆、雪豆各30克，樱桃骨鸭500克，荷叶1片，白菜100克。

调料 葱段、姜片各少许，精盐适量，料酒1大匙。

做法 ①将樱桃骨鸭去头及鸭肫，洗净，剁成块，入沸水锅中焯烫，捞出沥水备用。
②将荷叶洗净；白菜洗净，切成块待用。
③将3种豆洗净，去杂质，用清水浸泡2小时，入清水锅中煮滚，捞出备用。
④煲内加入清水煲滚，入葱段、姜片、料酒及原料烧沸，用小火煲2小时，加入精盐调味即可。

三豆樱桃骨鸭汤

土豆煲鸭肉

主料　带骨鸭脯750克, 土豆2个, 青蒜节15克。

调料　柱侯酱3大匙, 海鲜酱4小匙, 肉桂20克, 蚝油、精盐、味精各1大匙, 鸡精、胡椒粉各2小匙, 葱段、姜片各5克, 鲜汤5杯, 香油1小匙, 植物油750克 (约耗85克)。

做法　①将带骨鸭脯切块, 洗2遍, 控尽水分; 土豆削皮洗净, 切成滚刀块, 投入烧至六成热的植物油锅中炸成金黄色, 捞出沥油。②净炒锅上火, 放5大题植物油烧热, 投入鸭块不停地翻炒至干爽露骨时, 放柱侯酱、海鲜酱、葱段、姜片、肉桂略炒, 烹料酒, 掺鲜汤烧滚, 倒在盛有土豆的沙锅内, 加盖, 用小火炖约1小时, 调入酱油、精盐、味精、鸡精、胡椒粉和蚝油等, 续炖约20分钟, 淋香油, 撒青蒜段, 原锅上桌即可。

鱼丸鸭脯汤

主料　熟鸭脯肉150克, 鳜鱼肉75克, 熟火腿片15克, 鸡蛋清4个, 鸡蛋皮丝10克, 水发菇丝10克, 香菜叶8瓣。

调料　鸡清汤2杯, 料酒5小匙, 精盐1小匙, 味精少许, 熟鸡油、猪化油各1大匙。

做法　①将鸭脯肉切细丝, 火腿片切成花瓣形的小片; 鱼肉剁蓉, 放碗中, 加鸡蛋清2个、料酒2小匙拌匀, 再加精盐少许、味精少许搅匀, 将鸭肉丝放入拌和, 搓成16个圆球, 放入抹有熟猪化油的盘中, 上笼蒸6分钟至熟取出。②将鸡蛋清2个放盘中, 搅成泡沫状, 将火腿花瓣与香菇丝、蛋皮丝、香菜叶在发蛋上摆成芙蓉花形, 然后将蛋放在鸭丝圆球上, 上笼蒸3分钟至熟放在汤碗中。③炒锅舀入鸡汤, 加料酒2小匙、精盐少许、味精少许, 烧沸, 起锅将汤沿碗边倒入, 淋入熟鸡油。

海带鸭舌汤

主料　鸭舌200克, 水发海带丝50克。

调料　精盐、白糖、绍酒、香油各少许, 鸭清汤2杯。

做法　①将鸭舌用清水煮熟, 捞出晾凉, 抽去舌中软骨, 加工整齐, 再用沸水焯烫一下, 捞出冲净, 然后放入小锅中, 加入烧开的鸭汤、精盐、白糖、绍酒, 上笼蒸5分钟, 取出备用。
②海带丝洗净, 沥干水分待用。
③将海带丝放入鸭汤中烧沸, 捞出垫入碗内, 再将蒸好的鸭舌装入汤碗, 倒入烧开的鸭汤, 淋少许香油即可。

首乌鸭肝汤

主料　鸭肝5个, 干首乌25克。

调料　精盐、味精各少许, 清汤适量。

做法　①将鸭肝洗净, 切成小块; 首乌放入清水中泡软, 洗净后切片备用。
②将沙锅置于火上, 添入清汤, 先下入首乌片熬煮30分钟, 再放入鸭肝块续煮10分钟, 然后加入精盐、味精调好口味, 即可出锅装碗。

枸杞桂圆炖鹅肉

主料 鹅肉500克，枸杞子15个，桂圆5个，红枣6粒。

调料 姜段1段，葱2根，料酒2小匙，精盐1/2小匙，味精少许。

做法 ①鹅肉洗净，切5厘米长、3厘米宽的块，红枣、姜、葱洗净。

②将鹅肉放入沙锅中，加适量水，煮沸，撇开浮油，加入枸杞、桂圆、红枣、酒、姜、葱，转小火炖至九成熟，加入精盐、味精，继续炖几分钟即可。

桂圆山药炖鹅

主料 鹅肉750克，山药50克，桂圆5个。

调料 生姜15克，葱15克，料酒1大匙，精盐1小匙，味精1/2小匙。

做法 ①鹅肉、桂圆、葱洗净；山药去皮，洗净，切滚刀块；姜洗净拍松。

②将鹅肉放入开水中氽烫，取出，切长方块。

③沙锅中放入鹅肉，料酒、精盐、姜、葱煮沸，转小火炖至鹅肉六分熟，加桂圆肉、山药继续炖至肉酥烂时，拣出姜、葱，放入味精即可。

沙锅酱鹅

主料 净鹅半只，土豆1个，鸡蛋2个。

调料 葱段2段，姜片5片，沙茶酱3大匙，精盐5小匙，味精、料酒、老抽各1大匙，香菜15克，面粉、淀粉各25克，花椒6粒，大料2枚，白糖2小匙，植物油1000克（约耗75克）。

做法 ①将净鹅斩块，放盆内，加鸡蛋液、葱段、姜片、精盐、味精、面粉、淀粉、料酒、老抽等拌匀，腌渍10分钟；土豆切滚刀块；香菜切段。②炒锅内放植物油，烧至六成热，将鹅分散下锅中，炸至表面呈黄色且刚熟时，捞出，待油温升至八成热时，再将土豆块下入锅中炸至表面金黄色，捞出，然后与鹅共放沙锅内。③锅留底油下花椒、大料炸焦捞出，再下葱段、姜片炸香，加鲜汤、料酒，并放老抽、精盐、味精、白糖，起锅倒在沙锅内，然后盖盖，炖25分钟后，淋香油，撒上香菜段，用毛巾托住沙锅端于八寸盘中，上席即可。

老干妈拌鹅肫

主料 鹅肫250克，芹菜30克。

调料 精盐1/2小匙，味精1/2小匙，料酒、熟芝麻各2小匙，葱、姜各10克，红油4小匙，老干妈豆豉3大匙。

做法 ①将鹅肫去底板后，切成花刀形，用精盐、姜、葱、料酒码味20分钟后，放入沸水锅中氽至断生捞起。

②芹菜择洗净，去除叶子不用，切成3厘米长的节，放入盘中垫底，再摆放入熟鹅肫花。

③盆中用味精、红油、老干妈豆豉调匀成味汁，淋入盘中鹅肫花上，撒上熟芝麻即成。

核桃百合煲乳鸽

主料 乳鸽1只，核桃仁、枸杞子各12克，干百合50克，新鲜淮山药1个。

调料 精盐1大匙，味精1小匙，鲜奶适量。

做法 ①乳鸽洗净；新鲜淮山药去皮洗净，切滚刀块；核桃仁、百合、枸杞子用温水泡开。

②将乳鸽、核桃仁、干百合、枸杞子放入沙锅中，加5杯水，煮沸，转小火炖50分钟，加入新鲜淮山药和鲜奶再炖10分钟，加精盐调味即可。

黄瓜乳鸽煲

主料 乳鸽1只，黄瓜1根，枸杞子10个，淮山10克。

调料 姜3片，花雕酒1大匙，精盐4小匙，味精1大匙，白糖1小匙，清水2杯。

做法 ①乳鸽切洗干净，黄瓜切大块，姜切片，淮山、枸杞子洗净。

②瓦煲注入清水，加入乳鸽、淮山、枸杞子、花雕酒，用小火煲40分钟。

③然后加入黄瓜、精盐、味精、白糖，煲15分钟即成。

参须天麻乳鸽汤

主料 乳鸽1只，天麻15克，参须15克，枸杞子10粒，大枣4粒。

调料 精盐适量。

做法 ①将乳鸽宰杀，去毛、去头、爪，除内脏，洗净，剁成大块，放入沸水锅中焯烫，捞出备用。

②将天麻、参须、枸杞子、大枣分别洗净待用。

③锅中加入清水煮沸，放入乳鸽、天麻、枸杞子、大枣、参须，用大火煲20分钟，转小火煲2小时，加入精盐调味即可。

银耳炖白鸽

主料 白鸽2只，干银耳、火腿粒各25克，瘦肉100克。

调料 生姜2片，葱2根，精盐、味精、绍酒各适量。

做法 ①将白鸽宰杀，褪毛、去内脏，洗净，用刀背敲折翅骨、脚骨；瘦肉洗净，切成片，入沸水锅中略烫，捞出备用。

②将瘦肉片放入炖盅内，再加入火腿粒、白鸽（鸽胸朝上），然后放入姜片、葱、绍酒、精盐，加入沸水750克，入锅隔水炖至白鸽近软烂时，取出待用。

③将原汤滗出，拆掉鸽的腔骨及锁喉骨，原汤过滤后鸽肉再放入炖盅内，然后放入洗净烫过的银耳，再加入味精、精盐调味，加盖再炖1小时即成。

核桃山药炖乳鸽

主料 乳鸽1只，核桃仁、淮山药片各30克。
调料 姜、葱各5克，精盐、料酒各1小匙，胡椒粉各适量。

做法 ①将核桃仁用沸水烫去皮；淮山片用清水浸泡备用。
②将乳鸽去内脏及爪，洗净；姜拍松；葱切段待用。
③将乳鸽、姜、葱、核桃仁、淮山药片、料酒放入炖锅内，加入适量清水用武火烧沸，再转文火炖煮35分钟，然后加入精盐、味精、胡椒粉调味即成。

鹿茸片老鸽汤

主料 老鸽1只，鹿茸片20克，干珧柱、淮山药各30克。
调料 姜3片，精盐适量。

做法 ①将老鸽去头、爪，洗净，放入沸水锅中煮5分钟，捞出沥水备用。
②将淮山药浸洗干净；干珧柱用温水泡发好待用。
③锅中加入清水烧开，放入所有原料用大火煮沸，再转小火煮2小时，加入精盐调味即可。

淮山炖乳鸽

主料 乳鸽2只，西洋参25克，淮山药300克，红枣8粒。
调料 生姜2片，精盐、料酒各适量。

做法 ①将西洋参洗净，切成片；淮山药去皮、洗净，用清水浸泡半小时；红枣洗净，去核备用。
②将乳鸽去毛和内脏，洗净，剁成块，入沸水锅中，加入料酒焯烫去血污，捞出沥水待用。
③将乳鸽、西洋参、淮山药、红枣、生姜放入炖盅内，加入开水适量，炖盅加盖，入锅用文火隔水炖3小时，加入精盐调味即成。

淮山瘦肉煲乳鸽

主料 乳鸽2只，瘦猪肉150克，淮山、莲子、白扁豆各10克。
调料 干姜、葱各5克，精盐1小匙，胡椒粉1/2小匙。

做法 ①将乳鸽洗涤整理干净，放入锅中干煸至血水出净，再加入清水煮沸，捞出沥水备用。
②将淮山去皮、洗净，切成块；莲子用温水泡开；瘦肉洗净，切成小块待用。
③沙锅中注入清水烧沸，下入原料及姜片、葱段煮30分钟，转小火煲2小时，加入精盐、胡椒粉调味即可。

人参枸杞煲家鸽

主料 家鸽1只，人参1根，枸杞子5个，瘦肉50克。

调料 生姜3片，精盐2小匙，味精1小匙，胡椒粉少许，料酒2小匙。

做法 ①家鸽清洗干净，人参切段，枸杞子泡洗干净，瘦肉切块，生姜去皮切厚片。

②锅内加水，水开时下入家鸽、瘦肉，用中火煮去其中血水，捞起冲洗干净待用。

③在沙锅里放入家鸽、瘦肉、人参、生姜，注入清水、料酒，用大火煲开后改用小火煲约2小时，调入精盐、味精、胡椒粉，然后煲透入味即可食用。

银杏大枣煲乳鸽

主料 乳鸽2只，红枣10枚，银杏2个，枸杞子数粒。

调料 葱结、姜片各10克，料酒、精盐、味精各1小匙，鸡精1大匙，胡椒粉2大匙，香油1小匙，植物油2大匙。

做法 ①将乳鸽宰杀洗净，剁成长条块，同冷水入锅，沸后煮约5分钟捞出，用清水冲漂净污沫；红枣用温水泡软，去核；银杏、枸杞子洗净，均待用。

②炒锅上火，放熟食用油烧热，下姜片、葱结炸香，入乳鸽块翻炒至无水气时，加清水5杯，沸后打去乳沫，改小火炖至八成熟时，再下银杏和红枣、枸杞子，调入精盐、味精、鸡精、胡椒粉等，续炖约30分钟，倒在沙锅内上火烧25分钟即成。

杏仁节瓜老鸽汤

主料 南杏4个，北杏10个，淮山25克，节瓜1根，老鸽2只，瘦肉250克。

调料 姜2片，精盐1大匙，味精2小匙，胡椒粉1大匙。

做法 ①洗干净南杏和北杏。

②淮山用清水浸1小时，然后洗干净。

③节瓜去皮，洗干净后切成厚块。

④洗干净老鸽和瘦肉，切成大块，过水后再冲干净。

⑤烧滚适量水，加入南杏、北杏、淮山、节瓜、老鸽、瘦肉和姜片，水滚后改用慢火煲2.5小时，下精盐调味即成。

鸳鸯鸽汤

主料 鸽子2只，香菇3朵。

调料 姜片2片，胡椒粉2小匙，精盐1小匙，料酒2大匙，清汤1杯。

做法 ①鸽子宰杀收拾干净后，放入开水锅中余透，捞出沥干，放入汤盆中。

②香菇择洗干净，去蒂，也放入汤盘内，加入清汤、精盐、料酒、姜片，上笼蒸至鸽肉熟烂取出。把2只鸽子放入大汤碗里，整理好形状，再把蒸汤倒入汤碗内，最后撒上胡椒粉即可。

主料 活乳鸽1只，竹笙1根，枸杞子5个，水发口蘑5朵。

调料 精盐、味精、香油、葱结、姜片、料酒各适量，猪化油2大匙。

做法 ①乳鸽宰杀放血，用80℃热水烫透，褪净毛，开膛去内脏，洗净血污，剁去头、爪，斩成2厘米见方的块；竹笙洗净切断；枸杞子洗净。

②炒锅上火，放入冷水和鸽块，沸后煮约5分钟捞出，用清水洗去污沫，控干水分，同竹笙、枸杞子、口蘑、葱结、姜片放在一沙锅内，添入适量清水和料酒，大火烧开后改小火炖至鸽肉软烂时，再加入猪化油、精盐、味精，续炖约20分钟，离火，拣出葱结、姜片、黄芪片，淋入香油，即可食用。

竹笙炖乳鸽

主料 鸽子1只，童子鸡1只，老母鸡1只。

调料 茴香25克，姜片10片，植物油1大匙，精盐2小匙。

做法 ①将三禽宰杀，去毛，去内脏，洗净，各下沸水中焯5分钟，捞出，晾凉；鸽与童子鸡剁去头脚，将鸽放入童子鸡肚中，再将童子鸡放入母鸡肚内，使母鸡保留全形，母鸡头用竹筷支起，脚折断缚住。

②将鸡置于沙锅内，加入清水、料酒、精盐、茴香、姜片，在中火上煮1小时后，再用文火焖至鸡肉、鸽肉熟烂即成。

三套鸡

主料 乳鸽1只，党参12克，茯苓、白术各6克，甘草3克，红枣18克。

调料 精盐适量。

做法 ①将乳鸽治净，入沸水锅中焯烫，捞出用冷水冲凉；党参、茯苓、白术、甘草、红枣洗净备用。

②沙锅中放入乳鸽、党参、茯苓、白术、甘草、红枣，再加入5杯清水煮沸，然后转小火炖50分钟，加入精盐调味即可。

党参茯苓乳鸽煲

主料 乳鸽1只，黄芪、枸杞子各30克。

调料 姜、精盐、味精、料酒各适量。

做法 ①将乳鸽治净，入沸水锅中焯烫，捞出切成块；黄芪、枸杞子洗净备用。

②沙锅中放入乳鸽、黄芪、枸杞子，再加入姜、精盐、味精、料酒和适量清水，用旺火煮沸，转小火炖至鸽肉熟烂即可。

黄芪枸杞炖乳鸽

群鸽戏蛋

主料　白鸽3只，鸽蛋12个，人参10克。

调料　葱15克，姜10克，精盐1/2大匙，味精、胡椒粉各少许，酱油、料酒各1大匙。

做法　①将白鸽治净，内外抹上用精盐、酱油、料酒对成的味汁，并将两翅向鸽背方向盘起，入油锅中略炸，捞出沥油备用。

②将鸽蛋洗净，入锅煮熟，捞入冷水中过凉，去壳待用。

③沙锅中放鸽子、姜、葱、人参和适量清水煮沸，转小火炖至鸽子骨酥、肉烂，再将鸽蛋放在鸽子四周，加胡椒粉、味精即可。

杏仁银耳炖乳鸽

主料　乳鸽1只，银耳30克，杏仁20克，姜1片。

调料　精盐适量，料酒1大匙。

做法　①将乳鸽治净，对半切开；银耳泡水20分钟，洗净；杏仁泡水，洗净备用。

②将乳鸽放入开水中焯烫约3分钟，捞出沥干待用。

③沙锅中倒入3～4杯清水煮沸，再加入所有材料及料酒，然后移入蒸锅中蒸炖1.5小时，加入精盐调味即可。

党参乳鸽汤

主料　乳鸽1只，灵芝50克，党参25克，核桃仁10克，蜜枣6枚。

调料　姜片3片，精盐1/2小匙。

做法　①将核桃仁、党参、灵芝、蜜枣分别洗净；乳鸽宰杀，洗涤整理干净，放入沸水中焯去血水，捞出冲净备用。

②坐锅点火，加适量清水烧开，先放入姜片、党参、核桃仁、灵芝、蜜枣、乳鸽，用中火煲约3小时，再加入精盐调好口味，即可装碗食用。

鸽肉萝卜汤

主料　净乳鸽1只，白萝卜100克，胡萝卜1/2根，橙皮丝少许。

调料　姜片、葱丝各少许，精盐1小匙，料酒1大匙。

做法　①将乳鸽去头、爪，洗净，斩块，放入沸水中焯烫去血污，捞出备用。

②将白萝卜、胡萝卜分别洗净，切成小方块待用。

③锅中加入适量清水，下入鸽肉用旺火煲滚，再放入姜片、料酒、白萝卜、胡萝卜、橙皮煲40分钟，然后加入精盐调味，撒入葱丝，出锅装碗即可。

鹌鹑莲藕汤

主料 鹌鹑500克，莲藕200克。

调料 大葱1棵，精盐适量，味精1/2小匙，白糖1小匙，料酒1大匙，辣酱、色拉油各2大匙。

做法 ①将鹌鹑宰杀，去毛、去头，从尾部开膛掏出内脏，洗净，切成两半，放入沸水锅中，加入少许料酒焯一下，捞出沥水备用。

②将莲藕去皮、洗净，切成片，大葱去皮、洗净，切段待用。

③锅中加入色拉油烧热，下入葱段、辣酱、白糖炒香，再放入莲藕翻炒片刻，然后加入8杯清水煮沸，再放入鹌鹑煮30分钟，加入精盐、味精调味即可。

鹑脯煲

主料 鹌鹑5只，水发香菇1朵，西蓝花200克。

调料 精盐1小匙，料酒2小匙，味精3/5小匙，面粉2小匙，清汤200克，植物油5大匙，香油1小匙。

做法 ①将鹌鹑宰杀去毛，开膛洗净，去头颈、翅膀，从脊背一劈两半，入沸水锅焯去血沫；西蓝花分成小块，焯水制熟。

②鹌鹑放入锅中，加入清汤、葱段、姜片、料酒、精盐、味精，中火炖1小时至肉烂取出。

③炒锅上火，放猪化油烧热，下面粉炒出香味后，倒入蒸鹑脯的原汤，熬至白浓，加入精盐、味精，待用。

人参枸杞炖鹌鹑

主料 鹌鹑4只，鲜人参1根，枸杞子10个，桂圆5个

调料 精盐、味精、白糖各1小匙，鸡粉1/2小匙，鸡汤1500克。

做法 ①将鹌鹑宰杀，洗涤整理干净，放入沸水中略焯一下，捞出冲净；人参、枸杞子、桂圆分别洗净，沥干备用。

②取一炖盅，加入鸡汤，下入鹌鹑、鲜人参、枸杞子、桂圆肉，盖严盖子，放入蒸锅中蒸炖5小时，取出后加入精盐、味精、鸡粉、白糖调好口味，即可上桌。

红枣桂圆炖鹌鹑

主料 鹌鹑2只，桂圆肉40克，红枣10粒。

调料 姜2片，陈皮1片，精盐适量，料酒2大匙。

做法 ①将鹌鹑治净，切成两半；红枣洗净，去核备用。

②沙锅中加入4杯清水煮沸，再放入所有原料及料酒，倒入蒸锅中蒸炖1.5小时，然后加入精盐调味即可。

淮山杞子炖水鸭

主料 淮山、枸杞子各25克，水鸭1只，猪肉100克。

调料 姜1片，精盐适量，料酒1/2大匙

做法 ①将水鸭洗涤整理干净，剁成块，入沸水锅中煮5分钟，取出洗净，沥干水分备用；淮山、枸杞子洗净备用。

②将猪肉洗净，切成块，入沸水锅中煮5分钟，捞出沥水待用。

③将水鸭、猪肉、淮山、枸杞子、姜片、料酒放入炖盅内，加开水3杯，炖盅加盖，入锅隔水炖3～4小时，加精盐调味即成。

虾米三鲜汤

主料 猪瘦肉50克，虾米、茭白各适量。

调料 葱、姜、精盐、味精、淀粉、蛋清、香油各适量。

做法 ①将茭白洗净，切成菱形块；瘦肉洗净，切成丝，加入淀粉、蛋清、精盐、味精、葱、姜、香油码味上浆备用。

②锅置火上，加入清水、虾米烧开，再放入肉丝、茭白块烧熟即可。

甘蓝猪肉苹果汤

主料 猪肉300克，紫甘蓝80克，卷心菜150克，苹果、洋葱各1个。

调料 月桂叶2片，精盐适量，鸡精1/3小匙，料酒1大匙，高汤6杯，色拉油2大匙。

做法 ①将猪肉洗净，切成片；紫甘蓝、卷心菜分别洗净，切成块备用。

②将苹果洗净，去核，切块；洋葱去皮，洗净，切成块待用。

③锅中加入色拉油烧热，下入洋葱炒软，再放入猪肉片翻炒，然后烹入料酒，放入卷心菜、紫甘蓝炒匀，再倒入高汤，加入月桂叶、精盐、鸡精煮至入味即可。

花旗参瘦肉汤

主料 猪瘦肉500克，花旗参(西洋参)25克。

调料 生姜1块，精盐适量。

做法 ①将花旗参用温水浸泡软，切片备用。

②将猪瘦肉洗净，切成厚片，入沸水锅中焯烫一下，捞出沥水待用。

③将花旗参、瘦肉、生姜放入沙锅中，再加入泡花旗参的水及清水适量，先用武火煮沸，然后转文火煲2小时(煲汤时切忌揭盖)，再加入精盐调味即成。

绣球肉圆汤

主料 净猪瘦肉250克，荸荠、鲜菜叶各50克，水发兰片、水发海带各30克，泡红辣椒2根，鸡蛋2个。

调料 葱叶20克，精盐、香油各1小匙，味精、胡椒粉各少许，料酒2小匙，水淀粉2大匙，清汤720克。

做法 ①将鸡蛋摊成蛋皮，切丝；兰片、葱叶、水发海带、泡红辣椒均切成细丝，一起拌匀，再放平盘内。②猪瘦肉捶蓉，盛小盆内，加精盐、胡椒粉、香油、料酒和去皮剁细的荸荠粒搅拌均匀成馅心，挤成丸子，放盘内的丝料中裹匀，放在蒸格上，入锅中蒸4分钟至熟透，取出放大圆盘内。③锅内加清汤、料酒、味精、精盐、胡椒粉、鲜菜叶烧沸，撇去浮沫，盛圆盘内。

黑木耳瘦肉红枣汤

主料 猪瘦肉300克，黑木耳30克，红枣20粒。

调料 精盐、味精、淀粉、酱油、料酒各适量。

做法 ①将黑木耳用清水泡开，择洗干净；红枣去核、洗净；瘦肉洗净，切成片，加入淀粉、酱油、料酒腌10分钟备用。

②将黑木耳、红枣放入煲内，加入适量清水，用文火煲20分钟，再放入瘦肉煲熟，然后加入精盐、味精调味即成。

黄芪瘦肉汤

主料 猪瘦肉500克，黄芪10克，荷兰豆50克，白菜200克。
调料 精盐、胡椒粉各少许。

做法 ①将瘦肉洗净，切成块，入沸水锅中焯烫，捞出备用。
②将黄芪洗净；白菜洗净，切成块；荷兰豆洗净待用。
③煲内加入清水滚沸，放入黄芪、猪瘦肉煮沸，用小火煲1小时，再放白菜、荷兰豆煲20分钟，加精盐、胡椒粉调味即可。

降压明目汤

主料 罐头鲍鱼2个，瘦猪肉200克。
调料 生姜2片，精盐适量。

做法 ①将罐头鲍鱼洗净，切成片；瘦肉洗净，切成块备用。
②煲内加入5碗清水，入鲍鱼、猪肉、姜片煲4小时左右，待鲍鱼熟烂时加入精盐调味即成。

红枣木瓜猪肉煲

主料 猪肉片250克，红枣10粒，木瓜1个，玉米笋10个，干香菇10朵，白术、槟榔片各20克。
调料 精盐、色拉油各适量。

做法 ①将红枣去核；木瓜去皮，切块；香菇泡软，去蒂切片。
②白术、槟榔片放入沙锅中，加2杯清水炖10分钟，滤渣取汁。
③锅中放油烧热，入肉片炒至变色，加木瓜、玉米笋、香菇、红枣、白术和槟榔汁煮沸，小火炖至原料熟透，加精盐调味即可。

红绿豆珧柱瘦肉汤

主料 猪瘦肉60克，珧柱、红豆、绿豆各15克。
调料 精盐适量。

做法 ①将珧柱洗净，浸软撕碎；猪瘦肉洗净，切成丝；红豆、绿豆洗净，用清水浸泡半小时备用。
②锅置火上，加入适量清水，再放入珧柱、红豆、绿豆、肉丝，用武火煮沸，然后转文火煲2小时，放入精盐调味即成。

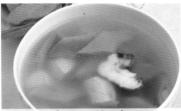

淮山扁豆猪肉汤

主料 猪肉60克，淮山、扁豆各12克。
调料 葱、姜各少许，精盐适量，胡椒粉、味精各1/2小匙。

做法 ①将猪肉洗净，切成块，入沸水锅中焯烫，捞出沥水备用。
②将淮山、扁豆洗净，用清水浸泡半小时待用。
③将葱、姜洗净，切成末备用。
④将全部原料放入锅内，加入适量清水用武火煮沸，再放入葱、姜末，然后转文火煲2小时，再加入精盐、味精、胡椒粉调味即可。

金针木耳猪胰汤

主料 猪胰2条，猪瘦肉150克，金针菜、木耳各25克，冬菇50克，发菜10克，红枣10粒。
调料 精盐适量，香油少许。

做法 ①将猪胰、猪瘦肉分别洗净，均切成大块，入沸水锅中焯烫，再用冷水漂洗干净备用。②将木耳用清水泡发，洗净，撕成小朵；冬菇去蒂、洗净；红枣去核、洗净；金针菜去根、洗净；发菜择洗干净待用。③汤锅加水烧开，放入猪胰、猪瘦肉、金针菜、木耳、冬菇、发菜、红枣，用大火煲半小时，中火煲1小时，然后转小火煲1.5小时，加精盐、香油调味即可。

肉末小土豆汤

主料 猪肉400克,小土豆200克,荷兰豆50克,洋葱1/2个。

调料 姜丝少许,精盐适量,鸡精1/3小匙,料酒1大匙,色拉油2大匙。

做法 ①将猪肉洗净,切成末;土豆去皮、洗净,切成块备用。

②将荷兰豆洗净,改刀;洋葱去皮、洗净,切成碎粒待用。

③锅中加入色拉油烧热,下入洋葱末、姜丝、猪肉末、料酒翻炒片刻,再加入适量清水,放入土豆、精盐、鸡精煮至土豆断生时,下入荷兰豆煮10分钟即可。

紫菜瘦肉花生汤

主料 猪瘦肉300克,紫菜、花生各30克,西芹3根。

调料 精盐适量,胡椒粉少许,胡萝卜汁3大匙,高汤8杯。

做法 ①将紫菜用冷水泡开,清洗干净;西芹去老筋,洗净,切成丁备用。

②将猪瘦肉洗净,切成块,入沸水锅中焯烫,捞出沥水待用。

③将花生放入锅中,加入适量清水煮熟,捞出去皮备用。

④锅中加入高汤烧沸,下入猪瘦肉块、胡萝卜汁、精盐煮至熟透,再加入西芹、花生、紫菜、精盐、胡椒粉煮至入味即可。

米露煮香芋红薯

主料 瘦肉200克,香芋150克,红薯80克,法香末少许。

调料 米露6杯,精盐1小匙,鸡精1/2小匙。

做法 ①将瘦肉洗净切块,放入沸水烫透,捞出备用。

②香芋洗净去皮,切成排骨块,红薯去皮切滚刀块备用。

③取一深锅,将米露倒入锅中烧沸,放入瘦肉、香芋、薯块、精盐、鸡精煮沸,待汤汁见浓时,撒入法香末即可。

双豆海带猪腿肉汤

主料 猪腿肉、猪骨各500克,黄豆25克,绿豆、海带各50克,蜜枣6粒。

调料 精盐适量,香油少许。

做法 ①将猪腿肉洗净,切成大块,入沸水锅中煮约10分钟,捞出用冷水漂洗,沥水备用。

②将猪骨洗净,入沸水锅中烫煮一下,捞出敲裂待用。

③将黄豆、绿豆、海带、蜜枣用温水稍浸,淘洗干净;海带洗净,切成大片备用。

④锅中加入3000克清水烧开,放入全部原料,先用中火煲1.5小时,再用小火煲1.5小时,然后加入精盐、香油调味即可。

猪肉胡萝卜汤

主料 新鲜瘦肉500克，胡萝卜1根。

调料 葱花、香菜末各20克，花椒15克，精盐、味精各2小匙。

做法 ①把瘦肉洗净，切成块，放入锅内，加水和花椒粒，用旺火烧开，改用小火慢煮。

②炒锅放火上，加入胡萝卜丝、葱花，炒出香味后，放入沙锅内，煮至猪肉熟烂后，加入精盐，撒上香菜末，盛入汤碗内即可。

糟香猪肉汤

主料 猪精肉400克，蜜柚100克，胡萝卜50克，西蓝花30克，洋葱丁少许。

调料 植物油30克，红糟酱2大匙，精盐适量，鸡精1/2小匙，白糖少许。

做法 ①将猪精肉洗净切块；蜜柚剥皮切块，放入淡盐水中浸泡。

②胡萝卜去皮切段；西蓝花洗净切小朵备用。

③锅中入油烧热，下入洋葱丁、红糟酱、猪精肉翻炒上色，倒入适量开水，再加入其他原料、精盐、鸡精、白糖煮30分钟即可。

咖喱猪肉丸汤

主料 猪肉500克，鸡蛋1个，青、红椒各30克。

调料 植物油30克，精盐适量，茴香少许，陈皮末少许，姜汁1/2小匙，香油少许，咖喱酱3大匙，绍酒1大匙，高汤2000克，葱花少许，洋葱末少许。

做法 ①辣椒洗净，去子，切块，待用。

②猪肉洗净切块，放入绞肉机中绞成泥后放入容器中。

③肉泥中加入蛋液、精盐、姜汁、葱花、陈皮末、绍酒、香油，用筷子顺时针搅打至起劲，用手挤成肉丸，下入温水锅中小火煮至成熟捞出。

④锅加植物油烧热，下入洋葱末炒香，再下入辣椒拌炒均匀，倒入高汤，加咖喱酱煮沸，加入精盐煮至入味，撒入茴香。

丸子汤

主料 猪肉300克(肥三成、瘦七成)，白菜心250克，水发木耳50克。鸡蛋2个。

调料 胡椒面、鸡精各1/5小匙，精盐、香油各1小匙，水淀粉40克，鲜汤1000克。

做法 ①将猪肉剁碎，与鸡蛋、水淀粉及精盐（2克）拌匀，逐一捏成肉丸子放入沸汤内待熟捞出，汤锅内又放入白菜心(抽筋撕片)煮熟。

②加入肉丸、木耳、胡椒面、鸡精、精盐烧沸入味，然后盛汤盆内，淋香油即成。

肉片氽黄瓜汤

主料 猪肉300克，黄瓜200克。

调料 葱、姜末共10克，料酒1小匙，鸡精1/4小匙，精盐1小匙，酱油2小匙，肉鲜汤700克。

做法 ①猪肉切成薄片放在碗中，用葱、姜末、精盐、酱油、鸡精、料酒、香油腌上。
②黄瓜洗净切成斜片。
③锅内放汤，汤沸后先放入肉片，再开锅后放入黄瓜片，待1分钟左右出锅即成。

什锦蒸炖丸子

主料 猪肉馅350克，松子仁、豆干各30克，鸡蛋、马蹄、玉米粒各100克，香菜10克。

调料 精盐、料酒各1小匙，胡椒粉、白糖、高汤精各1/2大匙，水淀粉、植物油各3大匙。

做法 ①将豆干、马蹄分别切成末，放入肉馅中，加入鸡蛋、玉米粒、松子仁、精盐、高汤精、胡椒粉、白糖、料酒、水淀粉搅匀上劲备用。
②将调好的肉馅制成大丸子，放入电炖锅中炖40分钟，碗中加入精盐、高汤精、胡椒粉用汤调匀，盛入丸子，撒入香菜即可。

芦笋鱿鱼汤

主料 芦笋200克，鱿鱼板200克，猪瘦肉200克

调料 姜丝少许，精盐适量，味精1/2小匙，清汤8杯，胡椒粉少许，料酒1大匙，植物油2大匙

做法 ①把芦笋用清水冲洗干净切段，备用。
②将猪瘦肉洗净切块，待用。
③鱿鱼板切花刀，另起锅，锅内加水烧开，放入鱿鱼氽烫一下，捞出，沥水。
④起锅，加入2大匙植物油烧热，下入姜丝、猪肉块翻炒，烹入料酒，倒入清汤8杯煮沸，再下入其他原料、调料煮至入味即可。

瘦肉番茄粉丝汤

主料 猪瘦肉、番茄各100克，粉丝适量。

调料 葱、姜、精盐、味精、料酒、上汤、香油各适量。

做法 ①将瘦肉、番茄、葱、姜洗净，分别切成细丝；粉丝用温水泡软备用。
②炒锅上火，加入上汤烧开，放入粉丝、葱姜丝、料酒煮沸，再加入肉丝、番茄丝煮滚，然后加味精调味，起锅盛入碗中，再淋入香油即可。

主料 墨鱼仔200克,五花肉300克,胡萝卜、香菜各少许。

调料 葱、姜汁各少许,八角2个,月桂叶2片,精盐、虾子各适量,白糖3大匙,白酱油1/4大匙,料酒1大匙,色拉油2大匙。

做法 ①将五花肉切,放入沸水锅中焯烫,捞出沥水;墨鱼仔洗净,入热水中稍烫,捞出沥水;胡萝卜、葱分别洗净,切细丝备用。

②锅中加入色拉油烧热,下入白糖炒成糖色,再放入五花肉煸炒上色,然后加入料酒、酱油、精盐、八角、姜片继续翻炒片刻,再添入适量清水煮沸,然后放入月桂叶、虾子炖至入味,拣出月桂叶、八角,放入墨鱼仔煮沸,撒入葱丝、胡萝卜丝、香菜点缀即可。

墨鱼

主料 猪肉200克,黄豆芽200克,香菇3朵,香菜、葱圈各少许。

调料 精盐适量,香油、胡椒粉少许,鸡精1/2小匙,植物油少许。

做法 ①将猪肉洗净切片,香菇去蒂洗净切条,黄豆芽洗净备用。

②锅中加少许植物油烧热,下入猪肉片、料酒煸炒,倒入高汤8杯煮沸,下入香菇条、黄豆芽、精盐、鸡精滚沸,加胡椒粉调味,熄火,滴入香油,撒上葱圈即可。

豆芽肉片汤

主料 冬菇4只,冬笋100克,猪肉150克。

调料 精盐、味精、淀粉、酱油、香油各适量。

做法 ①将冬菇、冬笋用凉水浸软,洗净,分别切成丝备用。

②将猪肉洗净,切成丝,加入精盐、味精、淀粉拌匀待用。

③炒锅放入香油烧热,下入肉丝煸炒,再加入清水,放入冬菇丝、冬笋丝煮开,然后加入精盐、味精、酱油,用水淀粉勾芡,出锅装碗即成。

冬菇冬笋肉丝汤

主料 海带、江珧柱各50克,蚝豉(即牡蛎干)100克,瘦猪肉200克。

调料 生姜1片,精盐少许。

做法 ①将海带、蚝豉、江珧柱用清水浸透,洗净,海带切块;江珧柱撕碎;瘦猪肉切丝;生姜去皮,切片备用。

②瓦煲内加入清水,用猛火煲至水滚,再加入海带、蚝豉、江珧柱、瘦肉丝、姜片,转中火煲3小时至熟烂,加入精盐调味即可。

珧柱海带煲蚝豉汤

丸白菜粉丝汤

主料 猪肉馅500克，小白菜、粉丝各100克。

调料 葱、姜末各适量，精盐1小匙，味精1/3小匙，鸡粉、葱油各少许，老汤1碗。

做法 ①将猪肉馅加姜、葱末、调料搅拌均匀成馅，再制成小肉丸，然后入沸水锅中汆熟，捞出备用。
②将小白菜择洗干净，沥水；粉丝用清水冲洗干净待用。
③锅中加入老汤烧开，再放入肉丸、粉丝、小白菜煮沸，然后加入调料，淋入葱油即成。

党参麦冬瘦肉汤

主料 猪瘦肉60克，党参15克，麦冬12克。

调料 五味子3克，精盐适量。

做法 ①将党参、麦冬、五味子洗净；猪瘦肉洗净，切成块备用。
②锅置火上，放入瘦肉块、党参、麦冬、五味子，加入适量清水，先用武火煮沸，再转文火续煲1小时左右，放入精盐调味即可。

莲子珧柱瘦肉汤

主料 猪瘦肉60克，江珧柱10克，莲子20克。

调料 葱末、姜末各少许，精盐适量，胡椒粉、味精各1/2小匙。

做法 ①将猪瘦肉洗净，切成块，入沸水锅中焯烫，捞出备用。
②将江珧柱用温水浸软、洗净，撕碎；莲子去心，洗净，用清水浸泡半小时待用。
③将全部原料放入锅内，加入清水适量，先用武火煮沸，再加入葱末、姜末，然后转文火煲2小时，加入精盐、胡椒粉、味精调味即可。

参果炖瘦肉汤

主料 猪瘦肉250克，太子参60克，无花果120克。

调料 生姜1块，料酒适量，精盐适量。

做法 ①将猪肉洗净，斩中等块；待用。
②将斩好的猪肉块入沸水中略汆烫去其血污，捞出控水。
③太子参、无花果洗净，生姜洗净，切片，待用。
④把全部原料放入炖盅内，加清水12杯，炖盅加盖，小火隔开水炖2小时，放入精盐调味即成。

主料 金针菜(黄花菜)25克，猪瘦肉200克。

调料 精盐、料酒、酱油各1/2小匙，味精少许，猪油1小匙。

做法 ①将猪瘦肉洗净，切成薄片，放入碗中，加入料酒、酱油、精盐拌匀，腌渍入味；金针菜用温水浸软，剪去花蒂，洗净沥干备用。

②炒锅置火上，添入清水用旺火烧开，放入猪瘦肉片煮至八成熟，再下入金针菜、猪油煮至熟透，加入味精调味即成。

瘦肉花菜汤

主料 菜头200克，猪瘦肉75克。

调料 精盐、猪化油各1小匙，胡椒粉、味精各2/5小匙，水淀粉3/5小匙，鲜汤500克。

做法 ①将猪肉洗净，切成片，放入碗中，加入水淀粉、精盐拌匀；菜头剥去外皮，洗净，切成3厘米宽、5厘米长、0.3厘米厚的片备用。

②锅置旺火上，加入鲜汤烧开，再放入菜头煮至熟软时，加入精盐、味精、胡椒粉调好味，然后放入肉片煮至刚熟，再加入少许猪化油推匀，出锅装碗即成。

肉片菜头汤

主料 生地、南杏各15克，黄芩、北杏各10克，陈皮1块，猪腱肉300克。

调料 精盐1小匙。

做法 ①将猪腱肉洗净，切大块，入沸水锅中焯烫，捞出；生地、黄芩、南杏、北杏、陈皮均洗净备用。

②汤锅中注入清水烧沸，放入所有原料用大火烧开，再转小火煲2小时，加入精盐调味即可。

生地黄芩南北杏猪腱汤

主料 枸杞子10克，菊花5克，决明子15克，猪瘦肉300克。

调料 冰糖适量。

做法 ①将猪瘦肉洗净，切成块，入沸水锅中焯烫，捞出沥水；枸杞子、菊花、决明子洗净备用。

②锅中加入清水烧沸，放入猪瘦肉用旺火煮沸，再转小火煮1小时，然后放入决明子、枸杞子、菊花续煲20分钟，加入冰糖调味即可。

杞菊决明瘦肉汤

西蓝花瘦肉汤

主料　猪腱肉400克，西蓝花50克，胡萝卜少许，洋葱1/2个。

调料　葱、姜丝各少许，精盐、胡椒粉各适量。

做法　①将猪腱肉洗净，剔除边角肥肉及筋膜，切大块，放入沸水锅中焯烫，捞出备用。

②将洋葱去皮、洗净，切成粒；胡萝卜洗净，切成片；西蓝花洗净，切成小朵待用。

③锅中加入适量清水烧沸，放入猪腱肉、姜丝用大火煮沸，转小火煲40分钟，再放入其他原料煮沸，加入精盐、胡椒粉调味，撒入葱丝即可。

咖喱猪肉汤丸

主料　猪肉500克，鸡蛋1个，彩椒（青、红）各1个，茴香、洋葱末各少许。

调料　葱花、陈皮末各少许，精盐适量，姜汁1/2小匙，绍酒1大匙，高汤8杯，香油适量，色拉油2大匙。

做法　①将彩椒去蒂、去子，洗净，切成块；猪肉洗净，切成块，放入绞肉机中绞成蓉泥，打入蛋液，加所有调料搅打上劲，再挤成肉丸，入温水锅中用小火煮至成熟，捞出备用。

②锅置火上，加入色拉油烧热，下入洋葱末炒香，再放入彩椒翻炒均匀，然后放入高汤、咖喱酱煮沸，再加入精盐煮至入味，撒入茴香即可。

紫菜冬菇肉丝汤

主料　猪瘦肉40克，紫菜15克，冬菇20克。

调料　精盐适量。

做法　①将猪瘦肉洗净，切成丝；紫菜撕成小片，用清水浸开，洗净；冬菇浸软，去蒂、洗净，切丝备用。

②锅置火上，加入适量清水，放入冬菇丝，煮沸15分钟，再放入紫菜，然后放入肉丝煮沸，加入精盐调味即成。

金针木耳瘦肉汤

主料　猪瘦肉60克，金针菜20克，黑木耳15克。

调料　精盐、酱油、淀粉各适量。

做法　①将猪瘦肉洗净，切成片，用酱油、淀粉拌匀备用。

②将金针菜洗净，去蒂，浸软；木耳浸软，洗净待用。

③锅置火上，加入适量清水，放入金针菜、木耳煮沸5分钟，再放入猪瘦肉片煮熟，然后放入精盐调味即成。

主料　猪肉200克,莲子50克,黄花菜100克,枸杞子10克。
调料　精盐1小匙,味精1/3小匙,清汤1碗,葱油少许。

做法　①将猪肉洗净,切成丁,入沸水锅中焯水后捞出;莲子、枸杞子用温水泡开备用。
②锅置火上,加入清汤、猪肉丁、黄花菜、莲子、枸杞子煮5分钟,再加入精盐、味精调味,淋入少许葱油即成。

凤菇莲花汤

主料　狮子头4个,鱿鱼丝70克,虾仁、鸡腿菇、红牛肝菌、满天星菌各50克,油菜1棵。
调料　精盐1小匙,鸡精1/2小匙,老汤1碗。

做法　①将虾仁、鱿鱼丝洗净,入沸水锅中焯水,捞出沥水备用。
②锅置火上,加入老汤,放入狮子头、鸡腿菇、红牛肝菌、满天星菌、油菜,再加入精盐、鸡精煮6分钟,撇去浮沫,出锅装碗即可。

菌香狮子头

主料　生晒蚝豉、瘦肉各250克,咸酸菜梗150克。
调料　精盐适量。

做法　①将咸酸菜梗切成片,用清水浸泡10分钟后,洗净备用。
②将蚝豉用清水略泡,洗净;瘦肉洗净,切成块待用。
③汤锅中加入清水,放入蚝豉、瘦肉、咸酸菜梗,用武火烧开,再转文火煲2小时,加入精盐调味即可。

咸酸菜蚝豉汤

主料　净乳鸽1只,猪肉250克,北芪、党参、淮山各25克。
调料　姜1片,精盐适量,料酒1/2大匙。

做法　①将乳鸽洗净,入沸水锅中煮5分钟,取出洗净备用。
②将猪肉洗净,切成块,入沸水锅中煮3分钟,捞出沥水待用。
③将乳鸽、猪肉、淮山、北芪、党参、姜、料酒放入炖盅内,加入清水,炖盅加盖,入锅隔水炖4小时,加入精盐调味即成。

北芪党参炖乳鸽

二参玉竹瘦肉汤

主料 猪瘦肉500克，党参20克，丹参25克，玉竹25克，川芎12克。

调料 葱花、姜末各5克，精盐1/2匙，鸡精2小匙。

做法 ①将猪瘦肉洗净，切成块备用。

②将党参、丹参、玉竹、川芎洗净，切碎，用纱布包好待用。

③将上述原料放入汤锅中，加入葱花、姜末、适量清水，用大火煮沸，再转中火煮2.5小时，然后拣出药包，加入精盐、鸡精调味即可。

沙锅酥松肉

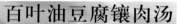

主料 猪肉250克，菠菜、虾仁、粉皮、崂山菇各50克，香菜末5克。

调料 香葱末5克，精盐、鸡精、胡椒粉、酱油各1/2小匙，淀粉3大匙，香油1小匙，植物油2大匙。

做法 ①将猪肉切成条，再拍上淀粉糊，入油锅炸呈金黄色备用。

②将菠菜切小段；粉皮泡软、切块；崂山菇泡软，洗净待用。

③沙锅中放猪肉条、虾仁、粉皮、崂山菇、清汤烧沸，再转小火炖至汤浓，然后放菠菜，加入酱油、精盐、鸡精、胡椒粉、香菜末、香葱末、香油烧沸即成。

百叶油豆腐镶肉汤

主料 肉末250克，小油豆腐8个，百叶5张，虾米2大匙，扁尖笋1个，粉丝1把，胡瓜丝5条。

调料 精盐、胡椒粉各1/2小匙，小苏打粉1小匙，淀粉、香油各1大匙，高汤1大汤碗。

做法 ①将虾米泡软，取1大匙剁碎，与肉末、精盐、胡椒粉、香油、清水、淀粉拌匀成馅料备用。

②将油豆腐中间挖空，酿入适量馅料；百叶洗净，包入适量馅料，卷成圆筒状，用泡软的胡瓜丝包扎打结待用。

③锅中先放入粉丝垫底，再放入其他原料，然后加入精盐、胡椒粉、香油及高汤，上火煮20分钟即可。

薏米栗子汤

主料 栗子肉320克，玉竹、薏米各40克，瘦肉240克。

调料 精盐适量。

做法 ①将玉竹、薏米分别洗净；栗子用沸水滚烫片刻，去皮、洗净；瘦肉洗净，切成片，入沸水锅中焯烫，捞出沥水备用。

②锅中加入适量清水，放入所有原料烧沸，再转小火煮2小时，加入精盐调味即可。

主料 柚皮1/4个，薏米20克，冬瓜75克，莲子80克，猪瘦肉160克。

调料 姜2片，精盐适量。

做法 ①将柚皮浸水，榨干水分，放入滚水内煮40分钟，取出洗净，再榨干水分备用。
②将冬瓜洗净，切成块；瘦肉洗净，切成片，入沸水锅中焯烫，捞出再洗净待用。
③瓦煲置火上，加入适量清水烧开，下所有材料煲滚，再转小火煲2小时，加入精盐调味即可。

柚皮冬瓜汤

主料 猪肉100～150克，番茄2个，霉干菜100克。

调料 姜1片，葱花15克，生抽2小匙，白糖1/2小匙，生粉2大匙，麻油、胡椒粉各1小匙，米酒5小匙。

做法 ①霉干菜略冲净，沥干；番茄洗净，切块，待用；肉洗净，抹干，切薄片，放入腌料腌匀，备用。
②烧热油，放入姜片和肉片，略炒香，放入酒，并注入清水，煮至滚，放入番茄和霉干菜，烧至熟烂及汤浓，以适量精盐调味，并撒上葱花，即可盛上桌，趁热食用。

霉干菜番茄猪肉汤

主料 猪肥肉、猪瘦肉各200克，清水马蹄25克，咸鸭蛋黄5个。

调料 生姜5克，葱白10克，香菜段30克，精盐2小匙，味精1大匙，料酒、鸡精各1小匙，胡椒粉1大匙，香油2小匙，鸡蛋液50克，湿淀粉2小匙。

做法 ①猪肥肉切成绿豆大小的丁，用刀剁至有黏性即好；猪瘦肉剁成极细的泥；清水马蹄剁成末；咸鸭蛋黄一切为二；生姜同葱白剁成细末。②将猪肥瘦肉泥中依次加马蹄末、姜末、葱末、精盐、味精、鸡精、胡椒粉、鸡蛋液和湿淀粉，搅拌上劲，然后做成10个大肉圆，排在汤盆内，每个肉圆顶部放半个咸鸭蛋黄。③锅内放1000克清水，加适量精盐、味精、鸡精和胡椒粉调味，倒在有肉圆的汤盆内，用双层绵纸封口，上笼中火蒸约2小时，出笼，揭纸，淋香油，点缀上烫熟的油菜即成。

沙煲独圆

主料 竹笙100克，莲藕2根，冬菇6只，瘦肉500克。

调料 精盐1大匙。

做法 ①竹笙浸软洗干净，过水后再洗干净；冬菇浸软后去蒂；洗干净莲藕，切成条。
②洗干净瘦肉，过水后再冲干净。
③烧滚适量水，下竹笙、莲藕、冬菇和瘦肉，煲滚后改用慢火煲2小时，下精盐调味即成。

竹笙莲藕冬菇汤

莲藕养身汤

主料 鲜藕2根，瘦猪肉、眉豆各200克，红豆20克。

调料 姜片2片，精盐1/2小匙，绍酒1大匙。

做法 ①将瘦猪肉洗净，切成2厘米见方的块，再放入沸水中焯去血水，捞出沥干备用。

②将鲜藕去节、去皮，洗净，切成薄片；红豆、眉豆洗净待用。

③坐锅点火，加入适量清水烧开，先放入猪肉块、藕片、眉豆、红豆，再加入绍酒、姜片，煲约2.5小时，然后加入精盐调匀，即可装碗食用。

四喜丸子

主料 猪肥肉150克，猪精肉600克。

调料 鸡蛋2个，葱、姜、酱油各1大匙，绍酒3小匙，精盐2克，花椒、八角各15克，味精3克，湿淀粉6克，植物油600克。

做法 ①将猪肥肉切丁，瘦肉剁成细蓉，放碗内，加鸡蛋、葱姜末、湿淀粉、酱油、绍酒拌匀，做成四个大小一致的丸子备用。②冬菇、冬笋洗净均匀切片，炒锅入植物油，上中火烧六成热时放入肉丸，炸至金黄色捞出。③放入碗内加入酱油、绍酒、花椒、八角、清汤入笼蒸30分钟取出，摆入大盘内，用原汤调芡汁浇在丸子上即可。

八珍益气补血煲

主料 熟地、炒白芍、川芎、当归、党参、茯苓、白术、枸杞子、甘草各10克，红枣6粒，素肉块300克。

调料 精盐适量。

做法 ①将所有原料洗净，红枣用刀背稍拍一下备用。

②将所有材料放入沙锅中，加入6杯清水煮沸，转小火炖40分钟，待药物有效成分释出，加入精盐调味即可。

青木瓜白果猪肉煲

主料 猪肉120克，青木瓜1/2个，白果50克。

调料 葱半根，精盐适量。

做法 ①将猪肉洗净，切成片；木瓜削皮、去子，洗净，切成块；葱洗净，切成段；白果洗净备用。

②将木瓜放入沙锅中，加入清水盖过材料，用大火煮沸，再转小火炖20分钟，然后加入肉片、葱段、白果煮10分钟，再加入精盐调味即可。

双果猪肉煲

主料 猪前腿肉600克，苹果4个，无花果5个。

调料 精盐适量。

做法 ①将猪肉洗净，入沸水锅中焯烫，捞出沥干备用。

②将苹果洗净，去核，切大块；无花果洗净待用。

③沙锅中加入8杯清水煮沸，放入所有原料用小火煲2小时，再加入精盐调味，然后取出猪肉切片，再放回锅中即可。

银耳杏仁百合汤

主料 瘦肉500克，银耳、南北杏仁各15克，百合20克，蜜枣6粒。

调料 精盐适量。

做法 ①瘦肉洗净，切小块，放入开水中焯烫，捞出沥水备用。

②沙锅中加入8杯清水，放入所有原料煮沸，转小火炖2小时，加入精盐调味即可。

冬菇津白肉丝汤

主料　猪瘦肉100克，津白50克，冬菇2只。

调料　料酒、酱油、上汤各适量。

做法　①将猪肉洗净，切成丝，加入酱油、料酒拌腌；冬菇用清水浸泡，去蒂、洗净，切成丝；津白用清水浸泡，去硬头洗净，切成两段，撕成丝备用。
②锅内放入高汤、冬菇、津白烧开，再加入肉丝煮沸，然后加入精盐调味，出锅盛入碗中，淋入几滴料酒即成。

蜜枣麦芽瘦肉汤

主料　麦芽200克，瘦猪肉300克，蜜枣4枚。

调料　精盐、味精各少许，料酒1大匙，色拉油适量。

做法　①将麦芽入锅炒至微黄；瘦猪肉洗净，切成薄片，加入精盐、味精、料酒拌匀，腌制入味备用。
②将蜜枣、麦芽放入沸水锅中，用小火煲45分钟，再放入猪肉片煮滚至熟透，然后加入少许精盐调味即可。

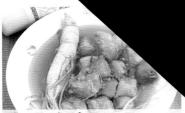

参果瘦肉汤

主料　猪瘦肉250克，太子参60克，无花果120克。

调料　生姜1块，精盐、料酒各适量。

做法　①将猪肉洗净，切成块，入沸水锅中焯烫去血污，捞出控水。
②将太子参、无花果洗净；生姜洗净；切成片待用。
③将猪瘦肉、太子参、无花果、姜、料酒放入炖盅内，加入12杯清水，炖盅加盖，入锅用文火隔水炖2小时，加精盐调味即成。

陈皮猪肉汤

主料　猪肉、大蒜各300克，生咸蛋1个，香菜少许。

调料　葱花、姜片各少许，月桂叶5片，精盐、胡椒粉各适量，料酒1大匙，酱油、色拉油各2大匙。

做法　①将猪肉洗净，斜切成大块，入沸水锅中焯烫，捞出沥水；生咸蛋去皮备用。
②锅中加入色拉油烧热，下入蒜瓣、姜片、料酒、酱油、猪肉、月桂叶炒至上色，再加入适量清水烧沸，下入生咸蛋，转小火煮30分钟，加入精盐、胡椒粉调味，撒入葱花、香菜即可。

大豆芽肉片汤

主料　猪肉、大豆芽各200克，香菇3朵，法香少许。

调料　葱丝少许，精盐、胡椒粉、香油各适量，鸡精1/2小匙，高汤8杯，色拉油2大匙。

做法　①将猪肉洗净，切成片；香菇去蒂、洗净，切成条；大豆芽洗净备用。
②锅中加入色拉油烧热，下入猪肉片、料酒滑炒，再倒入高汤煮沸，然后放入香菇条、大豆芽、精盐、鸡精煮沸，加入胡椒粉调味，熄火时滴入香油，撒上葱丝即可。

青椒肉汤

主料　猪肉150克，辣椒2个。

调料　味精1小匙，精盐2小匙，水淀粉2大匙，酱油1大匙。

做法　①猪肉洗净，切成薄片，加入酱油、味精、水淀粉拌匀，腌10分钟；辣椒洗净，切片。
②锅置火上，放水烧开，加入辣椒片、猪肉片煮熟，加入精盐调味即可。

猪肉
211

丝榨菜汤

主料 瘦猪肉100克，四川榨菜50克，黑木耳1朵。

调料 精盐、辣油各1/2小匙，猪化油1小匙，味精2小匙，料酒2小匙。

做法 ①将瘦猪肉洗净，切成3厘米长的细段。
②将黑木耳放水中泡发后彻底洗净。
③将榨菜洗净，也切成细丝。
④锅内加水一汤碗，放入木耳，置大火上烧开，放入肉丝、料酒和精盐，烧开2分钟后放入榨菜丝，见开即可停火，盛入汤碗内，加入辣油和味精，即可上桌供食。

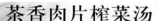

肉丸紫菜汤

主料 紫菜25克，猪肉馅150克，香菇70克，香菜少许。

调料 姜丝5克，精盐、胡椒粉各少许，鸡精、蚝油、淀粉各1小匙。

做法 ①将香菇去蒂、洗净，剁成碎末；香菜择洗干净，也剁成碎末；一起放入猪肉馅中，加少许鸡精、胡椒粉、蚝油、淀粉及适量清水搅匀上劲，制成馅料备用。
②坐锅点火，加水烧开，先放入鸡精、精盐、胡椒粉调匀，再将馅料挤成丸子，下锅煮至熟透，然后加入紫菜煮散，再撒入香菜末、姜丝，即可装碗上桌。

茶香肉片榨菜汤

主料 猪里脊100克，绿茶5克（春季清明前茶为宜），榨菜30克，鸡蛋清3个。

调料 精盐、鸡精、胡椒粉各1/2小匙，淀粉、料酒各1小匙，高汤1杯。

做法 ①将猪肉洗净，切成片，加入精盐、料酒、胡椒粉、鸡蛋清、淀粉拌匀；绿茶用清水洗一遍，再用80℃的开水冲泡；榨菜洗净，切成丝备用。
②坐锅点火，倒入清水烧沸，下入肉片焯熟，捞出放入碗中。
③原锅洗净，添加高汤烧沸，再加入精盐、鸡精、泡好的绿茶和榨菜丝煮沸，起锅倒入肉片碗中即可。

草菇炖里脊

主料 猪里脊肉400克，草菇（罐头）200克，胡萝卜150克，面粉1碗。

调料 葱段3根，姜末5克，精盐、白糖、鸡精各1小匙，酱油3大匙，料酒1大匙，植物油2大匙。

做法 ①将猪里脊肉洗净，切成大块；草菇洗净，切片；胡萝卜去皮、洗净，切成丝备用。
②将猪里脊加入葱段、姜末、酱油、料酒略腌，再拍上面粉，入热油锅中炸至呈金黄色时，捞出。
③锅留底油，下入草菇片、胡萝卜丝煸炒，加入2碗清水及腌肉汁烧沸，再放入猪里脊，用小火焖煮15分钟，加入精盐、鸡精、白糖调味即可。

芥菜排骨汤

主料 排骨500克，芥菜100克。

调料 鲜姜1块，精盐1小匙，料酒1大匙。

做法 ①将排骨洗净，剁成小块，入沸水锅中焯烫去血水，捞出洗净；芥菜梗、嫩叶分别洗净备用。

②锅中放入排骨，加入15杯开水、1大匙料酒煮沸，再放入芥菜梗，转小火煮至排骨熟烂时，拣除芥菜梗，加入精盐调味，放入芥菜嫩叶煮软即可。

清润响螺汤

主料 响螺1个(连壳约1000克)，淮山药25克，枸杞子15克，猪骨250克。

调料 姜5片，精盐、料酒各适量。

做法 ①将响螺用热水浸泡，取肉去壳，入沸水中焯烫，捞出切块。

②将猪骨洗净，放入汤锅内，加入6碗清水烧沸，再放入螺肉、淮山、枸杞子续煲2小时，加入姜片、料酒、精盐调味即成。

冬瓜海带排骨汤

主料 猪排骨、冬瓜各750克，海带25克，绿豆50克，嫩荷叶3块，无花果6枚。

调料 精盐适量，香油少许。

做法 ①将猪排骨洗净，剁成大块，入沸水锅中焯煮一下，捞出沥水备用。

②将冬瓜去皮、去瓤，洗净，切成大块；嫩荷叶洗净待用。

③将海带洗净，切成大块；绿豆、无花果用温水稍浸，洗净备用。

④锅中加入3000克清水烧沸，下入所用原汤料用小火煲3小时，再加入精盐、香油调味即可。

芥蓝排骨汤

主料 排骨500克，芥蓝200克，草菇、玉米笋各50克，虾仁30克。

调料 葱、姜、蒜末各少许，精盐、胡椒粉各适量，鸡精、白糖各1/3小匙，料酒、酱油各1大匙，高汤8杯，色拉油2大匙。

做法 ①将排骨洗净，剁成寸段，入沸水锅中焯烫，捞出沥水；芥蓝去皮、洗净，切滚刀块，入沸水锅中，加入少许白糖焯烫去苦味，捞出沥水；草菇、玉米笋、虾仁洗净备用。

②锅中加入色拉油烧热，下入葱、姜、蒜末炒香，再放入排骨翻炒，然后烹入料酒，加入酱油炒至上色，再放入草菇、玉米笋、虾仁、芥蓝翻炒片刻，倒入高汤烧沸，最后加入精盐、鸡精、胡椒粉煮至入味即可。

海带排骨笋汤

主料 排骨500克，鲜笋100克。

调料 海带100克，酒1大匙，精盐1小匙。

做法 ①排骨切段洗净，锅内加水烧开，放入排骨煮熟。
②鲜笋削除外皮粗硬部分，切粗条，同海带一同放排骨中同煮，10分钟后加精盐、酒调味即可熄火盛出。

红萝卜马铃薯猪骨汤

主料 猪排骨100克，红萝卜、马铃薯各1个。

调料 姜、葱各少许，精盐适量。

做法 ①将猪排骨洗净，剁成段，入沸水锅中焯烫，捞出沥水备用。
②将红萝卜、马铃薯均去皮、洗净，切成长条块待用。
③将姜、葱洗净，分别切片、切段备用。
④锅内放入猪排骨、红萝卜、马铃薯、姜片、葱段，再加入适量清水，用武火煮沸，然后转文火煲1.5小时，加入精盐调味即可。

海带干贝瘦肉汤

主料 干海带50克，干贝3粒，瘦肉200克，排骨300克。

调料 姜3片，精盐1小匙，胡椒粉1/2小匙。

做法 ①将海带用清水浸软，洗净，切长条；干贝洗净备用。
②将瘦肉洗净，切成大块；排骨洗净，剁成段，同瘦肉入沸水锅中焯烫，捞出洗净待用。
③将干贝、瘦肉、排骨、姜片放入汤煲中，再添入适量清水煲滚，然后转中小火煲至原料熟烂时，加入调料调味即可。

海参排骨煲

主料 鲜猪肋骨400克，水发海参3只。

调料 葱结、姜片各10克，香菜25克，料酒1大匙，八角2枚，精盐、味精各1大匙，鸡精、胡椒粉各2小匙，鸡汤2杯。

做法 ①将鲜猪肋骨顺骨缝划开，剁成3.5厘米长的小段，用清水浸泡数小时，换清水洗净，沥尽水分；水发海参洗净腹内污物，切成4厘米长的条。②将排骨同冷水入锅上火，沸后煮约5分钟捞出，用清水冲漂净浮沫。③另一锅内放鸡汤烧开，加10克料酒，放入海参条余透，捞出沥水。④将排骨和海参装在一汤盆内，上放葱结、姜片、八角，注入用精盐、味精、鸡精、胡椒粉、料酒等调好味的开水，然后用双层牛皮纸封口，上笼蒸约3小时至排骨软烂，出笼揭盖，淋香油，撒香菜段。

主料 排骨300克，胡萝卜150克，桂圆肉40克，枸杞子20克。

调料 姜1片，料酒4小匙，精盐5小匙，味精2小匙。

做法 ①排骨切长方块，放入开水余烫约3分钟，捞出，洗净。
②胡萝卜洗净，去皮，切片；桂圆肉泡软。
③所有材料放入煲锅中，倒入清汤，加入料酒及精盐，移入蒸锅中蒸炖2小时即可。

胡萝卜桂圆炖排

主料 哈密瓜1个，排骨450克，红枣10粒。

调料 精盐、味精各1大匙，料酒4小匙。

做法 ①排骨切小块，放入开水中余烫一下，捞出，洗净，沥干。
②哈密瓜洗净，去皮，切块；红枣洗净，去核。
③排骨、红枣放入煲锅中，再加入哈密瓜，继续煲25分钟，最后调味即可。

哈密瓜红枣煲排骨

主料 鲜猪仔排500克，黄豆芽200克。

调料 葱结、姜片、葱花各5克，料酒、精盐、味精、鸡精、胡椒粉各2小匙，香油少许。

做法 ①猪仔排顺骨缝划开，剁成3厘米长的段，同冷水入锅，沸后煮约5分钟捞出，冲洗干净；黄豆芽除皮掐根，入沸水锅中焯至断生，投凉沥水。
②高压锅内添入适量清水，下排骨段、葱结、姜片、料酒，上火压约13分钟，离火揭盖，拣出葱结、姜片，放入黄豆芽，调入精盐、味精、鸡精和胡椒粉，续炖约10分钟，起锅盛汤盆内，滴入香油，撒香菜段，即可上桌。

豆芽煲排骨

主料 干无花果5个，猪龙骨200克，黄豆15克。

调料 生姜10克，清水2杯，精盐4小匙，味精2小匙，白糖1小匙，胡椒粉少许。

做法 ①无花果洗净，龙骨切成大块，生姜切片，黄豆用清水泡透。
②用瓦煲一个，注入清水，加入龙骨、无花果、黄豆、生姜，煲40分钟。
③再调入精盐、味精、白糖、胡椒粉，同煲20分钟即可。

无花果龙骨煲

香排骨煲

主料 猪肋骨500克，土豆150克，青菜50克。

调料 老干妈豆豉3大匙，姜片、葱段各10克，干辣椒10克，精盐1小匙，味精、鸡精各1大匙，酱油、胡椒粉、香油、红油、嫩肉粉、料酒各2小匙，植物油750克（约耗85克），鲜汤适量。

做法 ①将猪肋骨顺骨缝划开，剁成段，洗净后挤干水分，放小盆内，加精盐、嫩肉粉、酱油和料酒拌匀腌约20分钟；土豆切滚刀块；老干妈豆豉剁细；青菜洗净，切段。②炒锅放油烧五成热，先投土豆块炸上色捞出，再投入排骨段炸至断生，倒漏勺内沥油，放在沙锅内，待用。③锅留底油重上火位，下姜片、葱段和干辣椒炸香，入老干妈豆豉略炒，掺鲜汤，加精盐、味精、鸡精、酱油、胡椒粉等调好口，倒沙锅内，然后将沙锅烧沸，小火炖至排骨软烂，放青菜段，淋香油和红油，即可。

玉米核桃煲排骨

主料 排骨200克，玉米100克，核桃50克。

调料 姜2片，陈皮丝5克，精盐1小匙，高汤精、胡椒粉各1/2小匙，植物油2大匙。

做法 ①将排骨洗净，剁成段，焯水；玉米切段；核桃泡水，去皮备用。

②锅中加入清水，先下入排骨煮一会，再放入玉米、姜片、陈皮丝、核桃煮开，然后加入高汤精，倒入电沙锅中煲30分钟，出锅前加入调料调味即可。

墨西哥炖排骨

主料 猪排骨500克，洋葱100克，红辣椒、黄豆各30克，西红柿2个。

调料 蒜50克，精盐1小匙，白糖2小匙，胡椒粉1/2匙，干红碎辣椒、植物油各2大匙。

做法 ①将洋葱去皮、洗净，切块；红辣椒洗净，切开；西红柿去皮、洗净，切小块；猪排骨洗净，入沸水锅中焯水，捞出沥水。

②锅中放入植物油烧热，下入干辣椒、蒜爆香，再放入排骨炒透，然后放入黄豆、西红柿，加入调料炖煮30分钟即可。

凉瓜黄豆煲排骨

主料 排骨500克，凉瓜100克，黄豆20克，咸萝卜50克。

调料 鲜姜20克，精盐2小匙，胡椒粉少许，料酒3小匙，植物油2大匙。

做法 ①将凉瓜去瓤、洗净，切象眼块，入沸水中焯水，捞出过凉；猪排剁成块，入沸水中焯烫；咸萝卜切片、洗净，用清水浸泡。

②锅置火上，放入植物油烧热，下入姜片、咸萝卜、凉瓜爆香，再放入排骨、黄豆及适量清水煲1小时至软，然后加入精盐、胡椒粉、料酒调味即可。

主料 排骨300克，鲜玉米1根，胡萝卜、莲藕各50克。
调料 姜5克，精盐2小匙，胡椒粉、料酒各1小匙，植物油2大匙。

做法 ①将胡萝卜去皮、洗净，切成厚片；玉米洗净，切成块备用。
②将排骨洗净，剁成块，入沸水锅中煮3分钟，捞出沥水待用。
③汤煲中加入清水烧开，再放入姜、料酒、排骨煮30分钟，然后放入胡萝卜、玉米、莲藕煮20分钟即可。

彩玉煲排骨

主料 莲藕、肋排各600克，蜜枣10个，白果1大匙，枸杞子1/2大匙。
调料 精盐1小匙，料酒120克。

做法 ①将枸杞子、白果洗净，用温水泡软；肋排洗净，剁成小块，入沸水锅中焯烫，捞出冲净；莲藕去皮、洗净，切厚片备用。
②锅中放入莲藕、肋排、蜜枣、白果、枸杞子、料酒，加入清水没过原料，用大火煮沸，再转小火炖煮约40分钟，然后加入精盐续煮20分钟即成。

蜜枣莲藕炖排骨

主料 排骨500克，玉米3穗。
调料 精盐1小匙，味精1/2小匙，香油适量。

做法 ①将排骨洗净，剁成小段，入沸水锅中焯去血水，捞出，洗净沥干；玉米洗净，切成段备用。
②锅中放入排骨、玉米，添入适量清水，再加入精盐、味精、香油煮沸，然后转中火煮5～8分钟，出锅盛入保温锅中，用小火焖2小时即可。

排骨玉米汤

主料 排骨500克，枸杞子10颗，菊花10朵。
调料 姜1片，精盐少许。

做法 ①将排骨洗净，剁成小块；枸杞子、菊花洗净备用。
②汤锅内放入适量清水烧开，下入排骨、姜丝、枸杞子，用旺火烧开，再转中火煮至排骨酥烂，放入菊花煮沸，加入精盐调味即可。

杞菊排骨汤

猪骨汤

主料 猪骨100克，红萝卜1个(约80克)，马铃薯1个(约80克)

调料 精盐适量，姜、葱各适量

做法 ①猪骨洗净，切块；入沸水余汤捞出待用。

②将红萝卜、马铃薯均去皮，洗净，切件；备用。

③将姜、葱用清水冲洗干净，分别切片、切段，备用。

④把全部用料放入锅内，加清水适量，旺火煮沸后，小火煲1～2小时，用精盐调味即可。

排骨炖酸菜

主料 酸白菜200克，鲜猪排骨500克。

调料 姜片、葱段各25克，料酒2小匙，花椒8粒，大料2枚，精盐2小匙，味精1大匙，鸡精5小匙，胡椒粉2小匙，香油1小匙，植物油5小匙，香菜段10克。

做法 ①将鲜排骨顺骨缝划开，剁成段，洗净血污，之后同冷水入锅，沸后煮约5分钟捞出；酸白菜切条，烫一下，过凉，挤干。②将排骨段、姜片、葱结、料酒、花椒、大料放高压锅内，添5杯清水，加精盐调味，盖上盖，置中火上压约13分钟至排骨软烂时，离火。③炒锅放植物油烧热，下酸菜条煸炒片刻，倒在锅仔内，接着捞入压好的排骨，随后将炖排骨原汤过滤，入锅，加味精、鸡精、胡椒粉调好口味，也倒在锅仔内，加盖，置事先点燃的酒精炉上，烧沸约5分钟，淋香油，撒香菜段。

苦瓜排骨汤

主料 排骨600克，苦瓜1根（50克）。

调料 料酒1大匙，盐1/2小匙。

做法 ①排骨焯烫过，去除血水后，另用清水加酒1大匙放入炖盅，先蒸20分钟。

②苦瓜洗净，剖开，去子，切大块，放入排骨内再蒸20分钟，加油、精盐调味，待熟软时盛出食用。

排骨海带汤

主料 排骨400克，海带50克，泡好的黄豆50克，胡萝卜150克。

调料 葱、姜各10克，精盐2小匙，味精1小匙，花椒5粒。

做法 ①将排骨洗净，剁成块；海带切块，与排骨放入锅内，加清水，置火上烧开后，撇去浮沫，加入花椒、姜片、葱、黄豆，再烧开，改用小火将排骨肉煮至熟烂。

②将胡萝卜洗净，切片，放入排骨汤锅中，煮烂调味即可。

泡菜排骨煲

主料 鲜猪仔排650克，土豆150克，泡子姜、泡酸菜、泡红辣椒各25克。

调料 葱结、蒜片各5克，香菜段5克，老抽2小匙，精盐、味精、鸡精各1大匙，胡椒粉2小匙，香油1小匙，植物油500克（约耗50克）。

做法 ①将猪仔排顺骨缝划开，剁成段，洗净；土豆切滚刀块；泡酸菜、泡子姜、泡红辣椒分别切碎。②将排骨同冷水入锅，上火烧沸后煮约5分钟捞出，冲净污沫，控干水分，装在大号沙锅内；土豆块投到烧至六成热的植物油锅中炸成金黄色。③炒锅随适量植物油上火，炸香葱结、姜片，入"三泡"粒炒香，掺入适量清水，调入老抽、胡椒粉，沸后倒在沙锅内，置小火上，炖至排骨软烂时，放土豆块，加精盐、味精、鸡精调味，续炖约15分钟，离火，淋香油，撒香菜段，原锅上桌。

排骨萝卜汤

主料 排骨400克，青萝卜300克，蜜枣4枚，杏仁25克。

调料 精盐1大匙，味精1小匙。

做法 ①将排骨洗净，剁成块，放入开水锅中焯一下，捞出，过凉水；青萝卜洗净，切丝。
②锅置火上，放水烧开，加入排骨块、青萝卜丝煮熟，加精盐、味精调味即可。

排骨酥汤

主料 小排骨600克，白萝卜1根。

调料 酒1大匙，酱油1大匙，香菜2棵，蕃薯粉50克，高汤400克，精盐1小匙。

做法 ①小排骨洗净，加入调味拌匀，腌10分钟再用油炸酥捞出。
②白萝卜去皮，切块，放炖盅内，加入高汤先蒸10分钟，再放入炸酥的排骨、蒸20分钟、加酱油、盐调味后即可盛出，食用时加香菜末少许即可。

凉瓜排骨山菌汤

主料 净老人头菌150克，凉瓜1根，精排150克。

调料 葱花、姜片各少许，精盐1小匙，八角2粒，味精1/2小匙，料酒2小匙，高汤、植物油各适量。

做法 ①将老头菌用温水浸泡，择洗干净，捞出沥净水，平刀片成薄片，放入沸水锅内烫1分钟，捞出沥水；凉瓜去瓤切段；排骨剁段冲洗干净，滚水备用。
②将排骨剁成3厘米长段，放入沸水锅内烫透，捞出沥净水。
③锅内放入植物油烧热，放入葱姜爆香，烹入料酒，加八角、排骨、老人头菌翻炒，倒入高汤小火炖至九成熟，放入凉瓜、精盐、味精，炖至入味即可。

菜排骨汤

主料	排骨500克,白菜半棵。
调料	面粉3大匙,盐1/2大匙,番茄两个,清水1杯,胡椒粉少许。

做法 ①排骨先余烫过,去除血水后冲净泡沫捞出,另用开水煮,改小火,先烧30分钟。
②加入白菜与排骨同烧,待软烂时再放番茄。
③另用2大匙面粉,微黄时慢慢加清水炒成糊状,盛入排骨汤内煮滚,再加盐调味。
④待蔬菜排骨软烂香浓时熄火,盛出,撒胡椒粉少许,即可食用。

粟米炖排骨

主料	排骨500克,玉米2个。
调料	精盐1小匙,味精、料酒各1大匙。

做法 ①排骨洗净,烫去血水;玉米切段。
②将排骨放入开水中余烫3分钟,捞出。
③沙锅中加入6杯水,放入所有材料煮沸,小火炖1小时,加调料调味即可。

蒜味排骨汤

主料	排骨300克,大蒜15粒,当归、川芎、沙参、肉桂、甘草、小茴香、黑枣、丁香各10克。
调料	酱油1大匙,精盐2小匙。

做法 ①排骨洗净切块,放入滚水中余烫一下,捞出,沥干;大蒜去皮,与中药材一起放入纱布袋并扎紧袋口。
②压力锅中倒10杯水,放入小排骨、中药包及调味料,大火煮开,改用小火再煮15分钟,熄火,焖10分钟即可。

腰豆煲排骨

主料	干红腰豆50克,排骨250克。
调料	生姜10克,清水2杯,精盐1大匙,味精2小匙,白糖1小匙。

做法 ①将干红腰豆泡透,排骨切成块,生姜切片。
②瓦煲注入清水,加入排骨、红豆、生姜,用小火煲35分钟。
③再调入精盐、味精、白糖,同煲5分钟即可。

主料 排骨600克，金针蘑50克。

调料 白酒1大匙，姜2片，盐1/2小匙，味精1小匙。

做法 ①排骨洗净，焯烫除血水后，冲净，放入炖盅内，淋酒一大匙，加姜并加开水适量，蒸20分钟。
②金针蘑泡软后，先择除蒂头硬梗，再每根打结，待排骨熟软后，放入同蒸，10分钟后即可加盐调味，盛出食用。

金针排骨汤

主料 小排骨600克，文蛤40克，番茄120克。

调料 罐头辣肉酱1罐，小鱼干少许，酱油2大匙，米酒1大匙，胡椒粉2小匙，太白粉3大匙，盐1小匙。

做法 ①排骨腌3~5分钟，然后油炸至金黄；番茄切块。
②番茄、小鱼干、文蛤与排骨一同放入焖烧内锅，加适量水，煮开后，续煮3分钟，接着移入外锅焖1小时。
③食用前加入1罐辣肉酱及少许盐调味即可。

番茄排骨汤

主料 猪排骨250克，白菜头250克。

调料 葱、姜、肉汤、植物油、香菜梗各10克，精盐3小匙，味精3小匙，花椒水2大匙。

做法 ①把排骨剁成10厘米长的段，白菜头切成长方块，香菜梗切成小段，葱、姜切成块，姜块用刀拍一下。
②大勺内放水，水烧开后放入排骨烫一下取出，再用水冲洗净血沫。
③大勺内放入少量植物油，烧热时放入葱、姜块炸锅，再放入白菜煸炒至半熟，添肉汤，加排骨、精盐、花椒水，烧开后，移在小火上炖烂，取出葱、姜块，加上味精、香菜梗，出勺盛在碗内即成。

排骨炖白菜

主料 排骨450克，苦瓜600克。

调料 陈皮4片，姜2片，精盐适量。

做法 ①排骨洗净，剁成段；苦瓜洗净，去子，切成片；陈皮洗净备用。
②将苦瓜放入烧热的锅中干煎3分钟，再放入开水中焯烫5分钟，捞出，然后放入排骨焯烫5分钟，捞出洗净待用。
③沙锅中加入7杯清水煮沸，再放入排骨、陈皮、姜片，用中火炖40分钟，然后放入苦瓜炖30分钟，加入精盐调味即可。

苦瓜陈皮煲排骨

山楂荷叶煲排骨

主料 排骨600克，山楂30克，荷叶10克，薏米50克。

调料 精盐适量。

做法 ①将排骨剁成小块，洗净，入沸水锅中焯烫，捞出沥水备用。②将山楂、荷叶洗净；薏米用清水浸泡备用。③沙锅中放入排骨、山楂、荷叶、薏米，加入清水没过原料，用大火煮沸，转小火炖2小时，加入精盐调味即可。

番茄排骨冬瓜汤

主料 熟排骨肉400克，冬瓜300克，小番茄50克。

调料 葱花、姜片各少许，精盐适量，鸡精 1/2小匙，酱油、料酒各1大匙，色拉油2大匙。

做法 ①将熟排骨肉切成块；冬瓜去皮、洗净，切成片；小番茄去蒂、洗净，一切两半备用。②锅置火上，加入色拉油烧热，下入葱花、姜片炒香，再放入排骨肉、酱油炒至上色，然后烹入料酒，倒入适量清水，再加入冬瓜、小番茄、精盐、鸡精煮至冬瓜透明时即可。

凉瓜排骨老人头汤

主料 净老人头菌、精排各150克，凉瓜1根。

调料 葱花、姜片各少许，八角2粒，精盐1小匙，味精1/2小匙，料酒2小匙，高汤、色拉油各适量。

做法 ①将老人头菌切成片，入沸水锅中焯水；凉瓜去瓤、洗净，切成段；排骨洗净，剁成段，入沸水锅中焯水，捞出沥水备用。②锅中放色拉油烧热，下入葱、姜爆香，再烹入料酒，放八角、排骨、老人头菌翻炒，然后添入高汤，用小火炖至九成熟，再放凉瓜、精盐、味精炖至入味即可。

豆腐黄瓜排骨汤

主料 黄瓜1根，豆腐2块，黄豆50克，排骨600克。

调料 陈皮1块，精盐少许。

做法 ①将黄瓜洗净，一切两半，去除瓜瓤，切成象眼块；排骨洗净，剁成长条块；豆腐漂洗干净，切成小块；黄豆去掉杂质，与陈皮用清水浸透，洗净备用。②瓦煲内加入清水，用猛火煲至水滚，再放入黄瓜、豆腐、黄豆、排骨、陈皮煮沸，然后转中火煲至黄豆熟烂，加入精盐调味即可。

时蔬紫金骨

主料 排骨400克，胡萝卜、土豆各50克。

调料 干葱10克，姜、蒜各5克，精盐、酱油、番茄酱各1小匙，白糖、米醋各1/2小匙，植物油2大匙。

做法 ①将排骨洗净，剁成段，加入米醋、番茄酱、酱油、白糖拌匀，腌制片刻；胡萝卜、土豆去皮、洗净，切滚刀块备用。②锅中放油烧热，下干葱、姜、蒜煸香，再放入排骨翻炒，然后加入胡萝卜、土豆煸炒，倒适量开水，加入精盐，倒入电压力锅中炖15～20分钟，撒入香菜即可。

西洋菜蚝豉猪胰汤

主料 猪胰1条，猪排骨300克，西洋菜750克，蜜枣各6枚。

调料 精盐适量，蚝豉3大匙，料酒1小匙，香油少许。

做法 ①猪胰洗净，切成大块；猪排骨洗净，剁成大块，同猪胰一起入沸水锅中烫煮一下，捞出洗净备用。②将西洋菜择去黄叶、老茎，用盐水浸5分钟后洗净；蚝豉、蜜枣用温水稍浸后洗净待用。③锅中加入3000克清水烧沸，放入所有原料，加入料酒，先用大火煲半小时，再用中火煲1小时，然后转小火煲1.5小时，加入精盐、香油调味即可。

沙锅什锦

主料 猪小排骨、白菜各250克，水发粉丝100克、熟鸡片、熟肚片、鱼片、虾仁各50克，笋片25克，香菇5朵。

调料 黄酒、姜片、精盐、味精各适量。

做法 ①将小排骨放沙锅加酒、姜片焖煮30分钟；白菜切块，沸水烫后与粉丝一起拌入。
②鸡片、肚片、鱼片、笋片分别放沙锅四周，中间放虾仁，顶上分放香菇，加满水后，用旺火煮沸，改用小火焖10~15分钟即成。

冬瓜红豆排骨汤

主料 排骨、冬瓜各500克，红豆100克。

调料 精盐少许。

做法 ①将排骨洗净，剁成小块，入沸水锅中焯烫去血水，捞出沥干备用。
②将冬瓜洗净，切成大块；红豆淘洗干净待用。
③锅内加入清水煮滚，放入排骨、冬瓜、红豆，用大火煮开煲半小时，再转小火煲3小时，熄火前加入精盐调味即可。

节瓜蚝豉猪腱汤

主料 猪腱肉400克，蚝豉50克，章鱼干50克，节瓜100克，赤小豆50克，红枣10枚。

调料 香油少许，精盐适量。

做法 ①腱肉洗净后切成大块，开水煮后用冷水漂净；节瓜刮去皮后洗净，切成中段；赤小豆、红枣分别淘洗干净；红枣去核。
②净煲放入12碗清水，将煲置火上。水烧开，再将以上原料倒进煲内煲开，再用文火慢煲3小时，加精盐、香油调味即可。

红糟猪肉汤

主料 猪腱肉400克，蜜柚2个，胡萝卜2根，西蓝花30克，洋葱丁少许。

调料 精盐适量，鸡精1/2小匙，白糖少许，红糟酱2大匙，色拉油2大匙。

做法 ①将猪腱肉洗净，切成块；蜜柚剥皮，切成块备用。
②将胡萝卜去皮、洗净，切成段；西蓝花洗净，掰成小朵待用。
③锅中放入色拉油烧热，下入洋葱丁、红糟酱、猪腱肉煸炒上色，再倒入适量开水，放入胡萝卜、西蓝花、蜜柚，然后加入精盐、鸡精、白糖煮30分钟即可。

川贝罗汉果煲腱子肉

主料 罗汉果1个，干百合40克，猪腱子肉600克，川贝、杏仁各35克，无花果、蜜枣各20克，沙参10克。

调料 陈皮1片，精盐1小匙。

做法 ①将罗汉果洗净，敲碎；百合、杏仁、川贝及沙参洗净，用清水浸泡备用。
②将猪腱子肉洗净，切成块，入沸水锅中焯烫，捞出洗净待用。
③锅中加入适量清水煮滚，放入所有原料、陈皮，用大火煮沸，转小火续煲约2小时，再加入精盐调味即可。

参须玉竹猪腱汤

主料 腱肉500克，玉竹30克，参须20克，黑枣4粒，罗汉笋100克。

调料 葱段少许，精盐适量。

做法 ①将猪腱肉洗净，切成块，放入沸水锅中焯烫，捞出沥水；罗汉笋洗净，切成段；参须、黑枣洗净备用。
②锅中加入清水烧沸，下入所有原料用大火煮沸，再转小火煲2小时，加入精盐调味即可。

红枣莲藕猪蹄汤

主料 猪蹄、老藕各400克，莲子20颗，红枣12个。
调料 陈皮10克，姜片5克，精盐1大匙。

做法 ①将莲子、陈皮洗净控干；红枣洗净，去核；老藕去皮、洗净，切成片；猪蹄洗净，切成块备用。
②沙锅中加入清水，用旺火烧开，再放入藕片、猪蹄、红枣、莲子、陈皮、姜片烧开，撇去浮沫，然后转中小火继续煨至猪蹄熟烂，加入精盐调味即成。

花菇山药猪脚汤

主料 花菇1朵，猪脚1只，山药100克。
调料 姜片少许，精盐1小匙，胡椒粉1/4小匙，红卤汤适量，蘑菇高汤3杯，花生油2大匙。

做法 ①将花菇去蒂、洗净，用温水泡软；猪脚洗净，用红卤汤卤熟；山药去皮、洗净，切滚刀块备用。
②净锅置火上，倒入蘑菇高汤烧沸，再加入所有原料及调料，用小火炖至熟烂，出锅装碗即可。

花生猪手汤

主料 净猪手400克，花生米80克，香菜少许。
调料 精盐1小匙，味精1/2小匙，酱油适量，老汤3杯，色拉油少许。

做法 ①将猪手剁成块，入沸水锅中焯水，捞出沥干；花生米洗净、去皮；香菜洗净，切成末备用。
②锅置火上，注入老汤，放入猪手、花生米，再加入酱油、精盐煮25分钟至熟，然后放入味精，出锅装入碗中，淋入明油，撒上香菜末即可。

黄豆猪蹄汤

主料 猪蹄2个，黄豆250克。
调料 黄酒1匙，大葱1小匙，姜1/2小匙，盐1/3大匙。

做法 ①猪蹄用沸水烫后拔净毛，刮起，去浮皮。
②黄豆提前浸泡1小时，备用。
③姜洗净切片。
④大葱切段。
⑤猪蹄内加入清水，姜片煮沸，撇沫。
⑥加黄酒、葱及黄豆，加盖，用文火焖煮。
⑦至半酥，加精盐，再煮1小时。
⑧调入味精，即可。

主料 猪蹄600克，红枣10粒，花生米1/2碗。

调料 黄芪、桂枝各15克，赤芍5克，川芎3克，当归2片，料酒适量。

做法 ①将花生米用清水浸泡30分钟，捞出沥水；红枣洗净，去核；猪蹄治净，切成块备用。
②将所有材料放入沙锅中，加入料酒、清水没过材料，置旺火上煮沸，转中火炖1小时即可。

红枣花生蹄

主料 猪手1只，杜仲30克，牛膝15克。

调料 精盐适量。

做法 ①将猪手刮毛、洗净，剁成块；杜仲、牛膝洗净备用。
②锅置火上，加入适量清水，再放入猪手、杜仲、牛膝，先用武火煮沸，再用文火煲2～3小时，加入精盐调味即可。

杜仲牛膝猪手汤

主料 猪蹄筋180克，黄豆250克，香菜适量。

调料 生姜2片，精盐、料酒各适量，味精1/2小匙。

做法 ①将黄豆用清水浸泡约3小时，捞出沥水备用。
②将猪蹄筋洗净，放入高压锅中，加入适量清水压熟，捞出切斜刀块待用。
③将所有原料放入炖锅内，再放入料酒、生姜、适量清水炖至黄豆烂熟，然后加入精盐、味精调味即可。

猪蹄筋黄豆汤

主料 猪蹄4只，百合200克。

调料 葱段、姜片各5克，精盐1/2匙，料酒1大匙。

做法 ①将百合去皮、洗净，掰成小片；猪蹄去毛，洗净，入沸水锅中焯去血水，捞出备用。
②锅置火上，加入清水，放入百合、猪蹄烧沸，再加入精盐、料酒、葱段、姜片，然后转小火炖至肉烂，拣去姜片、葱段，出锅装碗即成。

百合炖猪蹄

猪蹄花生汤

主料 猪蹄4个，花生、甜豆各50克，胡萝卜1根，香菇4朵。

调料 姜2片，精盐适量，胡椒粉少许。

做法 ①将猪蹄刮洗干净，剁成块，入沸水锅中焯烫，捞出备用。

②将花生浸洗干净；胡萝卜去皮、洗净；香菇洗净，剞花刀待用。

③锅中加入清水煲滚，下入所有原料用大火煮沸，再转小火煲2小时至熟，加入精盐、胡椒粉调味即可。

康乐猪手汤

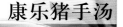

主料 酱猪蹄1只，干豆腐200克，香菜少许。

调料 精盐1小匙，味精适量，胡椒粉少许，猪骨汤2碗。

做法 ①将酱猪蹄剁成块；香菜择洗干净备用。

②将干豆腐切成大片，放上香菜卷成卷待用。

③锅置火上，加入猪骨汤，放入猪蹄、干豆腐卷、调料煮沸，撇去浮沫，用小火炖10分钟即可。

雪梨猪蹄汤

主料 猪蹄1只，雪梨200克。

调料 精盐1小匙，味精1/3小匙，老汤1碗。

做法 ①将猪蹄去毛、洗净，剁成块；雪梨洗净，切块备用。

②锅置火上，加入老汤、清水，再放入猪蹄煮35分钟，然后放入雪梨块，加入调料续煮5分钟即成。

泡萝卜炖猪蹄

主料 猪蹄1个，泡酸萝卜250克。

调料 葱结、姜片各5克，香菜5克，精盐、味精、料酒各2小匙，香油1小匙，生抽2小匙，胡椒粉1/2小匙。

做法 ①将猪蹄上的残毛、污物刮洗干净，先顺长剖成两半，再顺关节剁成小块，放在水锅中煮约5分钟，捞出；泡酸萝卜切成小块，也用开水煮一下，沥干水分；香菜洗净，切小段。

②净锅上火，添入5杯清水烧沸，放入猪蹄、料酒、葱结、姜片，旺火烧沸后撇净浮沫，改小火炖至九成熟时，放入酸萝卜块；加精盐、味精、酱油、胡椒粉等调好色味，继续炖至猪蹄熟烂，即可盛汤盆内，淋香油，撒香菜段即成。

主料　猪蹄1个，带皮花生仁100克，红枣15枚。

调料　精盐1/3小匙，绍酒1小匙。

做法　①将花生仁泡水8小时以上；猪蹄去毛、洗净，放入沸水中焯透，捞出沥干；红枣洗净备用。

②将猪蹄、花生和红枣连同花生的泡汁一起放入锅中，再加入适量清水和精盐、味精，上火炖至猪蹄熟烂，即可出锅装碗。

猪蹄煲花生红枣

主料　猪蹄1个，龙骨100克，罗汉果2个，红萝卜100克，枸杞子10克。

调料　生姜10克，精盐、味精、料酒各2小匙，胡椒粉1大匙。

做法　①猪蹄切成大块，龙骨切成块，罗汉果洗净打破，生姜去皮切块，红萝卜切块，枸杞子洗净。

②将瓦煲放在火炉上，加入猪蹄、龙骨、罗汉果、料酒、生姜，注入清水，用大火烧开，然后改用小火煲2小时。

③再加入红萝卜、枸杞子煲40分钟后，调入精盐、味精、胡椒粉，煲透即可食用。

罗汉果煲猪蹄

主料　猪蹄1个，冬瓜1/2个。

调料　精盐、味精各1大匙。

做法　①猪蹄洗净，纵向一劈为二，放入开水锅中焯一下捞出；冬瓜去皮，洗净切块。

②锅置火上，放水烧开，下入猪蹄、冬瓜块，煮至猪蹄熟烂，加精盐调味即可。

猪蹄冬瓜汤

主料　猪手600克，生菜100克。

调料　A：姜葱3片，香辛料2克，盐2匙，鸡粉1匙，高汤300克；B：番茄酸汤100克，糟辣椒（或泡椒粒）50克，鸡汤100克，木姜子油2克，盐、鸡粉、红油、泡椒油各10克。

做法　①将猪手斩成小件放入A中煮至软糯后取出备用。

②将猪手放入B（汤料要去渣）中烧至入味，取出放入用生菜打底的玻璃盘内；锅内酸汤加红油，大火勾芡后淋入玻璃盘内即可。

秘制酸辣猪手

枸杞叶猪肝汤

主料 猪肝120克,枸杞叶9克,蜜枣6枚。

调料 生姜1块,精盐、豆粉各适量,香油少许。

做法 ①将猪肝洗净,切成片,入沸水锅中焯烫去血污,捞出沥水,加入豆粉拌匀备用。

②将枸杞叶、蜜枣洗净;生姜去皮、洗净,切丝待用。

③锅置火上,加入12杯清水、姜丝,用旺火烧沸,再放入全部原料煮沸,然后转中火煲2小时左右,加入精盐、香油调味即可。

枸杞猪肝汤

主料 猪肝100克,枸杞子30克。

调料 精盐1大匙,味精2小匙,植物油3大匙,牛肉汤2杯。

做法 ①将猪肝洗净切块,锅内加入生油烧至八成热,放猪肝煸炒一下;枸杞子去杂洗净。

②将猪肝、枸杞子放入锅中,注入适量牛肉汤、精盐,共煮炖至猪肝熟透,再以味精调味即成。

当归补血汤

主料 当归6克,黄芪30克,猪肝150克。

调料 生姜5克,精盐1小匙,味精少许,料酒、香油各1/2小匙。

做法 ①将生姜洗净,切成丝;猪肝洗净,切成薄片,一起放入碗中,加入料酒、香油、精盐、味精拌匀,腌渍入味备用。

②将当归、黄芪洗净,均切成片,放入沙锅中,加水煎2次,每次用水20毫升,煎半小时,2次混合共取汤汁300毫升,去渣后将腌渍好的猪肝片放入汤汁中,煮至熟透即成。

玉竹沙参心肝鹅

主料 猪心、猪肝各50克,大鹅半只,玉竹20克,沙参15克,大枣4粒,芥菜30克。

调料 精盐适量。

做法 ①将猪心、猪肝洗净,切成块,入沸水锅中焯水,捞出沥水;鹅肉洗净,剁成大块,入沸水锅中焯透,捞出沥水备用。

②将芥菜洗净,切成段;玉竹、沙参、大枣洗净待用。

③锅置火上,加入清水,放入鹅肉、猪心、猪肝、大枣、玉竹、沙参用旺火煮开,再转小火煮2小时,放入芥菜续煲10分钟,加入精盐调味即可。

主料 凤尾菇200克，芥菜80克，猪腰2个，泡椒少许。

调料 葱花、蒜片各少许，精盐1小匙，蘑菇精1/2小匙，酱油1/3小匙，绍酒1大匙，鸡汤2杯，花生油2大匙。

做法 ①将猪腰剖开去筋膜、腰臊，洗净，剞上花刀；凤尾菇洗净，切成片；芥菜洗净，切成段备用。

②锅中放入花生油烧热，下入葱花、蒜片、泡椒爆香，再放入猪腰炒至断生，然后烹入绍酒，放入凤尾菇、芥菜翻炒，再加入鸡汤、调料炖至入味即可。

芥菜凤尾菇煲猪腰

主料 猪腰2个，猪脊骨500克，黑豆50克，浮小麦25克，核桃6个，桂圆肉15克。

调料 精盐适量，香油少许

做法 ①将猪腰剖开，挑去臊腺，洗净，切成大块；猪脊骨洗净，斩成大块，连同猪腰一起入开水锅中焯烫，捞出沥水备用。

②将核桃剥壳，入锅用慢火炒至微香；黑豆、桂圆肉分别淘洗干净；浮小麦洗净，放入纱布袋内待用。

③锅中加入3000克清水烧开，放入全部原料，先用大火煲半小时，再用中火煲1小时，然后转小火煲1.5小时，加入精盐、香油调味即可。

黑豆小麦猪腰汤

主料 猪腰1对，田七15克，杜仲30克，栗子肉80克。

调料 葱段、姜片各少许，精盐适量，胡椒粉1/2小匙，料酒1大匙。

做法 ①将猪腰剖开，去筋膜、腰臊，洗净，剞成花刀，入沸水锅中焯烫，捞出沥水备用。

②将栗子肉、田七、杜仲洗净待用。

③锅中加入清水煮沸，再放入所有原料，加入料酒，用大火烧沸，然后转小火煲2小时，再加入精盐、胡椒粉调味即可。

田七杜仲猪腰汤

主料 鲜猪腰1对（约350克），枸杞子5粒，核桃仁6粒。

调料 姜片、葱结各10克，鲜汤4杯，精盐1大匙，味精4小匙，鸡精、胡椒粉各1大匙，猪化油3大匙，料酒1小匙。

做法 ①猪腰撕去表层薄膜，纵剖开，剔净腰臊，切成厚片，用清水洗净血污，入沸水锅中焯一下，再用清水洗2遍；核桃仁入开水中余透，捞出。

②炒锅上火，放猪化油烧热，下姜片、葱结略炸，入猪腰片炒至无水气时，烹料酒，掺入鲜汤，放核桃仁、干蚝豉，调入精盐、料酒、胡椒粉，用小火炖约20分钟，再加其余调料略炖，盛汤盆内即成。

桃仁炖猪腰

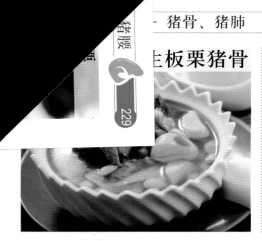

花生板栗猪骨

主料 猪骨400克，带膜花生仁、去壳栗子各160克。

调料 精盐、味精各1大匙，料酒5小匙。

做法 ①猪骨切段，冲净；花生仁淘洗净，栗子冲净，以清水泡1小时，沥干。

②将所有材料放入沙锅中，加水盖过材料，以大火煮沸，改小火炖50分钟，待猪骨煮烂，加精盐调味即可。

胡萝卜土豆骨头汤

主料 胡萝卜2根，土豆1个，猪棒骨200克。

调料 精盐1小匙，香油、胡椒粉各少许。

做法 ①将猪棒骨洗净敲断；胡萝卜、土豆洗净去皮，切成块。

②坐高压锅点火，放清汤、棒骨烧开，煮沸10分钟后放入胡萝卜、土豆，大火开锅后改用小火煮20分钟。

③出锅时将骨头、胡萝卜、土豆沥出，放盐、香油、胡椒粉即成。

手抓酱骨头

主料 猪后腿骨300克。

调料 姜，葱各8克，精盐1小匙，酱油3小匙，味精1大匙，八角3克，桂皮2克，香叶两片，草果3克，原汁老汤400克，水2000克，冰糖20克，红曲米5克，排骨酱15克。

做法 ①先将调料放入桶里调成卤汁备用。

②把骨头从中间砍成两段，大火沸水余1分钟，放入调好的卤汁桶里小火焖烧40分钟至烂，捞出控干，放入净锅内，加卤汁200克，放入冰糖、排骨酱，大火收浓卤汁装盘即成。

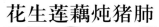

花生莲藕炖猪肺

主料 猪肺1个，花生米75克，莲藕50克，青蒜苗10克，火腿10克，冬笋各25克。

调料 葱结、姜片各10克，料酒2小匙，精盐、味精、鸡精、胡椒粉各1大匙，猪化油2大匙，鲜汤5杯。

做法 ①将猪肺洗净，除净肺管内黏液和血沫，将猪肺放在水锅中，加葱结、姜片和料酒，旺火烧沸，撇去浮沫，小火煮至猪肺熟时，捞出晾凉，切厚片；莲藕去皮切片。②花生米放小盆内，用开水泡约3分钟，剥去红衣；青蒜苗切段；火腿、冬笋切片。③炒锅放猪化油烧热，下葱结、姜片炸出香味，掺鲜汤，放猪肺、花生米、冬笋片和火腿片、藕片，调入精盐、胡椒粉，用小火炖至猪肺酥烂、汤汁乳白时，加味精、鸡精调味，再次烧沸，起锅盛汤盆内，撒青蒜段即成。

双莲红豆猪心汤

主料　猪心2个,猪脊骨500克,莲藕750克,莲子、红豆各60克。

调料　陈皮1块,精盐适量,香油少许。

做法　①将猪心剖开,每个切成3~4瓣,洗净血污备用。

②将猪脊骨洗净,斩成大块,入沸水锅中烫煮一下,捞出待用。

③将莲藕去皮、洗净,切成大块;莲子去心、洗净备用。

④汤锅置旺火上,加入清水烧沸,再放入猪心、猪脊骨、莲藕、莲子、红豆烧开,然后转小火煲3小时,加入精盐,淋入香油即可。

丹参龙眼猪心汤

主料　猪心1个,丹参15克,远志10克,龙眼肉30克,山楂20克。

调料　姜丝少许,红糖适量。

做法　①将猪心切成两半,洗净,再切一字刀,入沸水锅内焯烫去血污,捞出沥水备用。

②将丹参、远志、山楂洗净。

③锅置火上,加入12杯清水、姜丝,用旺火烧开,再放入猪心、丹参、远志、龙眼肉、山楂煮沸,然后转中火煲2小时左右,加入红糖搅匀即可。

茶树菇猪心汤

主料　猪心1个,干茶树菇80克,小番茄6粒,油菜100克。

调料　葱花、姜片各少许,精盐适量,味精1/2小匙,酱油1大匙,大蒜油1小匙,料酒2大匙,高汤8杯,色拉油2大匙。

做法　①将猪心切开,切成片备用。

②将干茶树菇用冷水泡至涨发,剪去菇蒂,洗净,去除茶树菇的酸涩味,切成段待用。

③将小番茄去蒂、洗净,一切两半;油菜择洗干净备用。

④锅中加入色拉油烧热,下入葱花、姜片炝锅,再放入猪心翻炒,然后烹入料酒,加入酱油炒至上色,再倒入高汤,放入茶树菇、精盐煮沸,下入小番茄、油菜煮5分钟,然后加入味精,淋入大蒜油即可。

猪心当归汤

主料　猪心300克,当归6克,黑豆12克,香菇6个。

调料　葱1根,生姜1块,大蒜数瓣,精盐适量,料酒1大匙。

做法　①将猪心洗净,切成块,入沸水锅水焯烫,捞出沥水备用。

②将葱洗净,切两段;姜去皮、洗净,切成片;大蒜剥皮待用。

③将猪心放入锅中,加入6碗清水煮沸,撇去浮沫和浮油,放入半根葱、少许姜片、大蒜,再放入浸好的黑豆,用文火煮1小时备用。

④另将当归加入2碗清水煮成1碗,放入猪心汤内,再放入香菇,加入料酒,用中火煮半小时即可。

虾干笋尖猪心汤

主料 新鲜猪心1个，虾干25克，扁尖笋1小撮。

调料 姜2片，精盐5小匙，胡椒粉1大匙，味精2小匙。

做法 ①1 虾干洗净，浸软；扁尖笋略冲，沥干，留用。
②猪心剖开，洗净切成条，放滚水中略烫过捞起，用清水洗净，沥干待用。
③将猪心、扁尖笋、虾干及姜片等同放入汤煲内，并注入适量清水，煲至滚开，改用中小火，煲1小时至材料软熟及汤浓，加入辅料盛出，趁热食用。

参茸猪心煲

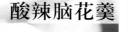

主料 猪心1个，人参片、鹿茸片各10克。

调料 精盐1小匙。

做法 ①将猪心洗净，入沸水锅中焯烫，捞出，一切两半，再切成薄片备用。
②汤锅置火上，加入6杯清水、人参片、鹿茸片，用大火煮沸，再转小火约炖20分钟，然后放入猪心片，转中火烧沸、熄火，加入精盐调味即可。

酸辣脑花羹

主料 猪脑花4副，猪肥瘦肉100克。

调料 生姜30克，葱花20克，精盐1小匙，味精、酱油各少许，胡椒粉2/5小匙，米醋4大匙，香油1大匙，鲜汤750克，水淀粉、猪化油各3大匙。

做法 ①将猪脑花泡入清水内，用左手托起，右手指轻轻拍打数下后，撕下膜、血筋，放沸水(加少量的精盐)锅内煮至熟透，捞起，切成小方丁；姜切细末；葱切葱花；猪肉剁成细粒备用。②锅置旺火上，放入猪化油烧热，下入猪肉炒散，再放入姜末炒出香味，加入少许酱油上色，然后加入鲜汤、胡椒粉、精盐和脑花丁烧沸，撇去浮沫，再加入味精，用水淀粉勾成米汤芡，最后加入香油、米醋、葱花，起锅装入荷叶碗内即成。

鹌蛋猪血汤

主料 熟猪血250克，鹌鹑蛋5只。

调料 生姜片、葱粒、盐、糖、味精、花生油、胡椒粉各适量。

做法 将熟猪血放入锅内，加汤(或沸水)，煮沸。将鹌鹑蛋去壳打成蛋液倒入汤里，拌匀及调味后，饮汤吃猪血佐膳。

花生菇耳猪肚汤

主料 猪肚1个，淡菜、花生、冬菇、木耳各50克，红枣6粒。
调料 精盐适量，香油少许。

做法 ①将猪肚里外洗净，再把猪肚反转，用中火煎后刮洗干净，切成大块；淡菜用温水浸软，洗净。
②将木耳用清水泡发，洗净，撕成小朵；冬菇去蒂、洗净；红枣去核、洗净；花生用清水浸泡，去皮待用。
③煲置火上，加入清水烧开，再放入全部原料，用中火煲1.5小时，然后转小火煲1.5小时，加入精盐、香油调味即可。

淮山煲猪肚

主料 鲜淮山100克，猪肚100克，枸杞子10克。
调料 生姜10克，清水2杯，精盐4小匙，味精2小匙，白糖1小匙，胡椒粉少许。

做法 ①鲜淮山去皮切厚片，猪肚洗净切片，生姜切片。
②瓦煲注入清水，加入生姜、鲜淮山、枸杞子，用中火煲40分钟。
③再调入精盐、味精、白糖、胡椒粉，同煲20分钟即成。

瓦罐肚条

主料 猪肚1/2个，笋2根，香菇3片，红枣6粒。
调料 精盐1小匙，淀粉适量，料酒1大匙，8碗高汤。

做法 ①将猪肚用精盐、淀粉抓洗2~3次后冲净，入沸水锅中煮熟（约20分钟），取出切成条备用。
②将笋去皮、洗净，切成条；香菇、红枣泡软待用。
③沙锅中加入高汤、料酒，放入所有原料煮沸，转小火烧煮至肚条软烂时，加入精盐调味即可。

山东汤

主料 熟猪肚1/4个，海参1个，熟鸡胸1/2个，土豆1个，香菇2片，洋菜1/4条，香菜2棵。
调料 葱1棵，姜2片，精盐1小匙，淀粉120克，料酒、酱油各1大匙，高汤6碗。

做法 ①将海参去内脏、洗净，入沸水锅中，加入葱、姜、料酒煮一下去腥味，捞出后切丝；其他原料分别洗净，均切成丝备用。
②锅中加入高汤，下香菇丝、土豆丝烧开，再放入猪肚丝、鸡丝，然后加精盐、酱油，用水淀粉勾芡，再放入海参丝煮滚，最后加入洋菜丝，撒香菜末即可。

白果腐竹煲猪肚

主料 猪肚半个,腩排400克,白果、薏米、腐竹各100克。

调料 姜片40克,精盐、鸡精各1小匙,白胡椒2小匙。

做法 ①将猪肚洗净,放入大碗中,加入适量精盐抓洗10分钟,入沸水锅中,加入10克姜片焯烫约5分钟,捞出,翻面后再洗净,切成片;腩排洗净,剁成小块,入沸水锅中焯烫,捞出沥水备用。

②将腐竹用温水浸泡20分钟,洗净;薏米用水泡软,捞出待用。

③煲锅中倒入3500毫升清水烧沸,加入白果、薏米、猪肚、腩排、白胡椒,用大火煮滚,再转小火续煮约30分钟,然后放入腐竹煮30分钟至猪肚熟软,再加入精盐、鸡精调味即可。

白果腐竹猪肚汤

主料 猪肚1个,马蹄150克,白果、腐竹、淡菜各50克,无花果6枚。

调料 精盐适量,香油少许。

做法 ①猪肚刮开反转里外刮洗干净,切成大块。

②白果去壳、衣、心;荸荠削皮,去蒂,洗净拍裂。

③将腐竹、淡菜、无花果分别洗干净;待用。

④洗净汤煲,放进3000克清水,烧开后,把所用原料全部倒进煲内煲之。

⑤煲内水再开后,用小火煲3小时;用香油、精盐调味即可。

砂仁猪肚莲藕汤

主料 猪肚400克,莲藕200克,砂仁10克,银杏5粒,面粉适量。

调料 葱段、姜片各少许,精盐适量,料酒1大匙。

做法 ①将猪肚用面粉擦一遍,再用清水洗净,放入沸水锅中,加入料酒焯烫取出,然后用刀刮净浮油,切成块备用。

②将莲藕去皮、洗净,切成块,砂仁、银杏洗净待用。

③锅中加入清水烧沸,放入所有原料用大火煲滚,再转小火煲2小时,加入精盐调味即可。

水煮猪肚汤

主料 猪肚300克,豆芽150克,萝卜少许。

调料 葱花、花椒粒各少许,精盐、水煮料各适量,高汤6杯,色拉油2大匙。

做法 ①将猪肚洗净,入沸水锅中焯烫,除去残余脂肪,切成条备用。

②将萝卜去皮、洗净,切碎制成泥,加入葱花拌匀;豆芽洗净待用。

③锅中加入色拉油烧至四成热,下入花椒粒炒香捞出,再下入葱花、水煮料炒香,然后倒入高汤,放入所有原料煮至入味,再加入精盐调味,出锅盛入汤碗中,放上萝卜泥即可。

主料 熟猪肚200克，大虾、鱿鱼各100克，蟹棒50克，油菜2棵。

调料 精盐1小匙，味精1/2小匙，白糖少许，葱油适量，清汤1碗。

做法 ①将猪肚切成条；鱿鱼洗净，剖成花刀；蟹棒切段，入沸水锅中焯水，捞出备用。

②锅中倒入清汤，放大虾、猪肚、鱿鱼、蟹棒，再加精盐、味精、白糖同煮5分钟，撇去浮沫，然后放入油菜，淋葱油即成。

清汤一品鲜

主料 猪小肚500克，白茅根、玉米须各60克，红枣10粒。

调料 生姜数片，精盐、淀粉各适量，料酒2小匙。

做法 ①将猪小肚去净肥脂，切开，用精盐、淀粉、料酒拌擦，再用水洗净，然后放入开水锅内煮15分钟，取出在冷水中冲洗干净备用。

②净白茅根、玉米须、红枣(去核)洗净待用。

③锅中放入清水烧开，下入白茅根、玉米须、红枣、猪小肚用武火煮沸，再用文火煲3小时，加入精盐调味即可。

白玉猪小肚汤

主料 白果100克，熟猪肚200克。

调料 姜片、香菜各少许，精盐1小匙，味精1/2小匙，鸡汤1碗。

做法 ①将熟猪肚切成条；白果洗净后备用。

②锅中添入鸡汤，放入猪肚与白果烧沸，再加入姜片、精盐、味精煮3分钟，撒上香菜即成。

白果肚汤

主料 熟猪肚200克。

调料 米醋2大匙，葱丝10克，姜丝3克，韭黄25克，精盐1小匙，酱油、胡椒粉各1/2小匙，高汤5杯，水淀粉2大匙，香油3大匙。

做法 ①将熟猪肚切丝；韭黄择洗净，切成3.3厘米长的段。

②锅置火上，添入高汤，放入肚丝、葱丝、姜丝、精盐、酱油，汤开后，撇去浮沫，加入米醋、胡椒粉、勾稀芡，起锅盛入大汤碗中，上桌时，汤内再撒上韭黄、香菜，淋入香油即成。

酸辣猪肚汤

五花肉卤素人参

主料 猪五花肉250克，胡萝卜150克。

调料 葱段、姜片各10克，精盐、味精各1/3小匙，酱油、绍酒、白糖各2大匙，花椒、八角、桂皮各5克。

做法 ①将猪肉洗净，切成长方块，再用酱油上色，放入热油中炸呈金红色，捞出沥干；胡萝卜去皮、洗净，切块备用。
②锅点火，加入底油烧热，先下入葱段、姜片、花椒、八角、桂皮炒香，再烹入绍酒，加入酱油、白糖、精盐，添入少许清汤，然后放入猪肉、胡萝卜，旺火烧沸后转小火慢炖至熟烂，再调入味精，出锅装盘即可。

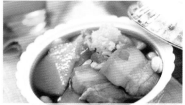

五花肉萝卜花生汤

主料 五花肉300克，萝卜150克，花生50克。

调料 葱花、姜末各少许，精盐适量，酱油、料酒、色拉油各2大匙。

做法 ①将五花肉洗净，切成块；萝卜去皮、洗净，切半圆片备用。
②将花生洗净，放入清水中浸泡30分钟，捞出去皮待用。
③锅中加入色拉油烧热，下入葱花、姜末炒香，再放入五花肉、萝卜片、酱油翻炒上色，然后烹入料酒，倒入适量清水，再放入花生、精盐大火煮开，转小火煮30分钟即可。

清炖狮子头

主料 五花猪肉（六成肥、四成瘦）600克，猪皮50克，排骨100克，菜心10棵，鸡蛋2个。

调料 葱、姜汁2大匙，料酒5小匙，精盐1/2小匙，干淀粉5小匙，味精1小匙。

做法 ①将肥肉切丁，瘦肉剁肉泥，将两种肉混合剁一下，搅匀，加葱姜汁、料酒、精盐、味精、蛋清和适量的水，拌成肉蓉；干淀粉用水调匀，在手上沾一点湿淀粉，把肉蓉捏成10个圆球待用。
②将小排骨切成2块，焯水，肉皮焯水，捞起，放沙锅内，加水约500克，烧沸、焖2小时左右。临上桌时，把菜心放沙锅内，加精盐略焖。

菜心狮子头

主料 五花肉320克，菜心480克

调料 冬菇6朵，冬笋80克，姜2片，葱1根，淀粉1/2小匙；调味料A：盐1/2小匙，料酒1小匙，鸡蛋1/2个，淀粉20克；调味料B：酱油1大匙，高汤或清水1杯，桂皮、八角各少许，植物油50克

做法 ①五花肉改丁，加调味料A搅匀，手抹油，搓成圆球状，放入热油中炸成金黄色。②锅中加植物油烧热，爆香姜、葱和调味料B中的桂皮、八角，加入高汤、酱油，放入大肉丸，炖约15分钟。
③锅中加植物油烧热，将冬菇、冬笋、菜心煸炒至熟，倒入肉丸，煮至汁稍干，用湿淀粉勾芡。

鱼乡家常炖

主料 五花肉100克，酸菜150克，粉丝、蛎黄、北极贝各50克，净切蟹1只，油菜1棵。

调料 精盐，胡椒粉各少许，白糖1小匙，黄豆酱，绍酒各1大匙，老汤适量。

做法 ①将五花肉洗净，切成片；酸菜洗净，切成丝；粉丝焯水备用。
②将蛎黄、北极贝、切蟹、油菜洗净，分别入沸水锅中焯水待用。
③锅中加入老汤烧沸，再放入全部原料，然后加入调料煮5分钟，淋入香油即可。

东北汆白肉

主料 五花肉80克，酸菜150克，细粉条50克，海米10克。

调料 盐1/3小匙，味精1/2小匙，韭花酱，豆腐乳各2小匙。

做法 ①五花肉洗净，煮熟，切薄片；酸菜切细丝，洗净，挤干水分；海米、细粉条洗净，泡软。
②把煮五花肉的汤烧开，撇去浮沫，放入肉片、酸菜丝、海米，烧至酸菜熟透后，放入细粉条煮熟，用盐和味精调味，即可盛出，蘸腐乳、韭花酱食用。

核桃炖牛脑

主料 核桃肉150克，牛脑1副，牛肉200克。

调料 姜1片，精盐适量，料酒1/2大匙。

做法 ①将牛脑浸入清水中，撕去薄膜，除去红筋，洗净；牛肉洗净，切成片备用。②将牛脑、牛肉放入沸水中煮5分钟，取出洗净，沥水待用。③将核桃肉放入炒锅中煸炒片刻，再加入适量清水煮3分钟，捞出沥水备用。④将牛脑、牛肉、核桃肉、姜片、料酒放入炖盅内，加入开水3杯，炖盅加盖，入锅隔水炖3.5小时，再加入精盐调味即成。

蔬菜牛肉汤

主料 土豆、白菜、菜花、扁豆角、番茄、胡萝卜片、葱头丝各50克，牛肉汤500克。

调料 精盐1大匙，味精2大匙，胡椒粒、黄油各15克，香菜15克。

做法 ①将土豆、白菜切块，菜花择成小朵，扁豆角切成菱形并煮烫过，番茄切成块；胡萝卜片、葱头丝、胡椒粒、香菜放入牛肉清汤内，放少许黄油焖熟。
②再将土豆、白菜、菜花放锅内，加少量牛肉清汤煮开，即倒入焖好的汤内，待土豆熟时，放入扁豆角和番茄块，熟透调味即成。

酸辣牛肉汤

主料 鲜嫩牛肉150克，粉丝25克，胡萝卜1/2根。

调料 香菜10克，料酒2大匙，麻油1大匙，水淀粉2大匙，植物油2大匙，高汤2杯，味精、精盐各1大匙，酸醋3大匙。

做法 ①将牛肉切丝，放碗内，加精盐、料酒、水淀粉各少许拌匀。
②再将胡萝卜洗净，切成细丝。
③取锅烧热放油，下胡萝卜丝颠炒几下，加入高汤烧沸，加粉丝（先用热水泡软）、精盐、烧沸。④再加入肉丝、料酒、酸醋、味精，下水淀粉和香菜（切末），烧沸出锅装入汤碗，淋上麻油即成。

笋干煲牛肉

主料 牛小腿肉500克，淮山药20克，桂圆肉10个，笋干100克。

调料 葱结、姜片各10克，精盐5小匙，味精2小匙，鸡精4小匙，胡椒粉1大匙，料酒2大匙，植物油5大匙。

做法 ①将牛小腿肉切块，同冷水入锅，加料酒，沸后煮约5分钟捞出，冲净浮沫；笋干泡透，切条；淮山药泡软。②炒锅放熟花生油烧热，投姜片、葱结炸香后，倒牛肉块翻炒至无水气时，烹料酒，掺适量清水，沸后撇去浮沫，加精盐、味精、鸡精、胡椒粉调味，倒在汤盆内，放淮山药、桂圆肉和笋条，用锡纸封口，上笼蒸2.5小时至牛肉软烂，出笼，揭纸即可。

土豆牛肉煲

主料 牛肉300克，土豆1个，红萝卜1/4个。

调料 生姜10克，葱10克，牛油4小匙，精盐1大匙，味精2小匙，胡椒粉4小匙，清水2杯，花雕酒4小匙。

做法 ①牛肉洗净切成块，土豆去皮切块，生姜切片，红萝卜去皮切块，葱切段。
②瓦煲注入清水，加入花雕酒、牛肉、生姜，先用小火煲40分钟。
③再加入土豆、红萝卜、精盐、味精等所有调料，用中火煲20分钟，加入葱段即成。

牛肉粉丝汤

主料 牛肉150克，粉丝25克，姜1片。

调料 料酒2小匙，酱油1小匙，水淀粉3大匙，精盐1大匙。

做法 ①牛肉切薄片，加料酒、酱油、水淀粉拌匀，腌片刻；粉丝用开水泡软，切成段。
②锅置火上，放入牛肉、姜片、粉丝同煮，至牛肉熟烂，加精盐调味，起锅即可。

罗宋汤

主料 牛肉100克，圆白菜1/2个，胡萝卜1/2根，土豆1个，洋葱1/2个，油面2小匙。

调料 植物油3大匙，白糖1小匙，精盐1小匙，味精1小匙，高汤2大匙，番茄酱3大匙。

做法 ①牛肉洗净，切块，下开水锅中汆2~3分钟后捞出。
②圆白菜、洋葱、土豆、胡萝卜分别切块备用。
③锅内倒植物油，放入番茄酱，加入高汤，再放入提前做好的罗宋汤汁，倒入牛肉，依次加入盐、味精和白糖调味，加入胡萝卜、土豆、洋葱，熬制三四分钟，放入炒制好的油面，加入圆白菜，大火烧至开锅即可。

牛肉花生汤

主料 牛肉500克，花生150克。

调料 葱花、姜丝各15克，精盐1小匙，味精、料酒各1大匙，清汤2杯。

做法 ①牛肉洗净，去除筋膜，放碗中，加入料酒、葱花、姜丝上笼蒸熟，取出，切成片；花生去壳取仁，用水浸泡一下，去袍衣，上笼蒸酥。
②取沙锅，放入熟牛肉、熟花生仁，再加上蒸牛肉的原汁及清汤，大火烧开，撇去浮沫，改用小火煮10分钟，加精盐调味，起锅即可。

牛肉鸭蛋汤

主料 鸭蛋2个，碎牛肉100克。

调料 精盐1大匙，料酒、味精各2小匙，胡椒粉2大匙。

做法 ①鸭蛋磕入碗内，用筷子打散。
②锅置火上，放水、牛肉，烧开后，改用小火，加精盐、味精、胡椒粉，待汤开后，淋入鸭蛋液和料酒，起锅即可。

牛肉苦瓜汤

主料 苦瓜600克，牛肉200克。

调料 精盐、白砂糖、淀粉、生抽、香油各少许。

做法 ①将生抽、白砂糖、香油和淀粉拌和调匀，制成腌料；牛肉洗净，抹干，横纹切薄片，再加入腌料抹匀；苦瓜去瓤，洗净，切成薄片备用。
②瓦煲内加入清水，用猛火煲至水滚，放入苦瓜滚半小时，再加入牛肉稍滚，用精盐调味即可。

主料 牛肉60克，草决明、枸杞子、黄精各15克。
调料 生姜2片，精盐适量。

做法 ①将草决明、枸杞子、黄精、生姜洗净；牛肉洗净，切成片备用。
②锅置火上，加入适量清水，再放入姜片、草决明、枸杞子、黄精、牛肉片，用武火煮沸，转文火煲2小时，放入精盐调味即成。

草决明杞子牛肉汤

主料 牛肉100克，山药1个。
调料 精盐2小匙，味精1小匙，水淀粉3大匙。

做法 ①山药洗净，刮皮、切片；牛肉洗净，放碗内，用精盐、水淀粉拌匀。
②锅置火上，放水适量，加入山药、牛肉煮熟，然后调味，起锅即可。

牛肉山药汤

主料 卤牛肉150克，年糕300克，鸡蛋2个，芹菜2根。
调料 精盐适量，鸡精 1/2小匙，胡椒粉1/4小匙，牛骨清汤8杯，香油少许。

做法 ①将年糕放入冷水中浸泡至软，捞出切片；芹菜去根、老叶，放入沸水中焯烫，捞出冲凉，切段备用。
②将卤牛肉顺丝撕成长条待用。
③将煎锅放入香油烧热，打入鸡蛋两面煎熟成蛋饼备用。
④汤锅中倒入牛骨清汤，放入所有原料煮至年糕浮于汤面，再加入精盐、鸡精、胡椒粉调匀，盛入汤碗中，放入蛋饼即可。

卤肉年糕汤

主料 牛肉500克。
调料 姜5片，葱1根，精盐1小匙，胡椒粉少许，料酒1大匙。

做法 ①将牛肉洗净，入沸水锅中，加入2片姜、料酒煮20分钟；余下的姜片切丝；葱洗净，切成末备用。
②将牛肉捞出，切成片，放入碗中，加入姜丝、牛肉汤，入锅用中火蒸10分钟，再加入精盐、葱末、胡椒粉调味即可。

清汤小牛肉

牛肉核桃汤

主料　牛肉320克，冬瓜400克，红腰果、核桃肉各80克。
调料　姜2片，精盐适量。

做法　①将冬瓜去皮、去瓤，洗净，切块；牛肉洗净，切成块，入沸水锅中焯烫，捞出洗净备用。
②锅内加入适量清水煮沸，下入冬瓜、牛肉、红腰果、核桃、姜片烧开，再转小火煲2小时，然后加入精盐调味即可。

参芪肉丸萝卜汤

主料　牛肉丸子400克，白萝卜200克，萝卜缨、黄芪各30克，人参1棵，橘皮丝少许。
调料　姜片少许，精盐适量。

做法　①将白萝卜去皮、洗净，切厚片；萝卜缨洗净备用。
②将黄芪、人参洗净待用。
③锅内加入清水烧开，放入所有原料、姜片用大火煮15分钟，再转小火煲40分钟，加入精盐调味即可。

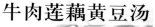

牛肉莲藕黄豆汤

主料　牛肉400克，莲藕200克，海带80克，胡萝卜1/2根，黄豆50克。
调料　精盐适量。

做法　①将牛肉洗净，切成块，入沸水锅中焯去血水，捞出备用。
②将莲藕去皮、洗净，切成块；海带洗净，切成大块，胡萝卜去皮、洗净，切成块待用。
③将黄豆淘洗干净，放入清水中泡至涨发备用。
④锅中加入清水烧沸，再放入所有原料，用大火煲滚，然后转小火煲1小时至熟，再加入精盐调味即可。

牛肉番茄汤

主料　牛肉300克，番茄100克，胡萝卜1/2根，玉米粒20克，青豆15克，洋葱末少许。
调料　蒜末少许，草莓酱1大匙，冰糖1小匙，色拉油2大匙。

做法　①将牛肉洗净，切成块，放入沸水锅中焯烫，捞出沥水备用。
②锅中加清水烧沸，放焯好的牛肉块熬煮成牛肉高汤待用。
③将番茄洗净，切成块；胡萝卜去皮、洗净，切丁；玉米粒、青豆洗净备用。
④锅中加入色拉油烧热，下入洋葱末炒香，再放入番茄炒软，然后放入玉米粒、胡萝卜、青豆炒至断生，倒入牛肉及熬煮好的牛肉高汤，加入精盐、鸡精、蒜末煮至入味即可。

主料 牛肉150克,土豆200克,榨菜50克,香菇3朵。
调料 月桂叶2片,葱花少许,精盐适量,味精1/2小匙,酱油1大匙,熏骨高汤8杯,黄油2大匙。
做法 ①将牛肉洗净,切成粒;香菇去蒂、洗净,切成粒;土豆去皮、洗净,切滚刀块备用。
②将榨菜放入沸水中焯烫去盐分,捞出沥水待用。
③锅中放入黄油烧至熔化,下入葱花炒香,再放入牛肉粒、香菇粒、榨菜粒、酱油翻炒片刻,然后下入土豆块炒至上色,再倒入熏骨高汤,加入精盐、味精、月桂叶煮至入味,拣出月桂叶即可。

牛肉粒土豆汤

主料 酱牛肉400克,胡萝卜、土豆各100克,西蓝花50克,洋葱丝少许。
调料 精盐适量,料酒2大匙,姜汁1大匙,牛骨高汤8杯。
做法 ①将酱牛肉切厚片;土豆去皮、洗净,切成四半;西蓝花洗净,切小朵备用。
②将胡萝卜去皮、洗净,切成块待用。
③汤锅中加入牛骨高汤,放入酱牛肉煮开,再放入其他原料、调料,用大火煮沸,然后转小火煮20分钟即可。

牛肉什蔬汤

主料 雪菜150克,熟牛肉400克,胡萝卜、红椒各少许。
调料 葱、蒜末各1/2小匙,精盐适量,牛骨高汤8杯,色拉油2大匙。
做法 ①将雪菜放入网筐里,用流水冲洗去掉咸味,取出切碎备用。
②将熟牛肉切块;胡萝卜、红椒洗净,切丝待用。
③锅内加入色拉油烧热,下入葱、蒜末翻炒,再放入牛骨高汤、牛肉、雪菜煮沸,然后加入胡萝卜丝、红椒丝及调料煮15分钟即可。

雪菜牛肉汤

主料 五香牛肉1罐,口蘑100克,雪豆80克。
调料 葱花15克,大蒜2瓣,精盐适量,胡椒粉1/2小匙。
做法 ①将口蘑洗净,切成瓣;雪豆用清水浸透,放入沸水锅中煮熟,捞出沥水备用。
②将五香牛肉罐头用开瓶器开盖,连汤倒入锅中,加入适量清水混合均匀,再放入口蘑、雪豆、调料煮至原料软烂,然后放入葱花、蒜瓣续煮2分钟即可。

牛肉口蘑雪豆汤

牛肉萝卜汤

主料　牛肉300克，小萝卜菜80克，番茄1个。

调料　精盐适量，味精1/2小匙，料酒2大匙，高汤6杯。

做法　①将牛肉洗净，放入冰箱中速冻取出，刨成薄片备用。
②将小萝卜菜洗净，从中间切开；番茄去蒂、洗净，切成块待用。
③汤锅中加入高汤煮沸，再下入萝卜、番茄、精盐煮片刻，然后放入牛肉片续煮5分钟，最后加味精调味即可。

苹果百合牛肉汤

主料　苹果2个，百合100克，牛肉600克。

调料　陈皮1块，精盐1小匙。

做法　①将牛肉洗净，切成小块；苹果洗净，去核，切成大块；百合、陈皮分别洗净备用。
②沙锅中加入适量清水，用小火烧开，再放入苹果、牛肉、百合、陈皮煮沸，然后转中火煲3小时左右，加入精盐调味即可。

花生牛肉汤

主料　牛肉650克，花生仁50克，红枣12粒。

调料　姜2片，陈皮5克，淡奶1小瓶。

做法　①将牛肉洗净，切成厚块，入沸水锅中煮5分钟，捞出过凉，沥水备用。
②将花生用热水烫过、去衣；红枣去核，洗净；陈皮浸软，洗净待用。
③将牛肉、花生、红枣、陈皮、姜片放入煲内，加入开水适量，置武火上煮沸，再转文火续煲3小时，然后加入淡奶调味即成。

花生莲藕牛肉煲

主料　牛肉600克，花生100克，莲藕1根。

调料　茴香3粒，陈皮2片，花椒少量，葱半根，姜2片，米酒半杯，精盐5小匙，味精2小匙。

做法　①牛肉洗净切块，莲藕洗净切片，花生用温水泡涨。
②牛肉放入开水中余烫，捞起，洗净，将所有材料、调料及7杯水放入沙锅中，煮沸，转小火炖2小时至牛肉熟烂即可。

枸杞淮山药炖牛肉

主料 牛肉250克，枸杞子20克，淮山药、桂圆肉各10克。

调料 葱段、姜片各适量，精盐、味精各1小匙，料酒1大匙。

做法 ①将牛肉洗净，放入沸水锅中焯烫，捞出晾凉，切成片；淮山药、枸杞子、桂圆肉洗净备用。

②沙锅中加入6杯清水，再放入料酒、淮山药、枸杞子、桂圆肉和精盐，用小火炖2小时至牛肉熟烂，加入味精即可。

海带炖牛肉块

主料 牛肉300克，水发海带200克。

调料 油750克(约耗50克)，绍酒、酱油各2大匙，白糖1/2大匙，精盐、味精各1/3小匙，花椒、八角、茴香、葱各少许。

做法 ①牛肉切成见方的块，入七成热油中冲炸至变色，即刻倒入漏勺；海带洗净，切成"象眼片"备用。

②炒锅上火烧热，加底油，用葱片、花椒、八角、茴香炝锅，烹绍酒，加入酱油、白糖、精盐，添汤烧开，下入牛肉块，撇净浮沫，盖上盖，移小火炖至八分熟时放入海带片，继续炖至熟烂入味，拣去花椒、八角，加入味精，出锅装碗即可。

酸辣蹄筋汤

主料 水发蹄筋50克，鸡蛋2个。

调料 葱花25克，胡椒粉、醋、酱油、料酒各1大匙，精盐2小匙，味精1小匙，水淀粉3大匙，香油1小匙。

做法 ①蹄筋切丝；鸡蛋磕入碗中，用筷子打散，加醋、胡椒粉、香油、葱花搅拌均匀。

②锅置火上，加水、蹄筋、酱油、精盐、味精一同煮开，用水淀粉勾芡，把鸡蛋液淋入汤锅内，调匀即可。

咖喱牛筋煲

主料 卤牛蹄筋300克，粉丝10克。

调料 大蒜3粒，葱10克，高汤1杯，酱油4小匙，咖喱粉、糖、胡椒粉各2大匙。

做法 ①卤牛蹄筋切片；粉丝泡软，捞出，对半切段；葱洗净后切末；大蒜去皮，青蒜洗净，均切片。

②锅中倒入高汤煮滚，加葱末、大蒜及酱油、咖喱粉、糖、胡椒粉煮开，放入牛蹄筋及粉丝，焖至入味，盛入煲锅，再加入青蒜，即可端出。

牛蹄筋炖萝卜

主料　水发牛蹄筋350克，白萝卜1/2个，胡萝卜1/2根。

调料　香菜末10克，葱段2段，姜片5片，精盐、味精、鸡精各1小匙，老汤适量。

做法　①将牛蹄筋洗净，去除油脂，放入清水锅中烧开，再除去表面浮沫，然后加入葱段、姜片，小火焖煮20分钟关火后，再浸泡20分钟，捞出晾凉，切成5厘米长、2厘米宽的条。
②将白萝卜、胡萝卜去皮、洗净，切成菱形小块，再放入沸水中焯透备用。
③锅中加入老汤，下入牛蹄筋、白萝卜、胡萝卜，再加入精盐、味精、鸡精，炖至入味，盛入碗中，撒上香菜末即可。

牛筋腊肉汤

主料　牛筋300克，腊肉100克，青菜50克。

调料　葱段、姜片各少许，精盐适量，味精1/2小匙，料酒1大匙，奶油高汤8杯。

做法　①将牛筋洗净，放入高压锅中，加入料酒、葱段、姜片压熟，捞出晾凉，切成段；腊肉切片备用。
②将青菜择洗干净，放入沸水锅中焯烫一下，捞出冲凉，挤干水分，切碎待用。
③锅中加入奶油高汤煮沸，再放入牛筋、姜片、腊肉、料酒、精盐、味精煮至入味，然后撒入碎青菜即可。

牛筋花生汤

主料　牛筋200克，花生80克，胡萝卜1根。

调料　姜2片，精盐、卤肉料各适量，味精1/2小匙，料酒1大匙，牛肉高汤8杯。

做法　①将牛筋洗净，放入高压锅中，加入卤肉料、适量清水压熟，捞出，切成块备用。
②将胡萝卜去皮、洗净，先切长条形，再斜切成象眼块待用。
③汤锅中加入牛肉高汤烧沸，下入所有原料，再加入料酒、姜片煮至熟烂，然后加入精盐、味精煮至入味即可。

牛筋炖双萝

主料　熟牛蹄筋200克，白萝卜、胡萝卜各150克，香菜少许。

调料　精盐1小匙，鸡精1/3小匙，酱油、辣椒各少许，老汤1碗。

做法　①将牛蹄筋切成块；胡萝卜、白萝卜去皮、洗净，切成菱形块，入沸水锅中焯水，捞出沥水备用。
②锅置火上，加入老汤，放入蹄筋、胡萝卜、白萝卜、调料煮8分钟，撒上香菜段即成。

主料 牛腱子肉500克，白萝卜、胡萝卜各150克。

调料 葱段5克，姜2片，大料3粒，丁香、香叶各少许，辣椒粉3小匙，精盐1小匙，胡椒粉1/2匙，白糖2小匙，料酒1大匙。

做法 ①将胡萝卜、白萝卜去皮、洗净，切成块；牛肉洗净，切成块，入沸水锅中焯烫，捞出沥水备用。

②锅中放入牛肉、白萝卜、胡萝卜、葱段、姜片、料酒、丁香、香叶、大料、白糖、胡椒粉、辣椒粉，再加入适量清水烧沸，然后转中火煲30分钟至熟，加入精盐调味即可。

萝卜辣味牛

主料 牛腱400克，胡萝卜、白萝卜各1/2根，海带50克。

调料 葱花25克，姜2片，精盐5小匙，味精2小匙，料酒2大匙。

做法 ①牛腱洗净，切大块；胡萝卜、白萝卜均洗净，去皮，切滚刀块；海带洗净。

②将牛腱放入开水中余烫3分钟，捞出、洗净，沥干。

③沙锅中倒入4杯水，煮沸，加入所有材料，以中火炖2小时调味即可。

萝卜海带煲牛肉

主料 木耳（浸软）20克，胡萝卜200克，丝瓜、牛腱肉各320克，玉米2根。

调料 姜2片，精盐1/2小匙。

做法 ①将胡萝卜、丝瓜分别去皮、洗净，切成厚片；玉米洗净备用。

②牛腱肉洗净，切成厚片，入沸水锅中焯烫，捞出洗净，沥水待用。

③锅中加入适量清水烧开，放入所有原料、姜片烧沸，再转小火煲2小时，加入精盐调味即可。

木耳牛腱汤

主料 牛腱子肉250克，小土豆、小萝卜各100克，番茄50克。

调料 葱、姜、香叶各5克，八角2粒，精盐、酱油、料酒各1小匙，白糖、高汤精、胡椒粉各1/2小匙，辣椒面2小匙，植物油3大匙。

做法 ①牛肉洗净，切块，加入酱油、料酒、胡椒粉、姜末腌制片刻；小土豆、小萝卜洗净，入清水锅中，加入精盐煮熟，捞出。②锅中加植物油烧热，下入葱、姜爆香，再放入番茄煸焯一下，然后放入牛肉翻炒，再加入调料、适量开水，倒入电沙锅中炖2小时，然后放入小萝卜待用。③将小土豆放入炒锅中干煸至表皮发黄，再倒入炖好的牛肉与汤，加入白糖用大火收汁即可。

风味牛肉煲

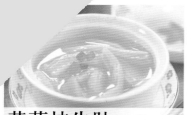

黄芪炖牛肚

主料 牛肚1个，黄芪30克。

调料 葱、姜、小茴香、花椒各少许，精盐、酱油、米醋、料酒各适量。

做法 ①将牛肚洗净，放开水锅中焯烫，捞出冲净，切条；葱、姜、黄芪洗净，切成片；黄芪、小茴香、花椒装入布袋中扎紧备用。②沙锅中放入牛肚、香料布袋和调料，再加入适量清水煮沸，然后转小火炖至牛肚熟烂，取出布袋即可。

桔梗牛杂汤

主料 金钱肚200克，桔梗100克，萝卜80克，蕨菜、大豆芽各30克。

调料 葱、姜末各少许，胡椒适量，酱油1小匙，蒜泥1/2大匙，清酱1大匙，色拉油2大匙。

做法 ①将金钱肚洗净，切成条，入沸水锅中稍焯，捞出冲凉备用。②将桔梗洗净，放入容器内浸泡至软，取出撕成条；萝卜去皮、洗净，切成块，蕨菜去老根、洗净，切成段待用。③锅中加色拉油烧热，下入葱、姜末、料酒、清酱、酱油、桔梗、金钱肚炒至上色，再加入8杯清水，放入蕨菜、大豆芽、萝卜煮10分钟，加入胡椒粉调味。

薏米炖牛肚

主料 生薏米、熟薏米各50克，牛肚600克。

调料 姜1片，精盐、面粉各适量，料酒、米醋各少许。

做法 ①将牛肚用面粉擦洗，再用清水冲去黏性污物，刮去浮油洗净，放入滚水锅中，加入料酒、米醋煮10分钟，取出洗净，切成块备用。②将生薏米、熟薏米放入清水锅中煮3分钟，取出洗净待用。③将生薏米、熟薏米、牛肚放入炖盅内，加入滚水4杯，炖盅加盖，入锅用文火隔水炖3.5小时。加入精盐调味即可。

酸辣肚丝汤

主料 牛肚100克，冬笋、榨菜各75克。

调料 葱末5克，精盐、味精各1/2小匙，酱油2小匙，白胡椒粉1小匙，米醋1大匙，水淀粉适量，牛肉汤3杯。

做法 ①将牛肚稍烫一下，去除肚毛洗净，再放锅中，煮约40分钟至熟捞出，切成丝；榨菜切成细丝放清水中泡去盐分。②冬笋去皮、洗净，切成3厘米长的细丝，放沸水中焯透，捞出沥干水分。③锅中加入底油，先爆香葱花，再加入牛肉汤、精盐、酱油、牛肚丝、冬笋丝、榨菜丝烧开，然后撇去表面浮沫，用水淀粉勾薄芡，再调入味精、白胡椒粉、米醋，即可出锅装碗。

滋补鞭汤

主料 净牛鞭300克，枸杞子、香菜各少许。

调料 姜3片，精盐1小匙，味精1/2小匙，老汤2杯，色拉油少许。

做法 ①将牛鞭洗净，切一字连刀，再剁成段，入沸水锅中焯水；枸杞子用热水泡开备用。②锅中添入老汤，放入牛鞭、枸杞子、姜片烧开，撇去浮沫，再加入调料煮18分钟，然后淋入明油，盛入碗中，撒入香菜即可。

枸杞牛鞭汤

主料 牛鞭1条，枸杞子15克，鸡肉300克。

调料 大葱180克，老姜38克，花椒10粒，精盐3/5小匙，味精、胡椒粉各少许，绍酒120克。

做法 ①将鲜牛鞭治洗，切段；鸡肉洗净；姜拍破；葱切段。②锅中放牛鞭，加水2000克烧开，再放葱50克、绍酒30克煮15分钟，捞出牛鞭，拣去葱段不用，反复煮3次。③锅加水2000克，放牛鞭、鸡肉烧开，再加姜、葱、绍酒、花椒，用小火炖90分钟，拣出姜、葱不用，鸡肉取出另做他用，然后放精盐、味精、胡椒粉煮至牛鞭软烂，收汁，加枸杞。起锅装碗即可。

西式牛尾

主料 牛尾1根，洋葱、胡萝卜各15克，芥菜10克，土豆1个，腰果20克，番茄4个。

调料 葱、姜各5克，精盐、料酒各1小匙，老抽1/2大匙，植物油3大匙。

做法 ①将牛尾洗净，斩成小段；胡萝卜、土豆、番茄分别洗净，切成块；芥菜洗净，切段备用。②汤锅中放入适量热水烧沸，放入牛尾、葱煮3分钟取出，用清水冲洗干净，沥水待用。③电炖锅中放入牛尾、姜、洋葱、胡萝卜、土豆、番茄，再加入料酒、老抽、适量热水煲3小时，然后放入芥菜、腰果煲10分钟，出锅即可。

石斛参须牛尾汤

主料 牛尾400克，银耳、石斛、参须各20克，大枣5粒。

调料 姜丝少许，精盐、胡椒粉各适量，料酒1大匙。

做法 ①将牛尾去掉尾根大骨剁成段，放入沸水中焯烫，捞出沥水；银耳用清水泡软，择去耳根，撕小朵；原料洗净待用。石斛、参须洗净；大枣洗净，去核备用。②煲中加入清水煮沸，放入牛尾用旺火煲滚，撇去浮沫，转小火，放入姜丝、料酒煮2小时，再下其他原料煲煮1小时，然后加入精盐调味离火，食用时撇去浮油，依个人口味加入胡椒粉调味即可。

牛尾萝卜汤

主料 牛尾1根，白萝卜1/2根，青笋根。

调料 葱段、姜片、鸡汤、精盐、味精、绍酒各适量。

做法 ①将牛尾用小火燎去残毛，放入温水中泡软，再用小刀刮净表面，由骨节处断开。②锅中加入清水烧开，先入葱段、姜片，再放入牛尾焯透捞出，冲洗干净，然后放入汤碗内，加绍酒、精盐、葱段、姜片、鸡汤，上屉蒸约2小时至熟烂。③将萝卜、青笋去皮挖成圆球，再用沸水煮透，放入蒸牛尾的汤中，然后加味精续蒸20分钟。④将碗中浮油撇去，捞出葱、姜，原汤碗上桌即成。

牛尾煲莲藕

主料 净牛尾2只，鲜藕1个，红枣10粒。

调料 葱结、姜片各10克，料酒、精盐各1大匙，味精、鸡精各2小匙，胡椒粉1大匙，植物油1大匙。

做法 ①鲜藕刮去外皮，洗净，拍松，切成块状，清洗几遍（以去除一些淀粉，使吃口清爽），控干水分；净牛尾剁成小块，同清水入锅，沸后煮约5分钟捞出，冲漂净浮沫；红枣去核，洗净。②牛尾块和藕块均放在一汤盆内，上放红枣、姜片、葱结，注入用精盐、味精、鸡精、胡椒粉调好的清汤，淋入猪化油和料酒，用双层纸封口，上笼蒸约3小时至牛尾熟烂即成。

番茄海带煲牛尾

主料 牛尾1只，番茄6个，海带150克。

调料 姜2片，白胡椒5小匙，精盐、味精各1大匙。

做法 ①牛尾洗净，切小段；番茄去蒂；海带洗净，切大片。②将牛尾放入开水中余烫约3分钟，捞出。③沙锅中倒入2500克水，以大火煮沸，加入牛尾、姜及白胡椒，以中火炖1小时，再加番茄、海带，继续炖1小时，调味即可。

淮杞煲牛尾

主料 牛尾3只，鲜人参1根，淮山1片，枸杞子5粒，大枣5枚。

调料 葱段3段，八角1粒，姜片3片，精盐1小匙，味精1/2小匙。

做法 ①将牛尾洗涤整理干净，在骨节处断开，放入清水中浸泡1小时去除血水，再放入沸水中焯烫一下，捞出沥干。②沙锅上火，放入清水、精盐、鲜人参、大枣、淮山、枸杞子、葱段、姜片、八角、牛尾烧开，去除表面浮沫，小火煲至熟烂（约1.5小时），再用味精调味即可。

牛腩炖海带

主料 牛腩300克,水发海带200克。

调料 葱片15克,绍酒、酱油各2大匙,精盐、味精各1/3小匙,白糖1/2大匙,花椒、八角、茴香各少许,植物油750克(约耗50克)。

做法 ①将牛腩洗净,切成小块,放入七成热油中炸至变色,捞出沥油;海带洗净,切成"象眼片"备用。
②炒锅上火烧热,加入底油,先用葱片、花椒、八角、茴香炝锅,再烹入绍酒,加入酱油、白糖、精盐,然后添汤烧开,下入牛腩块,撇净浮沫,盖上锅盖,移微火炖至八分熟,再放入海带片,续炖至熟烂,拣去花椒、八角,加入味精调味,即可出锅装碗。

萝卜炖牛肉

主料 牛腩250克,白萝卜1个。

调料 葱段、姜块各少许,绍酒、酱油各2大匙,精盐、味精各1/2小匙,五香粉1/3小匙,植物油1大匙。

做法 ①将萝卜、牛腩分别洗净、切块,放入沸水中焯透,捞出冲凉,沥干备用。
②炒锅上火烧热,加少许底油,先用葱、姜炝锅,再烹绍酒,添清汤,下入牛肉,炖至熟烂,然后加入萝卜、五香粉、酱油、精盐、味精烧入味,拣出葱、姜,撇净浮沫,出锅装碗即可。

莲藕煨牛腩

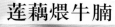

主料 莲藕1根,牛腩1000克,海带结150克。

调料 姜2片,白糖、料酒、米醋各1大匙,酱油5大匙。

做法 ①将牛腩洗净,切小块,入沸水锅中焯烫,捞出洗净备用。
②将莲藕去皮,切除藕结,洗净,切小块待用。
③锅中加入适量清水,放入莲藕块煮40分钟,再放入牛腩、姜片及调料,然后转小火煮至原料熟软,放入海带结煮熟即可。

芝麻茴香煲牛腩

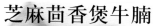

主料 牛腩肉400克,芝麻25克。

调料 姜片5克,小茴香15克,精盐、绍酒各1小匙,植物油4小匙。

做法 ①将牛腩洗净,切成块备用。
②坐锅点火,分别下入芝麻、小茴香炒干至香,取出研成粉状待用。
③将芝麻粉撒在牛肉上拌匀,入油锅中略炒,盛出备用。
④锅中加入清水,放入牛腩肉,姜片、绍酒,用大火烧沸,再转小火煲煮1.5小时,然后加入精盐,撒入小茴香粉即成。

牛肉萝卜豌豆汤

主料 牛腩肉、白萝卜各300克，豌豆粒30克。

调料 葱花、姜片、树椒、八角各少许，精盐适量，味精1/2小匙，酱油1小匙，料酒、色拉油各2大匙。

做法 ①将牛腩肉洗净，切成块，入沸水锅中焯烫，捞出沥水；白萝卜去皮、洗净，切圆柱形厚片；豌豆洗净备用。

②锅中加入色拉油烧热，下入葱花、姜片、八角、树椒炒出香味，再放入牛肉煸炒，然后烹入料酒，加入酱油翻炒上色，再倒入适量清水，加入白萝卜、青豆用小火煮至白萝卜透明时，加入味精调味即可。

丁香牛蛋汤

主料 牛蛋300克，牛蒡200克，胡萝卜1根，香菇3朵，香菜少许。

调料 姜丝少许，丁香、豆蔻各5克，精盐适量。

做法 ①将牛蛋去除筋膜，洗净，一切两半，再切成一字连刀备用。

②将牛蒡、胡萝卜去皮、洗净，均切成块；香菇去蒂、洗净，剞十字花刀待用。

③锅中加清水烧沸，放入牛蛋、牛蒡、胡萝卜、香菇用大火煲沸，再转小火煲1小时，然后加入精盐调味，再撒入香菜即可。

滋补灵芝壮阳汤

主料 灵芝1支，壮阳蛋（牛蛋）200克，枸杞子适量。

调料 葱、姜片各少许，精盐1小匙，鸡汁1/2小匙，上汤3杯，色拉油少许。

做法 ①将灵芝用温水浸透，切成片；壮阳蛋用清水洗去盐分；枸杞子洗净备用。

②炒锅放入色拉油烧热，下入葱、姜片炸香，再加入上汤，放入灵芝、壮阳蛋、枸杞子、精盐、鸡汁，用大火烧沸，然后倒入沙锅中，用小火煲35分钟即可。

四季豆心管汤

主料 牛心管300克，四季豆200克，胡萝卜1根，小番茄20克。

调料 葱段、姜片各少许，精盐适量，味精1/4小匙，胡椒粉1/2小匙，酱油1小匙，料酒1大匙，牛骨高汤8杯，色拉油2大匙。

做法 ①将牛心管用刀划开，切成大片，去除杂质洗净，切成小块，入沸水中焯烫一下，捞出沥水备用。

②锅置火上，放入色拉油烧热，放入葱段、姜片、心管、酱油、料酒煸炒出香味，再倒入牛骨高汤，放入剩余原料、调料，用大火煮沸，然后转小火煮至四季豆熟烂时，放入味精、胡椒粉煮至入味即可。

腐竹羊肉煲

主料 羊肉750克，腐竹皮3条，白果、青蒜各250克，去皮荸荠（马蹄）15粒，老姜6片，豆腐乳3～4块。

调料 精盐、白糖、醪糟各少许，酱油2大匙，植物油100克。

做法 ①将白果去壳及薄膜，洗净；荸荠洗净；青蒜除老叶、洗净，切斜片备用。

②锅中放入植物油烧热，下入姜片爆香，再放入羊肉炒至肉色变深褐色时，盛出待用。

③取一煲锅，将炸过的腐竹皮、青蒜片、荸荠、白果及炒过的羊肉放入，再加入调料和热水800克，先用猛火煮滚，然后转中小火煮3小时即成。

养生茄汁羊肉

主料 羊肉350克，番茄150克，土豆、洋葱、胡萝卜各50克。

调料 蒜片15克，精盐、酱油、料酒各1小匙，高汤精、白糖、胡椒粉各1/2匙，植物油2大匙。

做法 ①将羊肉洗净，切成块；番茄、土豆、洋葱、胡萝卜去皮、洗净，均切成块备用。

②锅中倒入植物油烧热，下入蒜片炸香，放入番茄煸炒出汁，再加入羊肉，烹入料酒、酱油，然后放入洋葱、土豆、胡萝卜、胡椒粉、适量清水烧开，加入精盐、高汤精、白糖调味，倒入电沙锅中炖1小时即可。

鳖羊补肾煲

主料 活鳖1只（约500克），带骨羊腿500克，黄芪10克，枸杞子20克。

调料 茴香1个，花椒10粒，葱、姜各5克，精盐、料酒各适量。

做法 ①将鳖宰杀，剁大块；羊肉去骨，洗净，切3厘米见方块。

②将鳖、羊肉分别放入沸水锅中焯烫，捞出沥水待用。

③将鳖肉块、羊肉、黄芪、枸杞子、茴香、花椒、葱姜、料酒放入沙锅中，再加入清水没过原料，以用大火煮沸，然后转小火炖至熟烂，加入精盐调味即可。

沙茶羊肉煲

主料 羊肉600克，鸡蛋1个，蟹肉棒、鱼丸、鱼糕、炸鹌鹑各50克，茼蒿、豆腐各200克。

调料 青蒜2棵，沙茶酱5小匙，酱油1大匙，米酒2大匙，五香粉4小匙。

做法 ①豆腐洗净，切小块；青蒜洗净，切片；羊肉、鱼丸、鱼糕、蟹肉棒及茼蒿分别洗净；鸡蛋打入碗中，滤去蛋白，蛋黄加沙茶酱调成酱汁备用。

②锅中倒入半锅水煮滚，放入羊肉及酱油、米酒、五香粉煮1小时，捞出，待凉切片；锅中继续加热，放入豆腐、蟹肉棒、鱼丸、鱼糕及炸鹌鹑蛋煮滚，盛入煲锅，加入茼蒿、羊肉及青蒜煮开，食用时蘸酱即可。

主料 羊肉500克，淮山药150克。

调料 料酒4小匙，精盐1/2小匙，生姜10克，葱白10克，胡椒粉少许，羊肉汤3杯。

做法 ①将羊肉剔去筋膜、洗净，略划几刀，再入沸水锅内焯去血水；葱、姜洗净待用。

②淮山药用温水浸透后切成片，与羊肉一起置于锅中，加入羊肉汤，投入姜（拍破）、葱、胡椒、精盐、料酒，先用大火烧沸，去尽浮沫，移文火上炖至熟烂，捞出羊肉晾凉，切成片，装入碗中，再将原汤中的葱、姜拣去不用，连山药一同倒入羊肉碗内即成。

羊肉山药汤

主料 带皮羊肉1500克，活鲫鱼1条。

调料 葱、姜各15克，青蒜2克，精盐1小匙，酱油3大匙，料酒5小匙，胡椒粉少许，淀粉1小匙，猪化油3大匙。

做法 ①将羊肉刮净毛，泡入清水中漂洗，捞起放入锅中，加水、料酒、葱、姜，烧沸，撇去浮沫，再用小火煮透，取出剔除骨，压平切块。

②将活鲫鱼去鳞鳃，剖腹取出内脏洗净，沥去水分，放入锅内煎至起壳，再加料酒、开水，用旺火烧沸，加盖煮成鱼汤。

③将鱼汤用筛滤过倒入沙锅内，放入羊肉，加上调料，用旺火烧沸后，改用小火烧烂，起锅盛入碗内，再加青蒜、胡椒粉，浇汁即成。

羊肉鱼汤

主料 羊肉500克。

调料 生姜2大匙，当归1大匙，胡椒面1/5匙，葱5克，料酒2小匙，盐2/5小匙。

做法 ①当归、生姜用清水洗净，切成大片；羊肉去骨，剔去筋膜，入沸水汆去血水，捞出晾凉，切成5厘米长、2厘米宽、1厘米厚的条。

②沙锅中掺入清水适量，将切好的羊肉，当归，生姜放入锅内，旺火烧沸后，打去浮沫，改用小火炖1小时，羊肉熟透即成。

仲景羊肉汤

主料 萝卜1000克，羊肉500克。

调料 葱、姜各适量，精盐、味精各1大匙，胡椒粉5小匙。

做法 ①将羊肉去筋膜，切成约3厘米大小的方块，先入沸水锅内焯一下，除去血水，捞出沥水后放锅内，注入适量清水。

②萝卜去表皮，冲洗干净，切成菱形片待用；将羊肉锅置大火上烧沸后，改用文火煮约30分钟，放入切好的萝卜同煮至羊肉熟烂，将肉和汤倒入碗内，用精盐、胡椒粉调味即成。

萝卜羊肉汤

辣味羊肉煲

主料 羊肉片600克，淮山、香肠各1根，秋葵3根，香菇6朵，枸杞子1大匙。

调料 老姜3片，葱2段，蒜2瓣，精盐、鸡精各少许，砂糖1/2大匙，水淀粉3大匙，醡糟、米醋、香油各1大匙。

做法 ①将蒜去皮，切末；淮山去皮、洗净，切块；香菇去蒂、洗净，切片；秋葵洗净，切两半备用。

②将羊肉片加入水淀粉、醡糟、精盐、鸡精腌约15分钟；香肠切片，入油锅中炸香，捞出待用。

③锅留底油，下入葱段、姜片爆香，再加入沙茶酱、砂糖、清水、精盐、米醋、香油、水淀粉煮沸，倒入煲锅中，加入羊肉、枸杞子、山药、秋葵、香菇煮至入味，用水淀粉勾芡即可。

山楂萝卜羊肉煲

主料 山楂15克，羊肉600克，白萝卜320克。

调料 姜2片，精盐2小匙。

做法 ①将羊肉洗净，切成块；白萝卜削皮、洗净，切滚刀块；山楂洗净备用。

②将羊肉放入沸水锅中焯烫，捞出沥水待用。

③沙锅中放入羊肉、萝卜、山楂、姜片，再加入清水没过原料，用大火煮沸，然后转小火炖50分钟至羊肉熟透，加入精盐调味即可。

枸杞山药炖羊肉

主料 净羊肉500克，山药1个，枸杞子25克。

调料 姜片、葱结各10克，料酒5小匙，精盐1小匙，味精2小匙，鸡精1小匙，胡椒粉5小匙，植物油5大匙。

做法 ①将净羊肉切成1.5厘米见方的小块，同冷水入锅，沸后煮约5分钟捞出，用清水洗去污沫；山药削皮洗净，斜刀切成滚刀小块，用清水泡住；枸杞子用温水泡软，均备用。

②不锈钢炒锅上火，放植物油烧热，下姜片、葱结炸香，烹料酒，掺入适量水，放羊肉块，沸后改小火炖至九成熟时，放山药块、枸杞子，加精盐、味精、鸡精、胡椒粉调味，续炖约25分钟至软烂，拣出葱结、姜片，起锅倒在汤盆内，淋香油即成。

淮山枸杞煲羊肉

主料 瘦羊肉500克，枸杞子25克，淮山35克，韭黄15克。

调料 香菜10克，葱段3段，姜片3片，精盐1小匙，味精1/2小匙，料酒1大匙，酱油5小匙，植物油1000克（约耗75克），大料2枚，胡椒粉4小匙，鲜汤1/2杯。

做法 ①把羊肉洗净，切成3厘米长、2厘米厚的块；枸杞子择洗净；韭黄洗净，切成3厘米长的段；香菜洗净，切段。②净锅入油上火，待烧至六成热时，将羊肉块放入，浸炸至断生、色呈深红色时，倒入漏勺沥油。③原锅留底油上火，投入大料、淮山、葱段、姜片炒香，掺入鲜汤，放入羊肉块，调入精盐、料酒、酱油，开锅后煮15分钟，盛入沙锅中，放入枸杞子、味精、胡椒粉，加盖炖10分钟至肉熟烂后，撒入韭黄、香菜段即成。

龟羊煲

主料　净羊肉500克，甲鱼1只，枸杞子10克，制附片10克，当归6克，党参10克，冰糖10克。

调料　葱姜各25克，料酒2大匙，味精、精盐各1大匙，胡椒粉5小匙，植物油3大匙。

做法　①将甲鱼肉烫一下，刮去黑膜，剥去脚爪，洗净。将羊肉洗净。羊肉、甲鱼肉随冷水下锅煮开，去掉腥味，洗净，然后均切块。将党参、枸杞、制附片、当归洗净。②锅放植物油，烧至八成热时，下甲鱼肉、羊肉煸炒，烹入料酒，继续煸炒，炒干水分备用。③用沙锅放入煸炒过的甲鱼肉、羊肉，再放入冰糖、党参、制附片、当归、葱节、姜片、精盐，加入清水，先用旺火烧开，再用小火炖到九成熟时，放入枸杞，继续炖10分钟左右，离火，去掉姜、葱、当归，放入味精、胡椒粉即成。

十补羊肉煲

主料　羊肉600克，红枣10粒。

调料　黄芪20克，何首乌10克，炒白术、甘草、白芍、川芎各7克，大茴香、小茴香各5克，肉桂2克，熟地3片，杜仲、当归各2片，茯苓1片。

做法　①将所有药材洗净；红枣洗净，用酒浸泡一夜；羊肉洗净，切成块备用。
②将所有药材放沙锅中，再放入羊肉、红枣，加入清水用大火煮沸，然后转小火炖至羊肉熟透即可。

鹿茸炖羊肾

主料　鹿茸5克，菟丝子15克，小茴香9克，羊肾1对。

调料　精盐2小匙，料酒1小匙，植物油2小匙。

做法　①将鹿茸润透切片，烘干碾成末；菟丝子、小茴香装入纱布袋中扎口，葱、姜拍破。
②羊肾剖开，去臊膜，洗去尿臊味，切成片，放油锅中稍煸一下；将药袋、葱、姜、料酒、精盐同入锅中，注入清水，用大火烧沸，撇去浮沫后，改文火炖至羊肾熟，拣去药包、葱姜，撒入鹿茸粉，烧沸，用精盐、胡椒粉调味即成。

阿胶羊腰粥

主料　阿胶10克，羊腰1只，大米100克

调料　白糖1大匙，料酒1/2大匙

做法　①将阿胶冲洗干净后上笼蒸化，备用。
②羊腰洗净，除去外膜，一切两半，片净腰臊，切成腰花；大米淘洗干净，除去杂质，备用。
③将大米、阿胶、羊腰花、料酒同放炖锅内，加水6杯，置旺火上烧沸，再用小火炖煮35分钟，加入白糖即成。

返老还童汤

主料 田鸡腿肉60克，猪腰1对，鱼鳔胶12克，枸杞子15克。

调料 葱段，姜片各少许，精盐适量，胡椒粉1/2小匙，料酒1大匙，香油1小匙。

做法 ①将田鸡腿洗净，去骨留肉备用。

②将猪腰洗净，剖开去筋膜，用清水浸去血水，剞花刀，入沸水锅中焯烫，捞出沥水待用。

③将鱼鳔胶、枸杞子分别洗净备用。

④将全部原料放入煲内，加入5碗清水、料酒、葱段、姜片，用大火煲滚，再转小火煮约2小时，然后加入精盐、胡椒粉，淋入香油即可。

青豆田鸡汤

主料 田鸡腿15对，青豆150克。

调料 姜10克，猪化油150克，精盐2小匙，料酒1大匙，味精1/2小匙，胡椒粉少许，汤4杯。

做法 ①将田鸡腿洗净，剁去腿爪，从关节处剁成两节；青豆在清水中洗去壳膜，淘洗干净，用沸水煮至断生捞起，清水透凉沥干；姜拍破待用。

②净锅置火上，下猪化油烧热，下田鸡腿稍炸1分钟，下青豆略炒，掺入汤，下胡椒粉、料酒、精盐，煮熟田鸡腿，加入味精，起锅即成。

什锦杂果田鸡油

主料 什锦杂果1罐，田鸡油30克

调料 白糖2大匙，清水1碗

做法 ①将田鸡油用热水泡开，待用。

②锅内入清水，加入杂果与田鸡油，放入白糖，煮3分钟，即可食用。

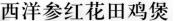

西洋参红花田鸡煲

主料 田鸡250克，西洋参15克，藏红花3克，干贝3个，天麻9克。

调料 姜3片，精盐适量，料酒2大匙。

做法 ①将田鸡洗净，切块；西洋参、天麻洗净；干贝用清水浸泡2小时备用。

②将所有原料、姜片放入沙锅中，加6杯清水煮沸，再转小火煮45分钟，加料酒、精盐即可。

南瓜田鸡汤

主料 田鸡250克，南瓜50克。

调料 大蒜60克，葱15克，精盐适量。

做法 ①将田鸡宰杀，除去内脏，剥去外皮，洗净，切成块备用。

②将大蒜去皮、洗净；南瓜去瓤、洗净，切成块待用。

③将田鸡、南瓜、大蒜放入开水锅中，用武火煮沸，再转文火煮半小时，然后加入葱、精盐调味即可。

蒜子田鸡汤

主料 田鸡3只，蒜20粒，胡萝卜10片，豌豆荚20片。

调料 姜3片，精盐、胡椒粉、香油各少许，料酒1小匙。

做法 ①将田鸡去皮、去内脏，洗净，切成块，入沸水锅中焯烫一下，捞出沥水；蒜头去皮；胡萝卜洗净，煮熟、切片；豌豆荚洗净。

②锅中加入清水煮沸，放入蒜头、田鸡、料酒用小火煮10分钟，再加入胡萝卜片、豌豆荚煮沸，然后加入精盐、胡椒粉，淋入香油即可。

田鸡煲黄瓜

主料 黄瓜1根，田鸡8只，枸杞子15克。

调料 葱2段，姜花25克，精盐1大匙，味精、料酒各2小匙，胡椒粉5小匙。

做法 ①黄瓜洗净，去瓤切块。

②田鸡剖洗净，切块，放滚水中略烫过捞起，用清水洗净，抹干，加入配料拌匀，待用。

③将汤料等一同放入汤煲内，并注入小半锅清水，煲滚后，改用中小火煲1小时至料熟及汤浓，调味盛出，趁热食用。

鲜人参煲田鸡

主料 田鸡约400～500克，鲜人参1支。

调料 红枣数粒，姜2片，精盐1大匙，味精5小匙，料酒2小匙。

做法 ①鲜人参冲净，斜切薄片；红枣洗净，去核，留用。

②田鸡剖洗净，切块，放滚水中略烫过捞起，用清水洗净，沥干，待用。

③将所有材料一同放入汤煲中，并注入大半锅清水，煲至滚开，改用中小火，煲1小时至料熟汤浓，以适量精盐调味，可趁热盛出食用。

半汤兔肉块

主料 兔肉250克，黄芪60克，川芎10克，枸杞子5克。

调料 生姜4片，香葱末5克，花椒10克，精盐、绍酒各1小匙，食用油1大匙。

做法 ①将兔肉洗净，切成块，入沸水锅中焯水，捞出备用。
②将黄芪、川芎、花椒洗净。
③锅中放入兔肉、姜片、绍酒、黄芪、川芎、枸杞子、花椒烧沸，转小火炖2小时左右，再加入精盐，淋入食用油即可。

口蘑炖兔肉

主料 野兔1只，水发玉兰片、水发口蘑各30克。

调料 葱段、姜片、花椒、精盐、味精、酱油、绍酒、肉汤、香油、熟猪油各适量。

做法 ①将兔肉洗净，剁成块，入沸水锅内焯烫片刻，捞出沥水；口蘑洗净，一切两半备用。
②炒锅置旺火上，放入猪油烧热，下入兔肉、葱段、姜片、花椒、酱油翻炒片刻，再加入肉汤、绍酒、精盐、玉兰片、口蘑烧沸，然后转文火炖至兔肉熟烂，盛入盆内，拣去葱、姜、花椒，加入味精、香油调味即可。

兔肉香芋汤

主料 兔肉400克，香芋200克，茴香少许。

调料 葱花、姜末各少许，精盐适量，鸡精1/2小匙，酱油1小匙，料酒2大匙，高汤8杯，色拉油2大匙。

做法 ①将兔肉洗净，剁成大块，放入5%的盐水中浸泡，去土腥味备用。
②将香芋去皮、洗净，切成块待用。
③锅置火上，放入色拉油烧热，下入葱花、姜末、兔肉、香芋、酱油炒至断生，再烹入料酒，倒入高汤烧沸，然后加入精盐、鸡精煮至入味，撒入茴香即可。

红枣炖蚕蛹

主料 红枣20粒，蚕蛹100克。

调料 生姜1块，精盐、冰糖各适量，料酒少许。

做法 ①将红枣去核、洗净；蚕蛹洗净；
②生姜洗净，切片备用。
③将红枣、蚕蛹、姜片、料酒放入炖盅内，加入开水适量，炖盅加盖，入锅用文火隔水炖1~2小时，再加入精盐调味即成。若与冰糖同炖，可作甜汤。